KB195874

나의 생각, 나의 답변

나의 생각, 나의 답변

초판인쇄 2020년 2월 6일
초판발행 2020년 2월 12일

지은이 허화평
펴낸이 이재욱
펴낸곳 (주)새로운사람들
디자인 김남호
마케팅관리 김종림

등록일 1994년 10월 27일
등록번호 제2-1825호
주소 서울 도봉구 덕릉로 54가길 25(창동 557-85, 우 01473)
전화 02)2237.3301, 2237.3316 **팩스** 02)2237.3389
이메일 ssbooks@chol.com
홈페이지 http://www.ssbooks.biz

ISBN 978-89-8120-584-3(03300)

허 화 평

나의 생각, 나의 답변

새로운사람들

차례

I. 책머리에

시작하는 글

오늘날 우리나라는 모두가 똑같이 골고루 잘 사는 세상 건설을 꿈꾸는, 반미반일 민족주의적이며 반자유민주적인 완고한 독선주의자들이 권력을 장악함으로써 갈등과 충돌이 분출하는 가운데 자유를 지키고자 하는 국민은 좌절하고, 자유대한민국은 추락하는 가운데 시민사회는 타락해가고 있다.

모든 현상에는 원인이 있고 시작과 끝이 있다. 지금 벌어지고 있는 제반 모순의 근본 원인은 1945년 분단에서 비롯된 것이고, 시작은 1995년~1996년간에 있었던 '5.18 특별법' 제정과 '역사바로세우기 재판'이다. 왜냐하면 이것을 계기로 주사파(主思派, 주체 사회주의 신봉세력)가 반체제 투쟁의 정당성을 공개적으로 주장할 수 있게 되고, 정치·사회 무대의 주도권을 장악하면서 오늘날과 같은 현상을 연출해낼 수 있게 되었기 때문이다.

주사파가 도달하고자 하는 최종 목적지는 평등주의 체제, 주체 사회주의 국가다. 상황이 이렇게까지 악화된 것은 유감스럽게도 김영삼, 이명박, 박근혜 정부와 이들을 둘러싼 우파 지식인들의 책임이 크다. 이들이 주사파에게 무대를 제공하고 기회를 허용한 탓으로 이렇게 되었지만, 대다수 국민들은 이러한 사실을 제대로 이해하지 못하고 있다.

이제 자유를 지켜내고자 하는 국민들에겐 선택의 여지가 없다. 평등주의 체제, 주체 사회주의 국가 건설을 꿈꾸는 자들의 음모를 폭로하고 저지·분쇄함으로써 선진국 수준의 자유주의 체제 국가 건설이라는 주권자로서의 책임만 남아 있다.

나는 이상과 같은 인식을 바탕으로 『나의 생각, 나의 답변』이라는 글을 썼다. '책머리에'에서는 24년 전 국회 본회의장에서 행한 5분간의 신상발언을 소개함으로써 당시의 우려가 지금 현실이 되고 있음을 확인하고자 했다.

'나의 생각'에서는 사상의 빈곤으로 인해 가치관 혼란이 심화됨으로써 건국 이래 지켜왔던 자유주의 헌정 체제가 심각한 위협을 받고 있는 상황에서 지식인의 역할이 그 어느 때보다 중요함을 강조했고, 주권자인 자유 민주 시민에게 필요하다고 생각되는 최소한의 지식을 제공하기 위하여 격주간지 『미래한국』에 기고했던 '시민의 덕목', '자주국방을 생각한다', '작은 정부, 자유와 번영의 길'을 옮겨놓았다.

마지막 부분에서는 민족적 반성과 자기성찰이 없다고 할 만큼 부족한 우리의 심성을 살펴보기 위하여 1922년 춘원 이광수가 『개벽』지에 기고했던 논문 〈민족개조론〉과 2019년 영국 언론인 출신 마이클 브린이 써낸 『한국, 한국인 The New Koreans』을 비교하면서 지난 100여 년 동안에 걸쳐 전개된 민족사의 변천과 민족 심성의 변화를 확인해보았다.

'나의 답변'에서는 5공(五共)과 관련된 내용을 언급했다. 허화평 개인은 평범하지만 제5공화국에 관한 한 평범할 수 없는 것이 나의 입장이다. 1980년에 출범한 5공은 1987년 막을 내리고 역사가 되었으나 5공 탄생을 둘러싼 시비가 지금도 계속되고 있는 환경에서 이것에 대한 나의 견해가 역사적 진실을 객관적 입장에서 이해하려는 독자들과 국민들에게 참고가 되고 도움이 되기를 바라는 마음이다. 물론 이 책에 쓰인 다른 내용들 역시 나의 개인적 견해이므로 독자들의 선입견과 편견 없는 이해를 구하고 싶다.

5분 발언

1995년 11월, '5.18 특별법'을 둘러싸고 정계가 긴장 속에 휩싸였을 당시 나는 14대 국회의원(경북 포항시) 신분이었고 대통령은 김영삼이었다.

1995년 11월 30일 국회 본회의에서 신상발언을 하는 허화평 의원

김영삼이 그의 영원한 정치적 경쟁자였던 김대중을 누르고 당선하려면 자신의 세력만으로는 역부족이었기 때문에 그와 적대관계에 놓여 있었던 세력과 손을 잡는 것이 불가피했으며, 민정당의 노

태우 대통령은 여소야대(與小野大) 정국을 벗어나기 위해 합당이 필요했고, 구(舊) 공화당을 대표하는 김종필은 수세적 입장에서 벗어나기 위해 동참할 필요가 있었다. 이상과 같은 배경에서 만들어진 것이 민자당(民主自由黨)이었다.

김영삼은 민자당 후보로서 노태우 대통령을 주축으로 한 5공 지지 세력과 김종필 중심의 고(故) 박정희 지지 세력의 도움을 받아 노태우 대통령이 지원한 정치자금 덕으로 당선될 수 있었다. 그는 재임 중 정치자금 문제와 관련해서 "나는 한 푼도 받지 않았다."고 호언장담했으나 노태우 대통령 회고록에서 대선 당시 3,000억 원을 지원한 것으로 드러났을 만큼 노태우 대통령의 도움은 컸다.

당시의 3당 합당은 민주세력, 독재세력, 권위주의 세력 간의 정치적 화해라는 정치사적 의미가 큰 결단의 결과였고, 한국 정당정치 발전에 획기적인 디딤돌이 될 수 있는 기회였으나 김영삼은 정치적 목적을 달성한 다음 합당 이전의 김영삼으로 돌아가 합당 정신을 헌신짝처럼 내던져버림으로써 한국 정치 지도자들의 고질적 질환이라 할 수 있는 정치적 비윤리성과 신뢰성 결핍증을 적나라하게 보여줬다.

김영삼은 5공에 관한 한 노태우 민정당 정권과 손을 잡음으로써 국민 앞에서 과거와 화해했으며, 대선기간 중 5공에 대한 정치보복을 하지 않겠다고 거듭 약속한 바 있었고 당선 후에는 훗날 역사에 맡기자는 입장을 취하면서 검찰 수사를 통하여 "성공한 쿠데타(YS의 논리)는 처벌할 수 없다."는 논리로 법적 마무리를 했다.

그러나 그가 정치자금 문제로 정치적 곤경에 처하자 국면 전환을 위해 권력의 힘으로 위헌적인 소급입법인 '5.18 특별법'을 만들고 사법부의 손을 빌려 노태우, 전두환 두 전직 대통령을 포함한 5공 주역들에 대해 가혹한 정치보복을 가한 소위 '역사바로세우기'를 연출하였다.

여기서 우리는 보복성과 잔인성이라는 한국 정치문화의 뿌리 깊은 DNA를 확인하게 되고 후진적 정치풍토가 더 악화되는 현상과 마주하게 된다.

'역사바로세우기'에 환호했던 세력들이 여전히 같은 생각을 지니고 있을지 몰라도 한 줌의 정치적 적대세력에 보복을 가하기 위하여 남용된 국가권력이 궁극적으로 우리의 정치발전을 가로막고 민주주의와 법치에 회복불능의 상처를 입힌 결과를 초래함으로써 너무나 큰 대가를 치르게 되었음을 개탄하지 않을 수 없다.

국회법에는 회기 중 국회의원이 의장의 승낙을 받아 5분간 신상발언을 할 수 있게 되어 있다. 당시 정기국회 회기가 끝나면 특별법에 따라 구속 수사를 받아야 하는 입장에 처해 있었던 나는 민자당 소속 황낙주(黃珞周) 의장의 승낙을 받아 본회의 석상에서 5분간 발언할 수 있었다.

발언을 끝내고 의원회관으로 돌아왔을 때 나의 사무실을 찾아온 국회 출입기자가 한 말이 지금도 새삼스럽게 떠오른다.

"의원님, 지금이 어느 때인데 이념 운운하십니까?"

주요 일간지 정치부 기자 중 국회 출입기자는 비교적 우수하다고 인정된다. 그런데 이념을 두고 시비하던 그 기자가 24년이 지난 지금 사상적 갈등과 충돌이 극심한 오늘의 대한민국 현실을 어떤 시각으로 바라보고 있을지 의문이다.

제177회 제14차 국회본회의 의원 신상발언

일시 : 1995년 11월 30일 목요일 오후 2시

● 의장 황낙주 : 민주자유당의 허화평 의원으로부터 신상발언 신청이 있습니다. 허 의원 나오셔서 발언해 주시기 바랍니다.

● 허화평 의원 : 오늘 한국 민주주의의 최후 보루인 헌법재판소가 이른바 민주투사들에 의하여 조종을 울리는 날이 되지 않기를 바라면서 몇 가지 말씀을 드리고자 합니다.

존경하는 의장, 의원 여러분!

역사에 있어서 책임은 일방적일 수가 없습니다. 80년 당시 민주화세력들이 분열하지 않고 과격한 민중전술을 동원하지 않았던들 5공 탄생은 불가능했을 것입니다.

같은 시대에 같은 무대 위에서 서로 다투었던 이 세력들에게는 책임이 함께 있을 수밖에 없습니다. 민주화투쟁 그것만으로 모든 책임이 면제되는 것은 아니고 민주라는 미명하에 진실이 은폐되고 왜곡된 점 역시 많았습니다.

더욱이 80년 이래 오늘에 이르기까지 어떤 과정들이 있었습니까? 진실 규명에 관한 문제라면 여소야대 정국 하에서 소위 1노3김에 의한 5공 청산이 있었습니다. 12.12에 관한 국회 국정감사가 있었고 12.12와 5.18에 대한 검찰의 수사가 있었습니다.

화해와 용서에 관한 문제라면 13대, 14대 대선에서 각 당 후보들은 정치보복을 하지 않기로 국민 앞에 거듭 약속하지 않았습니까?

이제 한 분은 대통령이 되었고 두 분은 야당의 지도자로서 오늘의 정국을 책임지고 있으며 3당 합당에 의한 민자당 출범으로 과거의 대립관계가 종식되고 그 토대 위에서 문민정권이 탄생하였습니다.

그러나 유감스럽게도 작금의 현실은 그러한 약속과 과정들이 쓸모없게 되고 모든 것이 원점으로 되돌아가고 있습니다.

국민의 다수인 보수우익이 침묵하는 가운데 좌파가 주도하는 소수세력이 국민 전체를 대변하듯 소란하고 일부 전파매체는 당대의 역사를 정치 드라마라는 형식으로 왜곡·날조하여 국민을 오도하면서 당사자들에게 일찍이 없었던 영상테러를 자행하고 있습니다.

이와 병행하여 정치권은 거듭된 대국민 약속을 헌신짝처럼 버리면서 헌정질서를 무시하면서까지 소급입법을 통하여 과거 반대세력에 대한 정치보복을 서두르고 있습니다.

이 나라에서 최초의 소급입법은 4.19 직후 민주당 정권하에서 비롯되었습니다. 5.16 군사정부가 그 뒤에 답습을 했었고 이제 34년이 경과한 오늘 불행한 전철을 또다시 되풀이하려 하고 있습니다.

지난날 소급입법으로 과연 우리 민주주의가 진전되고 정치가 발전되었습니까? 보복의 악순환이 있었을 뿐입니다. 독일의 예를 들지만 독일에서는 나치스의 도움으로 탄생되었거나 동독 공산당의 도움으로 탄생된 집권당이 일찍이 존재한 일이 없었고 현재도 존재하지 않습니다.

정치 비자금과 대선 비자금 정국을 맞이하여 지금 우리에게 가장 절실한 과제가 있다면 정치에 있어서 정직성과 신뢰성을 회복하는 일일 것입니다. 지금 이곳에 자리하고 있는 우리는 어떤 입장에 처해 있습니까? 과거의 약속을 어기고 정치보복을 위한 소급입법을 논의하고 있습니다.

우리는 1987년 전 정권하에서 여야 합의로 통과된 현행 헌법에 근거해서 국회의원이 되지 않았습니까? 우리에게 일말의 정치적 양심이 있다면 의원직을 사퇴한 이후에 5.18 특별법을 제정해도 늦지 않을 것입니다. 약속을 지키지 않고 거짓말에 익숙해 있는 오늘 한국의 정치인들에 대하여 국민들은 실망과 분노를 감추지 못하고 있는 것이 현실입니다.

또 5.18 특별법 정국의 본질은 어디에 있습니까? 이 나라 요소요소에 자리하고 있는 좌파들이 소위 양심세력으로, 민주세력으로, 진보세력으로, 통일세력으로, 평화세력으로, 위장하면서 12.12와 5.18을 투쟁의 고리로 삼아서 이제 군을 무력화시킨 후에 건국 이래 이 나라를 지키고 유지해온 보수우파세력에게 일대 타격을 가함으로써 국면의 주도권을 장악하고자 하는 징후가 도처에서 나타나고 있습니다.

존경하는 의원 여러분!

본 의원은 정치보복을 결코 두려워하지 않습니다. 진실은 영원하고 최후 심판은 국민의 다수인 보수우익이 내려줄 것이기 때문입니다. 정치보복의 악순환을 보며 좌우 투쟁이라는 불길한 예감을 느끼면서 결론을 맺을까 합니다.

여러분! 지금은 약속을 파기하고 보복을 할 때가 아니며 모든 정치인들이 국민 앞에 정직하여 정치적 신뢰성을 회복할 때라고 생각합니다.

감사합니다.

Ⅱ. 나의 생각

지식인의 사명

우리 사회를 역동적 사회라고도 하지만 사실은 혼란스러운 사회다. 단기간 내에 끝날 수 있는 혼란스러움이 아니라 언제 끝날지 모를 혼란스러움이다. 사상, 즉 가치관의 혼란, 역사관의 혼란, 그리고 세계관의 혼란에서 비롯된 것이기 때문이다. 가치관이란 개인에게는 삶의 기준이 되고 국가의 경우 운영 원리가 된다. 삶의 기준이 조석으로 달라지고 국가 운영 원리가 정권이 바뀔 때마다 달라진다면 개인의 발전과 국가의 안정이란 불가능하다.

우리의 경우 남과 북의 역사관은 판이하게 다르다. 북한은 유물사관에 의한 날조된 역사를 가르치고, 남한의 역사학계는 상고사(上古史)를 둘러싼 시비가 계속되고 있으며, 민족주의 사관과 식민지 사관이 충돌하는 가운데 유물사관에 가까운 민중사관과 정통적 실증주의 사관이 충돌하고 있다.

역사적 사실에 대한 해석은 시대에 따라, 학자에 따라 다양할 수 있지만 역사적 사실 자체에 대해서는 절대 다수의 합리적 동의가 전제되어야만 역사인식을 같이 할 수 있고 역사인식, 역사관을 함께 할 수 있을 때 국민적 정체성을 공유할 수 있다. 그렇지 못하면 국민은 분열하고 사회는 혼란스러워진다.

우리가 세계를 인식함에 있어서 가장 취약한 점은 종속적이고 내부지향적인 타성이다. 북은 지구상에서 가장 고립적이고 배타적인 순혈주의(純血主義)적 종족주의(種族主義)의 틀 속에서 세계를 바라보기 때문에 21세기 낙오자 신세를 면하지 못하고 있으며, 남한 내의 적지 않은 반일반미 민족주의자들이 이에 동조하고 있다.

대한민국이 중국 대륙 언저리 국가에서 독자적 해양국가로 변신한 것은 1960년대 중반 이후이고 한국인 스스로 세계 속의 한국인임을 자각한 계기는 '88 서울올림픽' 이후다. 이것은 5,000년 민족사에서 처음 겪은 대변신의 계기였다. 19세기가 침략과 제국주의 시대로서 자국 중심 세기였다면 20세기는 전쟁과 냉전 시대로서 가치를 공유하는 다자주의 세기였고, 21세기는 인류가 함께 보편가치를 지향하는 글로벌 시대다.

그러나 남한 내의 좌파 정치인, 지식인, 시민운동가들은 글로벌화를 선진 자본주의 국가(G-7 국가)의 음모로 규정하고 비판과 반대를 계속하고 있다. 물론 이것은 가당치도 않은 오해이자 착각이다. 글로벌화(globalization)는 누구도 멈출 수 없는 강물처럼 흐르는 인류 역사의 흐름이자 세기의 조류다. 교역으로 먹고 사는, 수출경제국가인 한국은 글로벌화 혜택을 가장 많이 받고 있는 국가임을 국제사회가 인정하는 나라다.

그런데 '세계 속의 한국인'이라는 인식의 역사가 짧은 우리 사회에서, 일제식민지 시대 아픔이 사라지지 않고 있는 사회에서, 글로벌화를 반대하는 현상이 생겨나는 것은 자연스러운 현상일 수 있다. 문제는 어떻게 이러한 현상을 극복하고 보편적 세계관을 확립해갈 것인가 하는 점이다.

글로벌화를 반대하는 사람들이 언젠가는 글로벌화 물결 속에 휩쓸려 간다는 것은 필연이다. 거스를 수 없는 새로운 시대 조류가 생겨날 때마다 이를 거부하고 비판하는 것이 마치 시대를 앞서가는 선각자인 양 허세를 부리는 지식인들이 출현하게 마련이지만 그들은 시간이 경과하면서 가짜 선각자, 때로는 한때의 선동가였음을 드러내고 역사의 뒤안길로 사라졌을 뿐이다.

글로벌 시대의 세계 챔피언은 미국이고 아시아의 챔피언은 일본이다. 우리가 과거로 돌아가지 않고 글로벌 시대의 동반자, 경쟁자가 되려고 한다면 반미반일 민족주의와는 결연히 결별해야 한다. 우리나라가 선진국이 되고 인접 우방국가인 일본과 어깨를 나란히 하면서 미래로 나아가려면 그들과 함께 보편가치관과 세계관을 공유하는 것이 가장 쉬운 길이다.

그러나 지금 우리는 과거를 두고 심한 갈등을 겪고 있다. 인류 역사가 남긴 깊은 교훈에는 자폐증을 앓는 민족과 국민, 뼈아팠던 과거를 떨쳐버리지 못한 민족과 국민이 성공한 예는 전무(全無)하다고 할 만큼 극히 드물다.

어느 시대, 어느 사회에서나 지식인의 역할은 중요하다.

특히 우리처럼 가치관, 역사관, 세계관의 혼란이 극심한 사회일수록 지식인들의 역할은 중요하고 이들의 사명은 크다. 이들의 생각과 삶의 방식이 건강하면 그 사회는 건강해질 수 있지만 그렇지 못하고 병들어 있으면 그 사회 역시 병들어 가는 것은 피할 수 없다. 우리의 경우는 후자에 가깝다. 우리 사회에서 신뢰할 수 있고 안내받을 수 있는 학자, 언론인을 거명하라고 하면 대답하기 쉽지 않은 이유다. 없는 것은 아니지만 극소수이기 때문이다.

현실 참여 지식인은 시대를 앞서가는 지식인, 시대를 뒤따라가는 지식인, 앞서가지도 뒤따라가지도 못하는 지식인으로 구분할 수 있다.

시대를 앞서가는 지식인이란 경험하지 않고서도 국가와 국민이 나아가야 할 정도(正道)를 아는 선험적(先驗的) 지식인이다. 이들은 지적 기반이 단단하고 건전한 상식과 사고력을 지니고 있기 때문에 시대정신을, 무엇을 어떻게 할 것인가를 말해줄 수 있는 시대의 안내자이자 길잡이 역할을 해낼 수 있다.

이들은 남다른 문제의식과 사회적 책임감의 소유자들로서 한때의 인기에 영합하거나 대중의 비이성적 요구에 맞장구를 치는 일이 없다. 이들은 보편적 가치관, 실증적 역사관, 미래지향적 세계관을 갖추고 있기 때문에 전문 분야, 공직에 나아가게 되면 사명감과 책임감을 지니고 능동적이며 창의적으로 업무를 수행하고자 노력한다. 이들이 공직을 수행하는 기본자세는 자신을 발탁하고 임명해준 권력자에게 감사하고 환심을 사기 위하여 맹목적인 하수인으로 전락하는 것을 경계하면서 국가와 국민을 위해, 대의를 위해 임명권자를 보좌하는 공직자(public servant)가 되려고 노력한다. 이 경우 애국심이 이기심보다 앞서야 하고 신념과 용기가 뒷받침되어야 한다. 대전환기를 앞두고 있는 국가 사회일수록, 새로운 시대를 열어가려는 국민의 열망이 높은 사회일수록 시대를 앞서가는 지식인들의 역할만큼 중요한 것은 없다.

불행하게도 오늘 우리 사회에서는 시대를 앞서가며 길잡이가 되어줄 수 있는 지식인들을 찾아보기 어렵고 만나보기가 어렵다. 지적 풍토가 황폐화되고 사상적으로 빈곤한 사회이기 때문이다.

시대를 뒤따라가는 지식인이란 경험하고 나서야 가까스로 판단과 선택을 할 수 있는 경험적 지식인이다. 이들은 지적 기반을 갖추고 있지만 평범하고 소극적이며 수동적이기 때문에 현실 안주 성향이 강하여 어떤 경우에도 앞서가려고 하지 않지만 지적 허영심으로 인해 때로는 남들이 가지 않았던 길을 갔다가 좌절하고 원점으로 돌아오는 지적 보헤미안 기질을 발휘하는 경우도 적지 않다.

이들에게 중요한 것은 가치와 원칙이 아니라 현실적 이익이기 때문에 세속적 유혹에 취약하여 현상유지 이상의 것을 기대하기 어렵다. 그러나 이들은 자신들이야말로 시대를 앞서가는 지식인들이라고 자만하면서 왕성한 지적 활동을 하지만 공직에 나아가게 되면 쉽게 권력자들의 하수인으로 변질하는 속성을 지니고 있다.

시대를 앞서가지도 뒤따라가지도 못하는 지식인이란 경험하고 나서도 알지 못하고 판단할 줄 모르며 배우려고도 하지 않는 맹목적 지식인이다. 이들은 이력과 경력은 화려할지라도 지적 기반이 미약하고 경박한 사고에 젖어 있으며 과시욕과 허영심이 강하여 모든 것을 알고 있고 모든 문제를 해결할 수 있는 듯이 떠들어대는 선동가 수준을 벗어나지 못하는 반면에 이기심이 강하여 세속적 이익을 좇는 비윤리적 지식인들이다.

이들은 권력의 그늘에서 자신의 주장을 합리화하고 정당화하는 데 익숙하면서도 결코 책임지는 일이 없다. 이들로부터 사회적 책임감과 사명감을 기대한다는 것은 불가능하다. 정치 후진국일수록 이러한 지식인들이 발탁되고 중용되는 일이 허다하다. 기회 포착을 위해 수단방법을 가리지 않는 이들이 공직에 진출하게 되면 자신을 발탁해주고 감투를 씌워준 권력자에게 아첨하면서 스스로 권력자의 도구가 되고 정치적 노예가 되기를 주저하지 않는다. 국가가 이들의 손에 장악되면 그 사회는 현상유지조차 어렵게 된다.

오늘날 우리 사회는 시대를 앞서가는 지식인은 극히 드물고 있어도 맥을 못 추는 사회이며, 시대를 뒤따라가는 지식인들보다 시대를 앞서가지도 뒤따라가지도 못하는 지식인들이 무대를 주름잡고 있는 사회다.

문제는 언제까지 이러한 현상이 지속될 것인가 하는 점이다. 추측컨대 한국의 국민의식과 정치문화, 정치풍토가 혁명적으로 바뀌지 않는 한 변함이 없을 것 같다. 이 시점에서는 비관적이다.

이 글을 마무리하기 전에 3명의 현실 참여 지식인(권영빈, 주대환, 조국)과 조선일보에서 한국 지식인들의 모습을 확인해볼 필요가 있지 않을까 싶다.

권영빈은 눈으로 직접 보고 경험하기 전까지는 낭만적 환상을 버리지 못했던 지식인이고, 주대환은 남들이 가지 않았던 길을 갔다가 좌절하고 돌아온 지식인이다. 나는 이분들을 비판할 생각이 없다. 단지 거울삼아 우리 자신을 비춰보고자 할 뿐이다.

권영빈은 중앙일보 사장 출신으로 최근 『나의 삶, 나의 현대사』 출간을 계기로 조선일보와 인터뷰를 가졌다. 그는 의심의 여지없는 우파 지식인으로 인정되어 왔던 인사다. 그가 중앙일보 통일문화연구소장으로 재직 시 광복 후 최초로 북한을 공식 방문 취재한 기자였음을 밝히면서 홍석현과 그는 DJ 정부가 들어서기 전부터 '햇볕론자'였음을 털어놓았다.

그는 최초의 '퍼주기 주장'이라 할 수 있는 증거로서 1996년 6월에 쓴 〈북한에 식량을 보내자〉는 칼럼을 예로 들었다. 북과의 비밀접촉을 통해서 북이 요구한 돈을 건넨 덕으로 1997년 9월 23일 평양을 방문했고 이듬해 8월 홍석현 중앙일보 회장과 삼성의 이건희 회장 부인 홍라희 여사를 수행하여 다시 방북한 것을 포함 총 한달 반을 체류한 소감을 진솔하게 말했다.

"북한의 첫 이미지는 잿빛이었다. …처음엔 연민 또는 부채감이 있었다. 뜨거운 가슴으로 북한에 접근했던 셈이다. 하지만 접촉할수록 '북한'은 현실로 다가왔다. 북한의 개혁·개방 가능성에 대해서도 회의적이 됐다. 모든 답사가 끝나고 보름이 안 돼 북한이 '광명성 1호'를 발사했을 때는 뒤통수를 맞은 기분이 됐다."

당시 그가 〈광명성이 가야 할 길〉이라는 제목으로 북한 비판 기사를 쓰자 홍석현 회장과 그를 상하이에서 만나자는 팩스를 받고 만나러 갔을 때, 북한의 이종혁과 김철이 그의 칼럼에 대한 비난을 퍼부은 경험을 말하면서 "나는 '反햇볕론자'로 바뀌었다. 교류협력을 하고 지원해본들 북한 정권은 바뀌지 않는다고 믿게 됐다."고 했다. 경험하고 나서야 깨달았다는 고백이다. 권영빈 정도의 지식인이라면 북에 가보지 않더라도 환상을 갖지 말아야 하는 경우다.

주대환은 대표적인 참여 좌파 지식인의 배경을 갖고 있는 인사다. 그는 최근 조선일보 기자와의 인터뷰에서 현재의 심정을 솔직하게 털어놓았다.

"나는 소위 80년 봄 당시 배후조종을 했던 '무림'의 1978년 책임자였다."

그는 한때 프롤레타리아 혁명을 꿈꿨으며, 영국 노동당을 모방한 노동당 창당에 주도적으로 관여했고 민노당의 정책위원장을 역임했으며 최근에는 바른미래당 혁신위원장직을 맡았다가 곧바로 그만두었다. 그는 현 정권의 주력세대인 586세대에 대해서 다른 참여 좌파 지식인들로부터 들어볼 수 없었던 신랄한 비판을 퍼부었다. 586세대란 5·6공 당시 대학을 다니던 세대로서 광주사태를 계기로 전면에 등장한 주사파가 주류를 이루고 있으며, '김일성 주체사상'을 수용하지 않는 선배 세대를 무시하는 세대다.

"나는 지금 좌파를 구한말 '위정척사'의 후예로 본다. 한국사회에서 발전을 가로막는 가장 큰 장애는 586운동권이다. …그냥 시대에 뒤떨어진 민족주의고 패권주의일 뿐이다. 정치판으로 한정하면 이들은 세대 순환을 막고 있는 일종의 변비와 같다. 586을 걷어내야 좌(左)든 우(右)든 정상화된다."

그가 민노당 창당의 산파역을 맡았으면서도 끝내 좌절감을 맛보고 그들과 결별해야만 했던 변은 이상주의적 면모를 지닌 참여 지식인들의 일반적 한계를 보여주는 예다.

"한국 현실에서는 선진국의 좌파정당 이론이 전혀 맞지 않았다.

나의 실패에는 한국사회에 대한 이해 부족이 있었던 것이다."

선진국 정당정치의 모방은 쉬울지 몰라도 선진국 정당정치가 존재하기까지 수백 년 간에 걸쳐 토대가 잡힌 그들의 정치문화와 전통을 하루아침에 흉내 내거나 모방할 수 없다는 지극히 단순한 진리를 간과했다는 점에서 지적 한계를 드러냈다고 할 수 있다. 그의 아내 역시 구로공단에서 가장 전투적 노조를 만들 정도로 투철한 노동자 이익의 옹호자였음에도 오늘날의 민노총이 보이고 있는 행태에 대해서 깊은 우려를 나타냈다.

"오늘날 민노총이 보이는 행태는 괴물(怪物)의 난동이다. 이 괴물을 죽이든지 우리에 가두든지 해야 한다."

2008년 민노당이 종북 주사파와 논쟁을 겪으면서 정치판을 떠났으나 현실적 모순에 대한 비판의식에는 녹이 쓴 것 같지 않으면서도 젊은 날 자신이 부끄럽게 여겼던 부친에 대해서 생각을 바꿨다고 했다.

"나는 4.19의 시(詩)만을 읽은 게 아니라 5.16의 밥도 먹고 자랐다."면서 자신과 생각을 달리한 아버지를 부끄럽게 생각했으나 "세월이 흐르니 내가 못난 아버지의 밥을 먹고 자랐구나, 하고 깨달았다. 박정희, 김종필의 지지자였던 아버지를 이해하게 됐다."

민노총을 향한 그의 회한은 사회주의 사회를 꿈꿨던 이 땅의 지식인들이 하는 독백이기도 하다.

"민노총을 보면 내 청춘을 노동운동에 바쳤던 결과가 이런가, 하는 회한이 있다.”

그가 날을 세워 비판하고 있는 586세대, 노동세력의 활동가들은 한때나마 그의 영향을 직간접적으로 받고 자란 후예들이라는 면에서 그는 시대적 책임에서 자유로울 수 없다. 그는 앞서가고자 몸부림쳤으나 뜻을 이루지 못하고 시대를 뒤따라가야 하는 입장이 되어 회한을 안고 살아가는, 여전히 고뇌하는 지식인이다.

조국 서울대 법대 교수는 시대를 앞서가지도, 뒤따라가지도 못하는 지식인의 모습이다. 20세기를 통하여 실패로 막을 내린 사회주의 혁명을 꿈꿔왔다는 점에서 앞서가는 지식인이라고 할 수 없다. 또한 배타적 민족주의의 틀 안에서 벗어나지 못하고 있다는 점에서 뒤따라가지도 못하는 지식인이다.

민족주의는 2차 세계대전 이후 선진국에서는 금기어(禁忌語)가 되었고, 식민지배로부터 해방된 신생 독립국가들은 독립투쟁 기간 민족주의를 투쟁무기로 사용하였으나 독립이 되고 발전하여 주권국가로서 국제사회에 편입되면서 민족주의 처방은 더 이상 효력을 발휘할 수 없게 되었을 뿐만 아니라 ‘WTO 체제’가 확대되고 글로벌화 시대를 맞이하면서 오히려 장애가 되고 족쇄가 되었다.

교역국가인 대한민국이 서서히 다민족 국가로 변해가고 있음을 감안할 때 배타적 민족주의는 우리의 손발을 묶는 밧줄이자 정신적 성장을 가로막는 바이러스다. 이 땅의 민족주의는 반제(反帝-反日, 反美), 반(反)자본주의, 나아가 반(反)자유대한민국을 위한 투쟁 슬로건이자 배타적이고 폐쇄적인 사회주의, 주체(主體) 사회주의 국가 건설을 위한 최면제 같은 성격을 지닌 변혁주의자들의 언어다.

그는 일제 강제 징용자에 대한 피해 보상 문제와 관련하여 개인이 청구권을 행사할 수 있다는 대법원 판결을 비판하면 친일인사로 몰아붙였고, 최근 일본의 보복적 대한(對韓) 경제조치가 발표되었을 때 동학군의 '죽창가'를 상기하면서 반일 민족주의를 부추겼으며, 이영훈 교수의 '식민지 근대화론'을 역겹다고 비난했다. 그는 반자본주의적 가치관과 배타적 민족주의 사관을 지녔으며, 시대 흐름과는 반대되는 세계관을 지닌 참여 지식인이다. 그는 권력 우산 아래 머물 때 자신의 말과 글과 행동에 대한 어떠한 비판도 수용한 적이 없었으며, 자신의 주장을 정당화함에 주저함이 없었다.

그가 사회주의 혁명을 꿈꾸는 것은 자유다. 그러나 헌법이 자본주의 체제를 보장하고 있는 한 그의 변혁 노력은 사회를 혼란스럽게 할 뿐 아니라 그가 만약 성공한다면 자유대한민국은 종말을 맞이할 수밖에 없다. 아무 것도 창조한 것이 없는, 오직 파괴한 것밖에 없는, 그래서 앞서가지도 뒤따라가지도 못하는 지식인이라고 할 수 있지 않을까?

언론사는 현실참여 지식인들의 집단이다. 나는 조선일보의 평생 독자다. 요즈음 아침마다 조선일보를 펼쳐보면 조선일보야말로 대한민국 걱정을 혼자서 다하고 있는 것 같은 글로 채워져 있다. 나는 마음속으로 '현재와 같은 상황이 벌어지리라는 것을 예상하지 못하고 촛불에 불을 댕기는 데 동참했는가?' 하는 의문을 갖게 된다.

일반적으로 언론이 지닌 기능 중에는 국민 계도가 있다. 계도(啓導)란 앞서가는 안내자 역할을 의미한다. 그러나 오늘날 우리 사회에서 언론의 계도 기능을 기대하기란 어렵다. 현재 일어나고 있는 현상만이라도 정직하고 정확하게 알려줄 수 있다면 다행이다. 지금처럼 언론이 비판과 불신의 대상이 된 적이 없었던 것 같다. 지난번 박근혜 탄핵 정국을 둘러싸고 촛불이 타오를 때 몇몇 기자들과 이야기를 나눈 적이 있다.

"조선일보가 박근혜 대통령을 불신하고 미워하는 것은 이해할 수 있다. 그러나 대통령 선거일이 얼마 남지 않은 시점에서 정치적 탄핵으로 박근혜를 쫓아내고 나면 정권이 좌파 쪽으로 넘어갈 것이 빤하지 않겠나. 박근혜를 미워하는 것과 정권이 넘어가는 것을 구분해서 대처해야 하는 것이 합리적일 텐데, 만약 좌파가 집권하게 되면 과거 10년 학습을 경험 삼아 확실하게 국가를 장악하고 자신들이 이루고자 하는 목적을 달성하려고 할 것이다."

당시 조선일보는 정치적 탄핵을 저지하고 좌파에 정권이 넘어가지 않도록 최선두에 서 있었어야 했으나 그렇지 못하고 국가의 이익보다는 자신들의 이익에 집착하는 모습을 보이면서 국민정서에 영합하였다.

한국의 언론은 대체적으로 평소에는 대도(大道)를, 정도(正道)를 가는 척하다가 자신들의 이익과 명예가 걸린 문제가 발생하면 주저 없이 정도를 버리고 골목길로 돌아가는 기민함을 발휘하는 속성을 지니고 있기에 놀라운 현상이라고 할 수 없으나 전체가 망가지고 나면 자신도 피해자가 된다는 사실을 수시로 망각하는 것 같다.

그나마 조선일보가 지금 현실을 앞장서서 비판해주는 것이 고마운 일이지만 언제 또 다시 같은 실수를 반복할지 믿을 수 없어 하는 독자들에게 신뢰감을 심어줘야 할 책임이 크다고 할 수 있다. 세상 모든 일과 나라 구석구석을 다 알고 있는 것처럼 말하고 글을 쓰지만 본질을 비켜가는 데 익숙하고 세상 눈치 보기에 빠르다 보면 결코 앞서가는 언론인이 될 수 없다.

언론인들이야말로 참여 지식인으로서 건전한 가치관, 역사관, 그리고 세계관을 지니면서 일반 대중을 앞서가려는 노력이 필요한 존재들이다. 그 사회를 대표하는 언론사의 수준은 그 사회 수준을 말해주는 척도가 된다는 점에서 그곳에 몸담고 있는 언론인들은 다른 참여 지식인들과는 구분된다.

우리의 제반 현실이 지식인들로 하여금 끝없는 고민과 갈등과 방황을 하게 만드는 환경이므로 여기에서 자신을 지켜내고 시대를 앞서가려는 노력만큼 중요한 것은 없다. 이것은 국가 미래에 직접적이고도 큰 영향을 미치기 때문이다. 이것은 이 시대를 살아가는 모든 지식인의 운명이자 사명이라고 할 수 있다.

시민의 덕목(Civic Virtues)

독재국가의 삶과 자유국가의 삶

개인의 자유가 허용되지 않는 북한과 같은 독재국가에서의 삶은 단순하다. 국가와 당이 명령하고 지시하는 대로, 수령이 시키는 대로 살아가면 되기 때문이다. 위에서 시키는 대로 살아가야 하는 삶은 사육장에서 길러지는 가축의 삶과 다르지 않다. 이는 곧 노예의 삶을 의미한다.

오늘날 북한 인민은 노예의 삶을 살고 있다. 우리와 함께 살아가고 있는 35,000여 명에 달하는 탈북 동포가 이를 증언해 주고 있다. 수령이 왕이고 인민이 노예인 사회가 북한이다. 그곳에서는 인간의 존엄성이나 인민의 존귀함이라는 단어는 사전에서만 존재한다. 주체 사회주의라는 갑옷을 입고 대남적화통일용 핵과 미사일을 양손에 틀어쥐고 있는 한 명의 독재자, 수령이 신과 같은 존재로 군림하고 있는 곳이 북한이다. 이것이 우리가 북한 체제를 반대하고 그들의 위협으로부터 자유대한민국 체제를 지키려는 이유다.

북한과 달리 개인의 자유의지에 따라 판단하고 선택하면서 살아가야만 하는 남한과 같은 자유국가에서의 삶은 다양하다. 삶에 있어서 성공과 실패 여부는 오직 개인의 결정과 노력 여하에 달려 있고 성패에 대한 책임 역시 개인에게 있다. 이와 같은 삶을 통하여 독립적이고 자립적인 인간의 존엄성이 확인되고 각자 노력에 합당한 보상을 받게 되는 것을 국민 모두가 당연하게 생각하며, 국가는 법의 이름으로 그러한 국민의 삶을 보호한다. 이것이 자유국가에서의 삶이다. 정상적 자유국가에서 국민은 왕이고 국가는 신하다. 자유대한민국에서의 삶은 이와 같은 삶을 추구하는 삶이다.

불가사의한 현상

한반도에서 역사의 순리가 제대로 작용하고 있다면 북한 체제는 벌써 무너졌을 것이고 남한 체제가 승승장구하고 있어야 하지만 현실은 그 반대이다. 그야말로 불가사의한 현상이다. 거지공화국이라고 할 수 있는 독재국가 북한이 기세등등하게 떵떵거리며 자유대한민국을 위협하고 농락하는 가운데 남한의 종북좌파 세력들이 민주시민, 평화시민, 통일시민이라는 가면을 쓰고 곳곳을 장악하고 누비면서 언어, 문자, 행동을 통하여 파시스트적 폭력을 자행해도 수사기관은 외면하고 있다.

탈북자 영화감독 정성산 씨가 운영하던 냉면집이 집요한 '좌표 찍기' 폭력에 시달리다 결국 문을 닫아야 했고, 북한 측이 듣기 싫어한다는 이유로 '납북자'라는 단어를 '실종자'라는 단어로 바꾸자는 법안이 집권여당 국회의원 12명의 이름으로 발의된 것이 최근의 일이다.

책임의 문제

이러한 현상이 벌어지게 된 궁극적 책임은 누구에게 있는 것일까? 주사파를 비롯한 종북좌파들에게만 있는 것이 아니다. 오히려 자유대한민국의 주체인 우파의 책임이 더 크다고 할 수 있다. 남한 체제를 변혁하려는 좌파들에게 온상을 만들어준 책임, 그들의 실체를 폭로하고 고립시키기는커녕 오히려 기만당하고 이용당한 책임이 있다. 김영삼 정부를 비롯한 이명박 정부, 박근혜 정부의 책임이 종북좌파들의 책임보다 더 크다고 할 수 있다.

그러나 궁극적 책임은 그러한 정부를 탄생시킨 주권자인 국민, 즉 시민에게 있다. 따라서 남을 탓하기 이전에 자신을 뒤돌아봐야 한다.

시민의 덕목

자신을 뒤돌아본다는 것은 자신이 시민의 덕목을 갖추고 살아가고 있는가를 확인해보는 것을 의미한다. 자유주의 체제에서 시민의 덕목은 매우 중요하다. 국가 공동체 구성원 개개인, 즉 시민 개개인이 견고한 시민의 덕목을 갖추고 있을 때 그 사회는 안정되고 발전할 수 있으며, 어떠한 위협에도 자신을 지켜낼 수 있으나 그렇지 못하면 낭패를 면할 수 없게 된다.

시민의 덕목이란 시민으로서 반드시 알고 있어야만 하는 최소한의 기본 상식을 말한다. 이것은 강요에 의해서 갖춰지기보다 자발적으로 갖추어지는 것이 바람직하다. 선진국 시민의 경우 이것은 일상화되어 있으나 정치 후진국 시민의 경우는 그렇지 못하다. 우리는 후자의 경우에 속한다. 우리의 경우 시민의 덕목이란 사상을 아는 것, 시대 성격을 아는 것, 국가의 최대 과제를 아는 것, 사회 모순을 아는 것을 말한다.

사상을 안다는 것은 인간답게 산다는 것, 체제를 지켜낼 수 있다는 것, 발전을 도모할 수 있다는 것을 의미한다. 사상이란 무엇인가를 알고, 좋은 사상과 나쁜 사상을 구분할 줄 알고, 나의 사상과 상대방의 사상을 비교할 줄 알고, 사상의 힘이 얼마나 위대한가를 이해할 수 있을 때 사상을 안다고 할 수 있다.

사상을 안다는 것은 자유시민의 첫 번째 가는 덕목이다. 사상은 문화와 문명을 만들어내고 국가 운영 원리가 되며 개인의 삶을 좌우하는 기준이 되기 때문이다. 이와 관련하여 역사에 기록된 상징적 사건은 20세기 일본의 패망과 부활이다. 태평양전쟁이 끝난 후 1945년 9월 1일, 미 해군 미주리 함상에서 승자를 대표한 맥아더(MacArthur, 1880~1964) 원수와 패자를 대표한 일본 대표단이 항복 조인식을 끝내고 맥아더 원수는 짧지만 역사에 남는 연설을 했다.

그는 승자의 오만함을 드러내거나 패자에 대한 보복과 응징을 다짐하거나 가혹한 배상을 요구하지 않고 인류의 숭고한 이상과 희망을 달성하기 위하여 자유(freedom), 관용(tolerance), 정의(justice)를 함께 추구해 나아갈 것을 호소하였다. 그는 일본 점령군 최고 사령관으로서 일본으로 하여금 자유주의 체제 국가로 부활시키고 문명국가로 개변하는 안내자 역할에 성공하였다. 그의 연설이 링컨 대통령의 재선 취임 연설 냄새를 풍기는 것은 결코 우연일 수 없다. 건국 조상 이래 미국인의 사상이 면면히 이어져 내려오고 있다는 흔적이기도 하다.

맥아더 원수는 미국 건국조상 이래 지켜온 미국인의 가치, 미국인의 사상에 바탕을 둔 자신의 소망을 역설함으로써 패배감에 젖어 있던 일본 국민을 다시 일으켜 세웠고, 훗날 일본으로 하여금 아시아 국가 중 유일한 G-7 선진국 대열에 합류할 수 있는 길을 열어줬다. 당시 현장에 참석했던 일본 외교관 카세 토시카즈[加瀨俊一]는 인상적인 기록을 남겼다. 그는 맥아더 원수의 모습을 빛과 같은 존재로 묘사하면서 1945년 9월 1일을 일본 역사상 가장 빛나는 날로 기억될 것이라고 예언하면서 다음과 같은 명언을 남겼다.

"결국 우리는 전쟁터에서 미국의 우세한 군사력에 패배한 것이 아니라 그들의 고귀한 사상, 정신적 경쟁에서 패배하였다."

19세기 일본 근대화는 미국의 군사력이 촉발시켰다면, 20세기 일본의 선진화는 미국의 사상이 작용한 결과이다.

우리가 어떤 시대에 살아가고 있는가를 알고 있어야만 개인은 물론 국가와 국민이 올바른 길로 나아갈 수 있고, 국가적 역량을 집중적으로 발휘할 수 있다. 우리가 살아가는 시대는 글로벌 시대, 지식산업 시대, 무한경쟁 시대이다.

글로벌 시대는 인간의 활동범위가 글로벌(global, 지구)임을 뜻한다. 따라서 인간은 열린 시각, 열린 사고를 필요로 하고 배타적 민족주의는 독소로 작용한다. 지식산업 시대는 최고의 지식을 요구하는 시대이므로 최고 수준의 교육환경을 조성하고 최고 수준의 인재양성에 투자를 아끼지 말아야 한다. 따라서 평등주의 교육 정책은 지식산업 시대를 역행하는 최악의 정책이다. 무한경쟁 시대는 최고 수준의 기술과 정보를 필요로 하는 시대이므로 개인과 기업과 정부의 유기적 협력체제가 그 어느 때보다 중요하게 된다.

우리나라는 사상 분단국가, 정치 후진국가다. 따라서 사상 분단 극복과 정치 발전은 국가가 직면하고 있는 첫 번째의 과업이다. 사상 분단 극복과 정치 발전 없이 통일과 선진국 도약은 불가능하다. 남한의 자유주의 체제가 북한과 남한의 종북 주체 사회주의자들로부터 심각한 위협을 받고 있고 권력정치와 민중민주주의가 대의민주주의 정치를 위협하고 있는 현실을 직시하지 않으면 안 된다.

우리는 갈등사회, 불신사회, 좌경화가 심화되어 가고 있는 사회에서 살아가고 있으면서 국가 에너지를 소진하고 있다. 갈등 양상은 다양하고 깊다. 사상적 갈등, 계층 간 갈등, 지역 갈등이 시간이 경과할수록 깊어지고 있다. 이러한 갈등이 약화되고 해소되지 않는 한 성숙한 사회 발전은 불가능하다. 특히 사상적 갈등과 충돌로 인해 정치에서 관용과 타협은 찾아볼 수 없고 증오와 보복 정치가 정상적 현상인 것처럼 굳어져가고 있다.

사회 갈등은 필연적으로 불신사회를 조장한다. 정치인, 관료, 법조인, 언론인, 지식인을 신뢰할 수 없는 사회만큼 불행하고 암울한 사회는 없다. 불신사회란 희망보다 거짓과 좌절이 지배하는 사회다. 한국사회는 갈등과 불신이 깊어지면서 급속도로 좌경화되어 가고 있음을 우려하지 않을 수 없다.

현대사 70년은 짧지 않은 세월이다. 그러나 자유주의 역사 300여 년에 비하면 이제 시작이라고 해도 과언이 아니다. 지난 300여 년에 걸쳐 전개된 세계사는 자유주의 체제 발전과 승리의 역사였음을 상기할 필요가 있다. 자유대한민국을 지키고 자유통일을 바라는 모든 국민과 시민 역시 그 연장선상에 있음을 확신하면서 자신 있게 나아가야 한다.

자주국방을 생각한다

자주국방, 자주 외교, 주권 국가의 관계는 삼위일체(三位一體) 관계다. 자주국방이 없으면 자주 외교란 무의미하고 자주국방, 자주 외교가 불가능한 국가는 독립 주권 국가일 수가 없다. 이것은 우리에게 역사적 관점과 현실적 관점에서 지극히 중요하고 민감한 문제다.

이 문제를 두고 남한과 북한, 남한 내 친북좌파 세력과 우파 세력 간에 심각한 견해 차이를 드러내면서 충돌하고 있을 뿐 아니라 북한 공산주의 노동당 정권과 남한의 친북 세력에 의한 민족해방, 민족자주통일, 즉 한반도 적화통일 전략의 논리적 근거가 되고 있기 때문이다.

절대 다수 남한 국민이 자유대한민국이야말로 한반도의 유일 합법 국가임을 확신하는 이유는 1948년 UN 감시 하에 자유 총선거가 치러지고 UN이 승인하여 탄생한 국가인 데 반해, 북한은 민족 염원을 외면하면서 UN의 결정과 제의를 거부하면서 소련만의 엄호 하에 공산주의 체제를 출범시켰기 때문이다. 북한의 김일성은 소련 점령군이 내세운 꼭두각시였으나 남한의 이승만 대통령은 미군정 장관 하지 장군(John Reed Hodge)의 견제를 받고 그와 충돌하면서도 주권자인 국민에 의해 선출된 지도자였다.

1945년 일본 패망과 더불어 점령군으로 남한에 진주했던 미군이 1948년 건국과 더불어 군정을 끝내고 철수함으로써 명실상부한 자주독립국가가 되었고, 5,000년 민족사에서 최초로 국민이 주권자인 민주공화국 체제가 한반도에 탄생하였다. 경찰이 조직되고 국군이 창설되어 치안과 국방을 스스로 책임지는 국가가 되었으나 불행하게도 북한 공산군의 남침이 모든 상황을 바꿔놓았다.

1950년 6월 25일, 공산주의 진영의 맹주 소련 스탈린(Stalin)과 중국 공산당 지도자 모택동(毛澤東)의 배후 지원을 받는 북한 공산군이 기습 남침을 감행함으로써 철수했던 미군이 UN 결의에 의해 다시 돌아와 함께 싸워야만 했다.

비행기의 엄호 하에 탱크를 앞세워 파죽지세(破竹之勢)로 남하하는 북한군의 공세를 저지할 능력이 없었던 이승만 정부는 1950년 7월 14일, 한국군의 작전권을 미군에게 이양하는 전략적 조치를 취함으로써 군사작전상 가장 중요한 원칙인 '지휘의 일원화(一元化)'를 이루어 미군을 주축으로 하는 참전 UN군과 한국군과의 연합작전을 일사불란하게 수행할 수 있도록 하여 적의 공세를 저지하고 전세를 역전시킬 수 있었다.

당시 작전권 이양은 미군의 강요에 의해 이루어진 것이 아니라 독립주권국가의 대통령이 국가 위기에 직면하여 국가 수호를 위한 주권적 결정으로 이루어졌음을 상기할 필요가 있다.

1953년 7월, 휴전과 동시에 1953년 10월 한미상호방위조약 협정을 강력히 요청하고 성사시킨 것 역시 작전권 이양의 연장선상에서 이해해야만 한다. 빈곤한 신생 독립국가, 위험한 적대세력의 위협 앞에 놓인 상황에서 맺어진 한미상호방위조약, 즉 한미 간 군사동맹은 자유대한민국의 존망을 좌우하는 결정적인 안전장치로 기능해 왔으며, 지금은 북으로부터의 위협이 줄어드는 것이 아니라 오히려 북한 핵이라는 새로운 위협이 현실화되고 있는 상황에서 그 중요성은 더욱 증대하고 있다.

우리는 다시 한 번 6.25 전쟁의 성격을 재조명해봐야 한다. 6.25 전쟁은 표면상 남한에 대한 북한의 기습 공격으로 벌어진 국지전이었으나 그 본질은 동서냉전, 즉 소련을 맹주로 하는 공산주의 집단 대 미국을 맹주로 하는 개인주의적 자유주의 집단 간에 벌어진 국제전이었다. 따라서 6.25 전쟁은 남북 간의 문제가 아니라 국제적 문제였다.

휴전이 이뤄지고 냉전 종식으로 국제 환경은 변했으나 한반도에서는 여전히 당시의 연장선상에 있다. 북한 배후에는 러시아와 중국이 있고 남한 배후에는 미국과 일본이 있다. 핵과 대륙간 탄도미사일을 개발한 북한의 위협은 남한뿐만 아니라 극동, 아시아, 세계에까지 미치고 있기 때문에 우리만의 생각과 노력으로 해결될 수 없는 근원적 한계를 내포하고 있다.

그러나 자유대한민국의 정통성을 부인하고 있는 북한과 남한 내 친북 좌파세력들은 주한미군을 점령군으로, 대한민국을 친일친미 국가로, 서구 자본주의 국가들에게 예속되어 있는 매판 자본주의 국가로 규정하면서 민족해방, 민족자주통일 투쟁을 역사적 사명인 것처럼 정당화하고 있을 뿐 아니라 지속적으로 주한미군 철수를 주장하고 있다.

물론 대한민국은 독립주권국가다. 주한미군은 점령군이 아니라 우리의 요청에 의한 한미상호방위조약에 입각하여 주둔하고 있는, 북한의 위협을 막고 한반도 자유 수호를 위한 군사동맹군이며, 인류의 보편적 가치를 공유하는 가치 동맹군이자 평화와 번영을 함께 추구하는 평화 동맹군이다.

주한미군사령관이 한국군에 대한 전시작전권을 행사한다고 해서 자주국방을 포기한 국가는 더욱 아니다. 한 지역에서 벌어지는 연합작전에서 가장 중요한 요소는 '지휘의 일원화'다. 이것은 전략이론에서 강조되고 있는 으뜸가는 고전적 원칙이다. 한국 정부가 2005년 이후 제기한 전시작전권 환수 문제는 다분히 국내 정치적 이유에서 비롯된 측면이 강하지만 군사적 문제를 정치적으로 접근하는 것만큼 비현실적이고 위험한 발상은 없다.

현 정부는 출범 직후부터 이 문제 해결을 서두르고 있다. 전시작전권만 환수 받게 되면 자주국방은 완벽해지고 대한민국은 비로소 독립주권국가가 되는 것일까? '자주국방' 개념은 주권국가 출현과 더불어 생겨난 것으로 시대 진전에 따라 변해온 개념이다. '주권국가'란 30년 종교전쟁 결과 1648년 체결된 베스트팔렌 조약(Peace of Westfalen)에 근거하여 영토적 주권과 통치권을 바탕으로 하는 독립국가가 생겨나면서 형성된 개념이며, 이때부터 국가 단위의 자위태세가 중요한 의미를 갖게 된다.

제국주의 시대로 특징지어지는 18세~20세기 초반에서 1차 세계대전까지는 부국강병(富國强兵) 정책에 입각한 일국주의(一國主義) 자주국방이 대세를 이루었으나 2차 세계대전, 냉전, 글로벌화가 종전의 개념을 일변시킴으로써 일국주의 자주국방 시대는 끝났고 집단주의 안보 시대가 보편화되었다.

이제 어떤 국가도 혼자만의 힘으로 자신의 안전과 세계평화를 지킬 수 없게 되었고, 극단주의자들의 테러(terror) 공격과 사이버 공격(cyber attack) 같은 새로운 현상들이 지구 차원의 집단안보체제 필요성을 가중시키고 있을 뿐 아니라 러시아, 중국 같은 비자유주의 국가들의 위협이 새로운 형태로 확산되고 있는 상황에서 NATO와 미·일 안보조약, 한·미 상호방위조약은 여전히 중요한 의미를 지니고 있다. 이것들은 더 안전한 세계, 평화로운 세계를 만들고 전인류로 하여금 자유와 번영을 함께 누리고자 하는 경험적 지혜의 산물이자 안전장치들이다.

자유대한민국의 자주국방은 한미상호방위조약에 근거한 한미동맹이라는 집단안보체제 틀 안에서 유지되고 있다. 한미상호방위조약은 NATO의 근거가 되는 북대서양조약(The North Atlantic Treaty) 모델에 가깝다.

1949년 4월 4일, 미국, 영국, 프랑스, 캐나다, 이탈리아, 베네룩스, 덴마크, 노르웨이, 아이슬란드, 포르투갈 간에 조인되고 1949년 8월 24일 발효된 것이 북대서양조약이고, 이 조약에 근거하여 생겨난 것이 북대서양조약기구(The North Atlantic Treaty Organization, NATO)로서 현재 29개국이 가입하고 있다.

북대서양조약기구의 창설 목적은 UN 헌장의 목적과 원칙에 따라 모든 정부, 모든 국민과 평화적으로 공생 공존하는 희망을 내걸면서 개인의 자유, 자유민주주의(liberal democracy), 법의 지배(the rule of law) 위에 구축된 서구 문명(western civilization)을 지키고 북대서양 지역의 안전과 복지를 증진하는 데 있음을 전제로 한 집단안보체제 유지에 두고 있다.

집단안보체제의 골간은 집단자위권(collective self-defense)이다. 이른바 one-for-all, all-for-one으로 불리는 북대서양조약 5조는 회원국 간에 한 개 나라라도 외부의 공격을 받을 경우 집단자위권을 발동해 가맹국 전체가 피해국을 군사적으로 지원할 수 있도록 규정하고 있다. 2001년 미국이 9.11테러 공격을 당했을 때, NATO는 이를 동맹국 전체에 대한 공격으로 간주, 집단자위권을 발동하여 미국이 요청한 군사지원을 승인한 바 있었다.

NATO 연합군사령부는 벨기에 브뤼셀에 두고 있고 미군 장성이 최고 사령관직을 맡고 있으며 전시에는 미군 최고사령관이 유럽지역의 육, 해, 공군에 대한 작전권을 행사하도록 함으로써 지휘의 일원화를 도모하고 있다. 이 경우 주권국가를 전제로 한 자주국방 문제는 전혀 발생하지 않는다. 주권국가 간 동의와 합의가 전제되어 있기 때문이다. NATO는 기본적으로 집단 안보를 위한 군사동맹 성격을 지니고 있으나 가치 동맹이자 정치적 동맹이기도 하다.

NATO는 기본 임무인 집단방어, 위기관리, 협력(partnership)을 통하여 불완전하고 가변성이 많은 국제 환경 속에서 항구적인 자유와 평화를 위한 국제 질서를 구축, 유지하고자 노력하고 있다.

한미상호방위조약과 주한미군 최고사령관에 의한 전시작전권 행사를 NATO와 유럽 최고사령관인 미군 장성에 의한 작전권 행사와 같은 차원으로 이해하면 어떠한 오해도 생겨날 수가 없다.

"각 당사국은 상대 당사국에 대한 무력공격을 자국의 평화와 안전을 위태롭게 하는 것이라고 인정하고 공동의 위험에 대처하기 위하여 각자의 헌법상의 절차에 따라 행동한다. 미국은 자국의 육, 해, 공군을 대한민국 영토와 그 부근에 배치할 수 있는 권리를 갖고 대한민국은 이를 허락한다."

이것이 조약의 핵심 조항이며, '협의 의사록'에서 작전지휘권은 종전과 같이 UN군사령관, 즉 미8군사령관이 행사하도록 명시하고 있다. 한미상호방위조약과 미군에 의한 전시작전권 행사는 외부로부터 위협과 북한으로부터 위협이 상존하는 한 국가 존망, 국민의 생존과 직결된 문제이며, 한반도 평화와 자유 수호를 위한 최선의 안전장치다.

그러나 한국 정부는 전시작전권 환수를 요구하고 있다. 이러한 요구는 '주권국가 위상 회복'이라는 명분과 비현실적 단견에 근거한 요구다. 좌파 정부인 노무현 정부는 2005년 '한미 안보정책 구상(SPI)'에서 미국 정부에 전시작전통제권 환수 문제 논의를 공식적으로 제의하여 2012년 4월 17일자로 환수하기로 합의했다.

그런데 우파 정부인 이명박 정부와 미국의 오바마 행정부가 2015년 12월로 연기했고 박근혜 정부 하에서 2020년대 중반에 전환 여부를 검토한다고 결정한 바 있다. 전시작전통제권이 전환된다 하더라도 대한민국 해군과 공군에 대한 전시작전통제권은 계속 미군이 행사하도록 되어 있으므로 지상 작전권 환수란 무의미하게 된다. 더욱이 한미상호방위조약이 유효한 상태에서 미군이 계속 주둔하는 한 전시작전권의 일원화는 필수조건이다.

지상에서 작전권 일원화 원칙이 무시되어 이원화(二元化)되고 해·공군의 작전권이 미군에 있게 되면 효율적이고 성공적인 연합작전 지휘는 불가능해진다. 전시작전권이 환수되었을 때 발생할 수 있는 또 다른 문제는 주한미군이 한국군과의 합의와 협의에 구애받지 않고 행동할 수 있는 융통성을 갖게 되기 때문에 오히려 긴급 시 효율적 대응을 어렵게 할 수 있다.

주한미군을 점령군으로 규정하고 이들의 철수를 바라는 친북좌파 인사들과 세력들이 미군으로부터 전시작전권을 환수함으로써 자주국방이 마무리되고 주권국가의 면모를 갖출 수 있게 된다는 주장은 국제 환경에도 맞지 않고 시대 흐름과도 상반되는 지극히 비현실적이며 정치·이념적인 형식 논리에 지나지 않는다. 지금은 그 어느 때보다 자주국방에 대한 국민의 올바른 인식이 중요하고 국민적 공감대 형성이 필요한 시기이다.

우리는 역사라는 거울에 자신의 모습을 비춰보아야 한다. 상무정신(尙武精神)을 중요시했던 통일신라가 망한 이후 고려시대 이래 일제 통치로부터 해방되기까지 진정한 의미의 자주국방 정신과 자주국방 태세는 존재하지 않았다. 고려는 몽고군의 말굽 아래 유린당했고 조선은 종주국 명(明)과 청(淸)의 보호에 의존해야만 했다. 고려조 이후 왕조의 지배자들은 상무정신은커녕 문존무비(文尊武卑)라는 통치 방식에 집착함으로써 무신(武臣) 반란에 직면했거나 외침 시 종주국에 의한 구원에 매달려야만 했다.

고려 왕조가 쇠락하기 시작한 결정적 계기는 1170년에 일어난 무신의 난(亂)이다. 문존무비 풍조가 만연했던 상황에서 문신들로부터 공공연한 모멸과 조롱을 당하고 심지어 문신 지휘관 밑에서 전쟁을 치러야 했던 무신들이 정중부(鄭仲夫)를 앞세워 수많은 문신들을 학살하고 왕까지 바꿔치기하면서 정권을 장악, 무신정권을 수립했고 뒤이은 최씨 무신정권이 국정을 좌우함으로써 왕조 몰락을 가속화시켰다.

이소사대(以小事大) 정신에 충실했던 조선에서는 자주국방이라는 개념 자체가 없었다고 할 수 있다. 1543년 일본에 표착한 포르투갈인으로부터 조총을 입수한 일본인들이 국산화에 착수하고 1549년 오다 노부나가[織田信長]가 조총부대를 창설하여 전국시대 주도권을 장악할 무렵, 1554년 일본인이 조총을 들고 조선으로 귀화했을 때 명종은 '조총 제작'을 금했으며, 임진왜란 직전인 1589년 대마도주가 조선에 조총을 헌상했으나 선조는 '무기보관'을 명하여 쓸모없는 고철로 만들었다. 1592년 조총부대를 동반한 왜군이 침공했을 때 조선군은 맥없이 무너졌고 선조는 의주로 줄행랑을 쳐야 했으며 한양 도성은 폐허가 되었다. 심지어 전쟁 중에 이순신 장군을 감옥에 가두었다는 사실을 역사가 기록하고 있다.

조선왕조는 그토록 처참했던 7년 전쟁을 치루고 난 후에도 임진왜란을 교훈으로 삼거나 전쟁에 대비하여 실효성 있는 자위대책도 세우지 않았고 망해가는 종주국 명(明)에 기대어 기세등등하게 일어나고 있던 청(淸)을 얕잡아 보다 1637년 치욕적인 항복을 해야만 했다. 명을 대신하여 새로운 종주국이 된 청은 조선으로 하여금 성(城)을 신축하거나 심지어 기존의 성을 수리하는 것조차 금지했을 뿐 아니라 청나라 황제의 허락 없이는 청과 일본을 제외한 어떠한 외국과도 접촉할 수 없게 했고 해양활동을 금지했다.

조선은 외부 정세에 대해서는 귀를 막고 눈을 감으면서 안으로만 피로 점철된 당쟁(黨爭)과 권력투쟁에 몰입함으로써 결국 일본의 식민지로 전락하였다.

1945년 8월 15일, 해방과 더불어 미군정 하에서 창군 준비가 이뤄지고 1948년 8월 15일, 건국과 동시에 대한민국 국군이 창설되었으나 여군단을 포함한 육, 해, 공 3군 체제가 완전히 갖추어진 것은 1970년이다.

6.25 전쟁과 월남 참전을 통하여 단련되고 실전 경험을 축적하면서 유사 이래 처음으로 현대식 강군 체제를 갖추게 된다. 1978년 7월, 한미연합사령부가 창설되면서 UN군 사령부에 속했던 한국군에 대한 작전지휘권이 한미연합사로 이양되었고 1994년 평시작전지휘권만 한국군에 환수되어 현재에 이르고 있다.

자주국방과 관련하여 진정한 의미에서 중대한 의미를 갖는 것은 국방비다. 국군을 유지하기 위한 비용을 우리가 전액 부담할 수 있을 때 비로소 자주국방 태세를 갖추었다고 말할 수 있다. 우리나라의 경우 해방 후 1950년대는 원조경제 시대였고, 1960년대는 차관경제 시대였으며, 1980년대 후반에 가서야 원조수혜국에서 원조공여국(供與國)으로 발전하였기 때문에 국방비 조달에 있어서도 상당기간 미국의 군사원조에 의존해야만 했다.

6.25 전쟁 직후 한미상호방위조약 체결 후속조치로 '미국의 대한(對韓) 경제 및 군사원조에 관한 합의 의사록'이 작성되고 1957년 미 국무장관이 발표한 '한국군 현대화에 관한 성명' 등에 근거하여 1954년~1961년 사이에 한국군에 제공된 군사원조는 13억 8,000만 달러에 달한다. 미국의 한국 정부에 대한 무상원조는 1970년대 중반까지 계속되었고, 이 무렵 국방비 전액을 우리 스스로 부담할 수 있게 됨으로써 자주국방 태세를 갖추게 된다.

정부가 '자주국방' 태세를 갖추기 위한 정책을 본격화한 것은 1974년 미군의 군원이관과 함께 방위세법이 마련되고 '한국군 현대화 계획'의 토대 위에서 전략증강계획(율곡사업)을 수립하면서부터이고, 1975년 월남 패망과 미국의 닉슨 독트린(Nixon Doctrine)이 이를 가속화시켰다. 1974년 제1차 율곡사업으로부터 1996년까지 약 23년간 국방비 중 31.8%에 달하는 34조 4,787억 원을 군사력 건설에 투입했고 지금은 방위력 개선사업으로 미래형 전력 확보에 중점을 두면서 계속되고 있다.

이러한 일련의 조치와 노력들이 의미하는 것은 경제적인 한강의 기적 못지않게 중대한 역사적 의미를 지닌다. 최소한 조선조 이래 독립주권국가로서 자주국방을 내외에 천명한 것은 이때가 처음이다. 이것은 민족사에 기록할 만한 또 하나의 이정표다. 지금은 1991년 이래 주한미군의 주둔비용을 분담하고 있고 그 액수는 해마다 증가하고 있다.

자주국방은 가시적인 물질적 요소와 비가시적인 정신적 요소가 유기적으로 작용할 때 완벽한 태세를 갖출 수 있다. 총과 대포, 비행기와 탱크와 군함을 갖추는 것만으로 자주국방이 완벽해지는 것은 아니다. 위와 같은 가시적 요소보다 이것을 다루는 인간의 능력과 정신 같은 비가시적 요소가 더 중요할 수도 있다.

이 점에서 우리의 경우 매우 취약하다. 중국 성리학 문화 영향을 크게 받아온 우리 민족의 심성에는 아주 나쁜 유전자라고 할 수 있는 '문존무비(文尊武卑)'라는 DNA가 뿌리깊이 박혀 있다. 우리 역사에서 통일신라시대 이후 국가와 국민 차원에서 상무정신(尙武精神)을 고무했던 시기는 없었다. 자주국방 기치 아래 유비무환(有備無患)이라는 구호를 내걸고 대학에서 군사훈련이 일상화됐던 1970년대도 지금은 하나의 과거사가 되었다.

상무정신이란 천박한 무존문비(武尊文卑) 정신을 말하는 것이 아니라 자유민주주의 국가의 주권자로서, 자유 시민으로서 자유를 스스로 지키고자 하는 결연한 의지를 말한다.

그러나 유감스럽게도 민간 정치인들과 관료들은 군을 경원시하는 경향이 있고 2017년 이후에는 노골적이고 적대적이라고 할 만큼 반군(反軍) 정서가 곳곳에서 표출되고 있다. 이 경우 남한은 북한과 극명한 대조를 이루고 있다.

김일성은 1962년 4대 군사노선을 제시하면서 전(全)인민의 무장화, 전(全)국토의 요새화를 강조했고, 김정일은 선군(先軍) 정치를, 김정은은 핵으로 무장한 강성대국을 지향함으로써 군을 노동당 전면에 내세우고 있다. 물론 이것은 대남적화통일을 위한 것이다.

이런 북한에 비해 남한에서는 정상적 임무를 수행한 장군을 잘못된 정치적 여론을 구실로 참기 어려운 심적 고통과 모욕을 가함으로써 스스로 목숨을 끊게 하는가 하면, 책임 있는 정치 지도자가 군 복무를 청춘을 허비하는 기간인 것처럼 공공연히 폄훼하고, 일반대중은 군 시설을 혐오시설인 양 자신들의 거주 지역 부근에 오는 것을 반대하고, 일부 정치권력 집단의 보이지 않는 엄호를 받는 소수 친북세력들이 반미와 미군철수 구호를 외치며 주요 방어 무기 배치를 필사적으로 반대하는 곳이 대한민국이다.

명예를 목숨처럼 아끼는 군의 간부들에게 명예를 안겨주기는커녕 구실만 있으면 명예를 깎아내리고 모욕을 주려는 곳, 6.25 참전 용사가 거리투쟁에 참여했다는 소위 민주투사보다 홀대를 받는 곳이 대한민국이다.

분단국가, 북의 위협이 점증하고 있는 국가에서 군대의 문전에도 가보지 못한 후보가 대통령이 되고 군 통수권자가 되는 나라가 대한민국이다. 친북 성향을 지닌 정치인, 지식인, 언론인, 시민단체, 노동단체들은 국방비용을 아깝게 생각할 뿐 아니라 엉뚱한 곳에 수조 원의 국가예산을 낭비하면서 주한미군 주둔비용 분담금에는 인색하기 이를 데 없는 곳도 대한민국이다. 자유대한민국을 사랑하고 지키려는 국민에겐 자주국방의 강도를 아무리 강조해도 지나침은 없다. 주한미군 주둔비용 부담 액수가 많을수록 자주국방의 강도는 그만큼 높아지고 주권국가로서의 위상 역시 그만큼 올라간다.

이것은 금전으로 환산할 수 없는 의미를 지닌다. 미국 측이 100을 요구할 때 우리가 200을 내놓는다면 어떤 의미가 있을까?

군사적 측면 외의 정치, 경제, 문화 등 광범위한 분야에서 간접적 수혜가 돌아올 것이며, 국민들의 자존감과 자신감도 그만큼 높아질 것이다.

견고한 자주국방 태세 유지를 위해서 유념해야 할 또 다른 요소는 군 통수권 관리다. 대통령이 군 통수권자 위치에서 명령과 지시만 내리면 만사형통인 듯이 생각하는 것만큼 위험한 경우는 없다.

군 통수권 관리는 군 인사관리, 한미동맹 및 군사외교 관리, 전력 증강 및 개선 관리, 전투태세 유지 관리 등 광범위하고 전문적이다. 병역을 필하지 않고 군을 잘 모르는 군 통수권자일수록 그 중요성은 증가한다.

이를 위해서는 최고 수준의 능력과 역량을 갖춘 군사 전문가들의 보좌가 필요하고, 끊임없는 노력과 학습이 요구된다. 최근에 청와대 풋내기 행정관이 육군 참모총장을 불러내어 인사문제를 논의했다는 것은 놀랍고 우려스러운 일이다. 미국의 막대한 지원을 받는 장개석 군(軍)이 모택동 군(軍)에게 패하고 중국 대륙을 상실한 원인 중에는 군 통수권 관리 실패가 들어 있다. 정치화되고 부패한 군 간부들, 빈약한 통수권 발휘가 결정적 요소였다. '장개석 군대'라는 오명이 생겨난 배경이다.

한국군의 과거에도 유사한 교훈이 있다.

자유당 말기 군은 정치적으로 오염되고 부패했으며, 군을 몰랐던 장면 정권은 군을 실질적으로 장악하거나 통제하지 못해 5.16 군사

혁명을 자초하였다. 건군 이래 군 통수권을 확립했던 최초의 지도자는 박정희 대통령이다. 그는 군 통수권자인 자신 이외에 그 누구도 군 인사문제에 끼어들 수 있는 틈을 주지 않았으며, 특히 정치인들의 군에 대한 영향력 행사를 지나칠 정도로 경계함으로써 군으로 하여금 주어진 임무에만 몰두할 수 있도록 군을 관리하였다.

그러나 노태우 정권 이후 친인척들과 측근 인사들이 군 인사에 영향력을 끼치기 시작하여 군을 모르는 김영삼 대통령 이후 더욱 심화되는 현상이 벌어지고 있다.

대한민국 대통령은 군 통수권자로서 관리에 누수현상이 생겨나도록 해서는 안 되며, 군을 신뢰하고 사랑해야 할 뿐만 아니라 군의 명예를 고양시키는 데 인색해서도 안 된다.

지금은 한미동맹과 군사외교 면에서 그 어느 때보다 지혜로운 관리가 요구되는 시기다. 젊은 날 군복을 입고 조국에 헌신했던 장군의 죽음이 길거리에서 반려견이 사고사를 당하는 것보다 가볍게 받아들여지는 사회에서 자유를 지켜낼 수 있다는 믿음이 생겨날 수 있을까?

국가가 존재하는 한 자주국방은 포기하거나 소홀히 할 수 없는 절대적 필요조건이다. 이것은 주권자인 국민에게 주어진 신성한 책무이자 당대를 이끌어가는 지도자들에게 주어진 국가의 준엄한 명령이다. 이와 관련된 소크라테스의 가르침은 지금도 유효하다.

인류 역사상 가장 위대한 스승의 한 사람으로 존경받고 있는 고대 아테네의 철학자 소크라테스(Socrates, BC469?~BC399)는 승리한 스파르타(Sparta)와 패배한 아테네(Athens)를 포함한 그리스 세계의 몰락을 초래한 펠로폰네소스 전쟁(Peloponnesian War, BC431~BC404) 시대를 살면서 세 번이나 전투에 참가했고 아테네의 패배로 인해 아테네 민주주의와 시민사회가 타락해가는 것을 목격했으며, 그는 특히 전쟁과 군인(수호자, guardians) 문제에 대해 남다른 관심을 피력하면서, 다음과 같은 신탁(oracle)을 인용하였다.

"만약 철(iron)급 수호자나 청동(bronze)급 수호자에게 의존하면 아테네는 폐허가 될 것이다. 반면에 금(gold)급 수호자와 은(silver)급 수호자들에게 명예(honor)를 안겨주고 수호자로 삼는다면 아테네는 건재할 것이다."

여기서 금, 은, 철, 청동이란 시민의 수준을 구분해서 비유적으로 표현한 것이다. 오늘날의 이스라엘 군과 이광요 수상이 만들어낸 싱가포르 군이 소크라테스의 기준을 따르고 있다면 북한군도 이에 근접하고 있다고 말할 수 있다.

소크라테스의 가르침은 자주국방의 궁극적 본질은 군 간부와 병사의 질에 있고, 국민이 이들을 존중하고 이들에게 명예를 안겨줄 때 최상의 자주국방 태세를 유지할 수 있다는 사실을 강조한 것이다.

작은 정부, 자유와 번영의 길

작은 정부의 뿌리

"최소 정부가 최선의 정부다."

이것은 지구상에 국가가 출현한 이래 이성적 인간이 추구해왔던 염원(念願)이다. 국가란 국민 개개인의 삶에 직·간접으로 개입하고 간섭하면서 군림하는 존재이자 영원한 갑(甲)이기 때문이다. 국가가 국민의 삶에 개입하고 간섭하는 장치가 정부다. 정부란 생겨난 순간부터 없어지지 않는 한 작아지기보다 커지는 속성을 지니고 있지만 이것은 인간의 바람과는 정반대되는 현상이다.

정부가 작을수록 국민 개개인의 자유와 시장의 자율성은 그만큼 신장되지만 정부가 커지게 되면 개인의 자유와 시장의 자율성은 그만큼 위축되고 개인과 기업의 조세 부담은 증가한다. 따라서 정부의 크고 작은 문제는 개인과 기업의 이익 문제와 더불어 자유의 문제, 시장의 자율성 문제, 즉 자유주의 체제의 본질적 문제로 귀착되기 때문에 자유주의 체제 국가의 지도자들, 국가운영 주체는 정부의 작고 큰 문제에 대해 끊임없는 관심을 가져야 한다.

구미 선진 자유주의 국가들과는 달리 대한민국은 건국 이래 작은 정부, 큰 정부에 대한 논의를 학계에서나 정계 차원에서 본격적으로 해본 적이 없다. 1980년대 영미 국가들의 영향을 받아 정부 차원에서 논의되고 시도된 적이 있었으나 한때의 유행과도 같은 현상으로 끝났을 뿐 지속적이고 가시적인 결과는 거두지 못했다. 1980년대 영미 국가가 준 영향이란 작은 정부 바람을 의미한다. 당시 영미 국가를 중심으로 일어난 작은 정부 바람이란, 1930년대 이래 구미 자유주의 사상가들의 학문적 노력에 의해 정립된 신자유주의(neo-liberalism)가 글로벌화(globalization)를 가속화시키는 가운데 생겨난 큰 정부 실패에 대한 반동 추세를 뜻한다.

작은 정부(small government)와 큰 정부(big government)를 가름하는 결정적 기준의 하나는 국가경제체제다.

경제 자유가 없는 사회에서 정치자유란 무의미하고, 정치자유의 종착점이 경제자유이기 때문이다.

18세기~20세기 초, 제국주의 시대를 풍미했던 자유방임(laissez-faire)주의에 근거한 고전적 자유주의(classical liberalism)를 반대하고 시장의 자생적(spontaneous)이고 자율적인 기능과 개인의 자유를 전제로 하되 법치주의에 입각한 공정한 경쟁을 중시하고, 사유재산권을 절대시하는 신자유주의자들은 큰 정부 운영체제를 공통점으로 하는 공산주의 소련, 나치즘 독일, 케인즈주의적 영미 국가에 의한 국가계획 및 통제경제와 정부주도 시장경제를 반대하면서 작은 정부론을 내세웠고, 국제적으로는 상호존중, 상호의존 정신에 바탕을 둔 교역이 전쟁을 방지하고 평화와 번영을 가져다준다는 믿음에서 자유교역(free-trade)을 역설하였다.

공산주의 소련은 국가가 국민의 삶을 책임지고 사회정의를 구현한다는 대원칙 아래 경제를 계획하고 통제함으로써 결과적으로는 개인의 자유를 박탈했고 자유 시장은 허용하지 않았다. 정부가 인민에게 일자리를 지정해주고 빵을 배급해주는 극단적 큰 정부 체제였기 때문에 개인과 시장은 없고 공산당과 정부만 존재하는 동물농장을 방불케 하는 사회로 추락하였다.

유럽 패권을 노리면서 국가 총동원 체제에 의존했던 나치스 독일은 국가가 개인과 시장을 통제하고 국민은 국가와 민족의 이익을 위해 희생을 강요당한 큰 정부 체제였다. 수정자본주의 이론으로 알려진 케인즈주의(Keynesianism) 노선을 채택했던 영국과 미국은 대공황을 극복하기 위하여 정부 재정으로 일자리를 만들어내고 보편복지 정책을 위해 증세와 적자 재정에 의존하는 큰 정부 체제를 유지하였다.

공산주의 소련 제국의 실험은 철저히 실패했고, 나치스 독일은 패망하였으며, 영국은 '영국병'을 앓아야 했고 미국은 뉴딜 정책이 남긴 긴 침체의 터널을 통과해야만 했다. 공산주의 소련 제국, 나치스 독일, 케인즈주의 영국과 미국의 경우 체제의 차이는 컸으나 모두가 큰 정부 체제라는 공통점을 지니고 있었다.

1917년 러시아 혁명으로 탄생한 소련 제국이 1991년 붕괴하기까지 74년간은 위에서 언급한 국가들이 국제무대의 주역으로 활동한 큰 정부 전성시대였고 1991년 동서냉전 종식은 큰 정부 전성시대의 퇴조를 초래했다. 역사 전개를 도전과 응전의 반복 현상이라고 했던 영국의 역사학자 토인비의 이론을 증명이나 하듯이 큰 정부 시대에 대한 반동 현상으로서 작은 정부 바람이 불기 시작한 것이다.

1980년대에 접어들면서 글로벌화에 편승한 신자유주의의 사상과 이론에 입각한 작은 정부 시대를 주창한 선두주자는 영국과 미국이다. 이들 국가들이 선두주자 역할을 한 것은 우연이 아니다. 개인주의 사상을 본질로 삼는 자유주의 체제의 모국(母國)과 챔피언 국가라는 역사적 배경이 작용한 결과다. 2차 세계대전, 동서냉전을 치르면서 비대해질 대로 비대해진 정부 역할을 축소함으로써 국민의 부담을 최소화하고 개인과 시장의 역할을 최대화하는 것이 시대적 요청이 된 상황에서 전개된 현상이 작은 정부 바람이다.

큰 정부 시대는 정치 엘리트, 관료 엘리트들의 전성시대였고, 개인은 국가에 우유를 제공해야 하는 젖소 같은 존재로 살아가야 했으며, 시장은 정부 손바닥 위에서 춤을 춰야만 하는 시대였다. 나치스 히틀러 시대를 살았고 전후 '라인 강 기적'의 사상과 이론을 제공한 바 있는 독일의 대표적 신자유주의 사상가였던 오이켄

(Eucken)은 큰 정부 체제에 의한 수혜적인 복지정책과 통제경제를 반대하면서 개인의 책임을 강조하였다.

신자유주의 사상이나 작은 정부 이론이 제대로 소개된 적이 없었던 한국사회에서 어느 날 갑자기 이에 대한 비판의 돌풍이 불어 닥친 것은 2008년 미국 월가에서 비롯된 국제금융위기 직후였다. 좌파 지식인들이 기다리고 있었다는 듯이 "신자유주의에 입각한 시장만능주의 정책으로 인해 1% 대 99%, 양극화 사회가 되었다."고 비판하기 시작하자 좌파 정치인들과 언론은 부화뇌동하면서 경제민주화를 주장했고, 우파 지식인들과 언론은 침묵하거나 소극적 동의를 하는 듯싶은 태도를 보였을 뿐 어떠한 이론적 반박도, 비판도 하지 않았다.

이명박 정부는 실체가 없는 중도실용주의 운운하면서 기회주의 태도를 보였으며, 박근혜는 2012년 대선에서 경제민주화를 공약으로 내걸고 당선함으로써 한국의 정치·사회의 지적 풍토가 얼마나 빈약하고 천박한가를 만천하에 드러냈다. 일제 식민시대 국가운영 방식에 익숙할 수밖에 없었던 대한민국은 건국한 날부터 정치인과 관료가 국정을 좌우하는 큰 정부 체제였으며 관치시장경제 체제로 일관해왔을 뿐 아니라 지금은 그 강도가 더 강해지면서 더 큰 정부 체제의 길로 폭주하고 있다.

한국은 외국 경제전문가들이나 우파 지식인들의 주장과는 달리 규제 과잉 국가가 아니라 규제 결핍 국가이고 가장 비인간적이고 잔인한, 사람이 살기 어려운 '시장만능주의'와 '극단적인 신자유주의체제'국가임을 강조하면서 경제를 시장에만 맡겨둘 수 없다고 주장한 대표적 좌파 교수 출신 인사는 최근 청와대 정책기획 책임자의 자리를 떠나 주중대사로 영전(?)한 장하성 박사다. 그의 주장에 동조할 사람이 몇이나 될까? 이것은 부끄러운 선동이다. 우리의 정당정치, 시장경제 현상은 겉보기엔 자유민주정치와 자유시장경제가 정상적으로 작동하고 있는 것처럼 보이지만 들여다보면 악성 권력정치, 악성 관치경제 틀을 벗어나지 못하고 있을 뿐 아니라 더 심화되고 있다.

36년째 한국에서 살고 있는 영국 언론인 출신 마이클 브린(Michael Breen)은 2019년 1월 출간한 『한국, 한국인』에서 한국은 "표면적으로 보면 자본주의 국가이나 현실적으로는 중앙정부 통제를 수용하고 있는 면에서 사회주의 국가였다."라고 언급하고 있다. 그의 주장은 최근 고인이 된 조양호 대한항공 회장의 푸념을 연상케 한다. 조양호 회장은 고인이 되기 얼마 전 언론과의 인터뷰에서 다음과 같은 말을 남겼다.

"한국사회는 자본주의 사회인데도 반자본가 정서가 심한 사회다."

틀린 말이 아니다. 이러한 현상은 자연적으로 생겨났다기보다 반(反)자본주의적 좌파 지식인들, 노동세력, 시민단체들이 의도적으로 조장한 면이 크다. 현 정부의 공정거래위원장인 김상조는 대기업을 적대시하는 대표적 인사라 해도 과언이 아니다.

우리가 직면하고 있는 국가적 과제는 큰 정부 틀을 벗어나 작은 정부 체제를 갖추는 것이다. 지금과 같은 큰 정부 틀을 유지하는 한 G-7 국가 수준에 도달하고 국제무대에서 선진 문명국가 반열에 오른다는 것은 불가능하다. 우리는 일상생활에서 국가와 정부란 당연히 있어야 하는 것이라고 생각하지만 크고 작은 문제에 대해서는 관심이 없는 것이 일반적 현상이다.

국가는 필요악이다

인간이 지구상에 처음 출현했을 때 국가는 존재하지 않았다. 인간세계가 개인 단위, 가족 단위, 씨족 단위, 부족 단위, 민족 단위로 점차 성장하면서 생겨난 것이 국가다. 인간이 공동체, 즉 국가를 위해 왕을 필요로 했을 때 왕이 얼마나 위험한 존재인가를 경고한 이야기가 구약성서에 흥미롭게 기록되어 있다.

이 경우 왕(王)이란 국가 공동체와 정부, 그 자체를 상징하는 존재였다고 할 수 있다. 유대민족이 자신들이 믿는 창조주 야훼에게 왕을 세워달라고 간청했을 때 허락해주면서도 왕을 세우게 되면 지극히 어려운 일이 닥치게 될 것이라는 심각한 경고를 남겼다.

"그런 왕이 너희 가축 10분의 1을 가져가고 너희들은 그의 노예가 될 것이다. 그날 너희는 너희들을 위해 너희 스스로 택한 왕 때문에 울부짖게 될 것이다."

먼 훗날 나치스 독일과 공산주의 소련 제국의 인민들이 겪어야 했던 경험이 이를 웅변으로 증언해주고 있다. 야훼가 유대민족에게 왕을 세우도록 해준 것은 왕으로 인한 위험성보다 필요성이 더 컸기 때문일 것이다. 국가가 없는 인간 사회는 만인(萬人)에 대한 만인(萬人)의 투쟁 현상으로 인해 어떤 개인도 생명과 재산을 보호할 수 없기 때문에 필요악으로 생겨난 존재가 국가다. 위험하지만 필요한 존재, 즉 필요악의 존재가 국가다.

영국의 철학자 토마스 홉스(Thomas Hobbes, 1588~1679)는 국가를 바다의 괴수(怪獸)인 레비아탄(Leviathan)에 비유하였다. 그는 국가를 괴력을 지닌 괴수, 맹수와 같은 존재로 규정하면서 통치자들과 인민들로 하여금 그러한 속성을 지닌 국가를 어떻게 관리하는 것이 가장 합리적이고 안전한 방법인가를 고안해내고자 고심하였다.

따라서 국가 통치, 국가 관리란 괴수를 순치하고 괴력을 억제함으로써 인민의 생명과 재산을 보호하는 것이므로 괴수의 괴력을 최대한 약화시키고 최소화시키는 것이 필요악의 요소를 최소화하는 최선의 방책이 될 수밖에 없다. 이는 곧 최소 정부, 작은 정부 논리를 의미한다. 인류 역사가 국가와 정부의 이름으로 저질러진 죄악의 역사라 해도 과언이 아님을 고려할 때 홉스의 '레비아탄' 이론은 여전히 유효하다.

큰 정부, 작은 정부의 판단기준

큰 정부, 작은 정부란 자칫 추상적이자 상대적 개념으로 인식하기 쉽지만 산술적 기준과 비(非)산술적 기준으로 비교·판단할 수 있다. '산술적 판단기준'이란 정부 행정관리체계를 중심으로 판단하게 되는 기준이고 '비(非)산술적 판단기준'이란 정부 권력관리체계를 중심으로 판단하게 되는 기준이다.

산술적 판단 기준이 되는 정부 행정관리체계에서 판단 원칙은 최소의 낭비성과 최대의 효율성이다. 이 원칙을 따르는 것이 작은 정부의 길로서 최소한의 행정 및 공공조직과 최소한의 공공요원, 최소한의 간섭과 규제, 최소한의 비용과 최대한의 생산성과 효율성 추구를 의미한다. 이것과 반대되는 것이 큰 정부 길이다.

비(非)산술적 기준이 되는 권력관리체계에서 판단 원칙은 권력분립 및 권력 간 견제와 균형 작동 여부와 이를 뒷받침하는 법치주의 확립 여부다. 권력분립과 견제 및 균형 원리에 입각하여 어떤 경우에도 권력이 일방적으로 행사될 수 없고 어느 누구도 법 위에 군림할 수 없으며, 정치 엘리트와 관료 엘리트가 필요 이상의 권력과 권한 행사를 하지 않고 주권자인 국민에게 봉사할 때 작은 정부 체제가 된다. 이것과 반대되는 것이 큰 정부다.

정부의 규모가 크고 작은 것을 결과적으로 판가름하는 것은 개인의 자유와 권리, 재산권, 시장의 자유와 자율성에 대한 보장 및 보호 수준 여부다. 작은 정부 체제는 이들 요소들을 최대한 보장·보호하고 신장시키지만 큰 정부 체제는 이들 요소들을 제한하거나 축소시킨다. 극단적 큰 정부 체제는 공산주의 국가 정부체제이고 극단적 작은 정부 사상은 무정부주의자들의 무정부주의(anarchism) 사상이다. 오늘날 사회주의 국가들은 큰 정부 체제를 유지하고 있다. 대표적 국가가 중국이다. 극단적 큰 정부 체제 국가는 북한과 베네수엘라이고 신정 국가인 이란과 아랍제국도 큰 정부 체제 국가다.

작은 정부 챔피언, 미국

'국가란 필요악'이라는 표현은 최소 정부, 작은 정부의 당위성을 함축하고 있다. 악은 없는 것이 최선이고 존재할 경우에도 최소 상태가 가장 바람직하기 때문이다.

'국가란 필요악'이라는 사상은 오늘날에도 실존하고 있는 무정부주의자(anarchist)들의 사상적 바탕이다.

역사상 최소 정부 선구자는 미국이고 오늘날 작은 정부 챔피언도 미국이다. 미국 건국 역사는 인류 역사상 예외적이라고 할 만큼 특이하다. 계몽주의 사상의 세례를 받고 고대 그리스 이래 존재했던 모든 공화국 체제, 입헌민주체제를 연구했던 건국 지도자들은 혁명 전사들이면서도 사상가와 철학자의 면모를 갖추고 있었기에 아메리카 신대륙에 인류의 대의(大義)를 실현할 수 있는 이상적 입헌 민주공화국을 건설하고자 했다. 그들의 건국 이상과 인류를 향한 염원은 미국 독립선언서와 헌법에 명시되어 있다.

미국 독립혁명에 직접적인 영향을 줬고 미국이 독립을 선언한 날을 신세계 탄생일(New World Birthday)이라고 찬양했던 토마스 페인(Thomas Paine)은 혁명을 촉구하기 위한 자신의 팸플릿 『상식

토마스 페인(1737~1809)의 초상

Common Sense』에서 어떤 국가 체제를 건설해야 할 것인가에 대해 다음과 같이 주장하였다.

"국가는 우리의 사악함 때문에 만들어진다. 국가는 최선의 상태에서도 필요악에 불과하고, 최악의 상태에서는 견딜 수 없는 악이다. …최소의 비용과 최대의 편의로 우리에게 안전을 가장 잘 보장하는 국가 형태야말로 다른 어떤 국가 형태보다 바람직하다."

그야말로 군더더기 하나 없는 명쾌한 작은 정부 개념이다.

미국 건국 지도자들은 역사적 교훈과 인간 지혜의 안내를 받아 어떤 경우에도 폭군(Tyrant, 개인 또는 집단)과 폭정(Tyranny)이 출현할 수 없는 권력 체계를 갖춘 국가를 건설하기 위하여 삼권분립 권력구조 하에서 견제와 균형(checks and balances)을 유지할 수 있는 법적, 제도적 장치를 고안해냈으며, 국민의 부담을 최소화하면서도 국민에 대한 편의 제공을 최대화할 수 있는 '제한된 정부(limited government),' 즉 작은 정부(small government) 원칙을 세웠고 이 원칙은 지금도 유지되고 있다.

미국 헌법에는 행정부에 어떤 부처를 설치하라는 조항이 없다. 초대 조지 워싱턴 행정부 시대에는 국무성, 재무성, 전쟁성(국방성)만 있었고, 시대 변화와 국내외 정치 환경 변화에 따라 필요한 부처가 늘어났을 뿐이다. 어떤 개인도, 어떤 집단도 법 위에 군림할 수 없는 법치(the rule of law)주의를 절대시함으로써 법 앞에 만인이 평등하고 만인이 법의 보호를 받을 수 있는, 법이 지배하는 자유주의 국가 체제를 유지하고 있다.

행정 체계 면에서 그들은 냉철한 기업가적, 자본가적 정신을 발휘하여 상비군을 두지 않았으며, 연방 소득세도 거두지 않았고, 중앙은행조차 설립하지 않았을 뿐 아니라 연방정부는 주정부의 자유와 권리를 최대한 보장하고자 하였다.

작은 정부 원칙에 입각하여 출범한 미국은 남북전쟁, 산업혁명을 거치고 1차 세계대전에 참여하면서 점차 큰 정부 체제로 변모해 갔으며, 대공황과 2차 세계대전, 동서냉전을 치르면서 서방 진영의 지도국이 되고 초강대국이 되면서 비대한 큰 정부 체제를 유지할 수밖에 없었고 큰 정부 추세가 절정에 오른 것은 1960년대 월남전을 치르던 존슨 민주당 행정부가 뉴딜 정신에 입각한 '위대한 사회(the great society)' 건설을 내걸었을 때였으나 1960년대 말에 접어들면서 침체 국면이 가속화되고 월남전 패전으로 큰 정부 체제가 한계에 부딪치자 건국 정신인 작은 정부 사상이 대중의 공감을 받으면서 부활하게 된다.

1980년대 레이건 공화당 행정부가 이러한 추세를 역전시키고 작은 정부 시대를 연 이래 현재에 이르고 있으나, 연방정부 역할과 보편복지 확대를 내세우는 민주당은 뉴딜 시대 큰 정부 체제에 대한 미련을 포기하지 않고 있다.

그러나 미국 국민은 제한된 정부, 작은 정부 사상과 원칙을 포기한 적이 없고 의회 내에서 큰 정부 요인을 점검하고 사전에 차단하는 영구적 기구가 지속적으로 활동하고 있다.

미국 하원 내의 정부에 대한 '감시 및 개혁 위원회(Oversight and Reform Committee)'는 1927년에 출범하여 변화를 거치면서도 여전히 기능을 발휘하고 있다.

이 시기는 1차 세계대전을 치른 미국의 정부 역할이 점점 늘어나고 러시아 혁명 성공으로 공산주의에 편승한 큰 정부 바람이 거세게 불던 때이자 대공황 직전이다. 언제나 건국 정신을 잊어버리지 않고 존중하는 미국의 지도자들은 앞으로 정부의 비대화를 최대한 억제하지 않으면 정부와 국민의 부담이 걷잡을 수 없을 만큼 커질 수 있다는 사실을 우려하고 공감하면서 입법을 통하여 '감시 및 개혁 위원회'를 하원 내에 설치하였다.

현재 7개 소위원회로 구성된 이 위원회는 모든 정부 활동의 경제성과 효율성에 대해 감시할 뿐만 아니라 필요시 관련 공직자를 소환, 조사할 수 있는 권한을 행사하고 있다. 지금도 미국에는 건설부, 해양수산부, 여성부 같은 부처가 없다. 우리나라처럼 금융위원회, 금융감독원 같은 옥상옥도 없다.

정부의 돈, 즉 세금을 낭비하는 대통령과 각 부처 직속의 한시적 위원회는 특별한 경우가 아니면 설치하지 않는다. 우리나라는 대통령, 각 부처 직속 위원회가 수 백 개를 넘는 나라다. 이런 위원회들은 국회 통제도 받지 않고 정부 예산을 낭비하고 있다.

예산편성 및 승인, 회계감사 권한은 의회가 행사한다. 국정원을 비롯하여 각 부처에 통치용 목적으로 위장해놓은 돈을 마음대로 사용할 수 있는 한국 대통령과는 달리 미국 대통령은 미 의회 승인 없이 공개되지 않고서는 한 푼의 정부 돈도 사용하지 못한다. 미국은 여전히 건국정신, 작은 정부 정신을 구현하고자 노력하고 있다. 미국이 가장 강력하고 가장 풍요로운 국가가 될 수 있었던 이면에는 위와 같은 정신과 사상을 중시하고 있기 때문이다.

미국 건국 조상들, 서구의 선구적 자유주의 사상가들이 국가의 위험성을 경고하면서 최소 정부, 작은 정부를 주장한 근본 이유는 큰 개인, 큰 시장만이 인간 본성과 능력을 최대한 발휘하게 함으로써 인간의 존엄성을 지키고 자유와 평등, 정의와 평화, 안전과 번영을 가져다줄 수 있다고 확신했기 때문이다.

신자유주의자들의 경고와 조언

큰 정부 체제라는 공통성을 갖는 공산주의 소련 제국과 나치스 독일의 실패와 영미 국가의 케인즈주의적 정부의 한계를 예견했던 독일의 미제스(Mises), 오이켄(Eucken), 오스트리아의 하이에크(Hayek) 같은 선구적 사상가들이 과거 고전적 자유주의자들이 당연시했던 자유방임 원칙을 폐기하고 제시한 새로운 자유주의 사상, 즉 신자유주의 사상과 이론을 전개하면서 작은 정부론을 확산시켰다.

그들이 주장한 작은 정부론의 본질은 국민의 삶에 있어서 정부의 간섭과 개입을 최소화함으로써 개인의 자유와 시장의 자유를 최대화하는 데 있다.

고전적 자유주의자들이 자유방임을 당연시하고 제국주의 입장에서 전쟁 시대를 주도했다면, 자유방임을 반대하고 법치를 중시한 신자유주의자들은 제국주의와 전쟁을 반대하고 국제적으로는 상호의존, 상호협력 원칙 아래 이루어지는 자유교역(free-trade)만이 인

루드비히 폰 미제스(1881~1973)

류에게 번영과 평화를 가져다줄 수 있음을 강조했으며, 대내적으로는 법치가 존중되는 작은 정부 체제를 유지함으로써 개인의 자유와 시장의 자유를 최대한 보장할 수 있음을 강조하였다.

영미를 중심으로 한 고전적 자본주의 체제 모순을 직시했던 이들 선구적 신자유주의 사상가들이 공산주의, 사회주의, 파시즘 바람이 거세게 불어 닥친 국가들의 출신이었다는 것은 우연이 아니다. 사상가란 예외 없이 당대의 시대적 환경을 배경으로 출현하기 때문이다.

신자유주의의 거두 하이에크의 스승이었으며 한때 관료였던 미제스(Mises, 1881~1973)는 러시아 혁명 직후인 1920년대에 다음과 같이 주장하였다.

"참된 자유주의 사회에서는 정부 개입과 간섭으로 시장 기능이 방해 받는 일이 없다. 교역 장벽은 없어지고 사람과 상품이 이동하는데 아무런 장애도 없다. 국경은 오직 지도 위에서만 그어져 있을 뿐이다.(『가장 근원적인 것에 대하여』, 허화평)"

이것은 전형적인 글로벌 시대 자유교역 논리다. 그는 '영구평화론'을 주창했던 칸트(Kant)의 후예답게 글로벌 시대 도래를 내다보고 있었다.

오늘날 유럽의 제1 경제 강국은 독일이다. 2차 세계대전 패전의 잿더미 속에서 라인 강 기적을 만들어낸 주역들은 뢰프케(Ropke, 1899~1977), 오이켄(Eucken, 1891~1950), 에르하르트(Erhard, 1897~1977)와 같은 신자유주의 신봉자들이자 전파자들이다. 특히 경제에 대한 정치권의 입김이 가장 나쁜 독소라고 했던 오이켄의 주장은 시간의 흐름과 관계없는, 진정한 자유주의 정신을 압축한 표현이라고 할 수 있다.

"자기 책임 아래 자신의 삶을 건설하는 것이 참된 진보이며, 복지국가를 점차 축소시켜 가는 것이 진정한 진보이다."

복지국가를 축소시켜 간다는 것은 복지 수혜자를 버리는 것이 아니라 국민으로 하여금 일자리를 갖게 하는 정책을 통하여 국민 스스로 정부 보조금에 의존하는 복지 수혜자 신분에서 벗어나도록 하는 것을 의미한다. 오이켄의 이 주장은 자유주의의 근본인 개인주의 정신을 뜻한다. 오이켄은 1931년 뢰프케와 더불어 '독일 신자유주의'를 선언했으며 특히 자유민주주의 사회에서 포퓰리즘의 위험성을 다음과 같이 경고하였다.

"집단은 양심이 없다. 집단은 어떤 경우에도 양심의 가책을 느끼지 않는다."

아마도 그가 히틀러의 나치스 깃발 아래 모여든 청년, 지식인들이 최면에 걸려 집단 히스테리를 발산하며 폭력적이고 파괴적인 행위를 서슴지 않는 현상을 목도했기 때문에 이런 주장을 펼칠 수 있었을 것이다.

오늘날 한국사회에서도 유사한 현상이 날로 심해져 가고 있다. 권력의 비호를 받는 양심 없고 자신들의 주장만이 정당하다고 믿는 집단만큼 위험한 집단도 없다. 특히 그러한 집단이 정권 창출의 주역 역할을 했을 때 누구도 그들을 법치 안으로 몰아넣기 힘들어진다. 지금 우리 사회에서 벌어지고 있는 현상이다. 국회 야당 원내대표실 난입, 경찰서 난입, 시장실 난입, 사장실 난입, 교장실 난입, 심지어 공판장 난입이 끊이지 않고 있는 상황에서 공권력이 속수무책으로 무력화 되고 있다.

하이에크는『노예의 길 The Road to Serfdom, 1944』에서 집단주의를 바탕으로 하는 전체주의 국가는 극단적인 큰 정부 국가로서 인민의 삶을 계획하고 통제하기 때문에 인민을 노예로 전락시킨다고 단언하였다. 노예란 인간의 존엄성을 박탈당한 가장 비참하고 비천한 인간을 말한다. 현재의 북한이 이 경우에 처해 있고 남한의 좌파와 좌파 정부 역시 여기에 대한 강한 미련을 지니고 있다.

신자유주의자들이 작은 정부를 선호하는 이유는 개인의 자유 못지않게 시장의 자유를 중시하기 때문이고, 자유주의 체제에서 시장이야말로 인간이 자유를 만끽하고 물질적 부를 창출해내는 무대이며, 자유주의 체제의 상징이기 때문이다. 개인의 자유가 없으면 시장의 자유도 없다. 국민이 자유를 누리는 척도를 가늠할 수 있는 현장이 시장이며, 시장은 그 사회가 누리는 자유의 웅덩이다. 오늘날 한국의 자유 시장경제는 이념적 권력 정치와 정부의 개입과 간섭으로 질식 직전에 와 있고, 한국은 정치가 경제의 발목을 잡고 있는 대표적 국가다.

"호황과 불황을 반복하면서도 인간에게 부를 가져다주는 카오스

(chaos)의 웅덩이가 시장이다. 카오스의 웅덩이가 없는 곳은 시장이 없는 곳, 공산주의 사회다. 그러나 자유주의 사회는 카오스의 바다다. 카오스의 바다와 웅덩이는 디오니소스(Dionysos)의 술, 즉 인간의 자유의지로 채워져 있다. 자유의지로 충만한 시장경제는 부활을 반복하는 디오니소스처럼 호황과 불황을 반복한다. 자유라는 술을 과도하게 마신 나머지 대취하여 광기에 빠졌다가 깨어나기도 하고, 광란의 축제 속에서 혼절했다가 다시 살아나기도 하는 것이 시장의 속성이다."(허화평)

디오니소스는 그리스인이 가장 사랑하는 신(神)이다. 과오와 실패를 거듭하면서도 최후에는 환희와 충만과 축복을 약속하는 신이자 가장 인간적인 면모를 지닌 신이기 때문이다.

자유 시장의 속성으로 인해 시장을 끼고 살아가는 인간은 부침을 거듭하면서도 끊임없이 재기하고 앞으로 나아가려는 의지를 포기하지 않음으로써 개인의 독립성과 존엄성을 지키게 된다. 맹목적으로 신자유주의와 작은 정부, 자유 시장경제를 비판하는 무지한 한국의 좌파 지식인들의 논리는 강자가 시장을 지배하고 자본가가 노동자를 착취하는 고전적 자유주의 시대의 논리다.

자유방임주의를 반대하는 신자유주의자들은 법치에 입각하여 자유경쟁과 공정한 거래를 유지하고 재산권, 교환권, 계약권을 보호하며 노동자의 권리를 보장하고 독과점과 불공정 거래를 방지함으로써 시장 질서를 유지하는 것이 정부의 역할임을 강조하되 정부의 간섭과 개입을 최소화하는 것이 최선이라고 믿기 때문에 정부가 개인과 기업의 경제활동에 필요 이상으로 간섭하고 개입하는 것을 가장 위험하다고 경고한다.

'견딜 수 없는 악'의 길로 나아가려는 한국

한국은 서구 근대사상인 자유주의 사상과 이론이 1945년에 상륙했으나 성숙 단계를 거치지 못했고 신자유주의 사상과 큰 정부, 작은 정부 이론이 소개되거나 교육된 바가 없는 사상적 빈곤 국가이자 정치적 후진 국가이다. 2008년 국제 금융위기가 발발했을 때, 한국의 좌파 지식인들이 미국의 자본주의가 파탄이 났다고 쾌재를 부르면서 경제민주화를 해야 한다고 떠들어대고 소란을 피운 나라는 한국이 유일하다.

그러나 미국의 자유 자본주의는 파탄나지 않았고 지금은 세계에서 가장 잘 나가는 자유 시장경제 체제를 유지하고 있다. 자유 시장경제 체제보다 더 좋은 시장경제 체제가 생겨나지도 않았다. 우리의 경우 집권 여당은 20대 국회가 시작되자마자 당내 '경제민주화위원회'를 출범시켰고, 2019년 4월 '사회적 경제위원회'까지 발족시키면서 반(反)자유 시장경제 체제, 반(反)대기업 경제 체제로의 전환을 본격화하려는 조짐을 보이고 있다. 이것은 이미 큰 정부 체제인 현 국가 운영체제를 더 큰 정부 체제로 만들려는 의도를 드러내고 있음을 의미한다.

최근에 대통령이 국민을 향하여 "국가가 국민의 삶을 책임지도록 하겠다."고 공언함으로써 더 큰 정부 체제로 나아갈 것임을 분명히 하였다. 그의 표현대로라면 국가주의, 집단주의, 공동체주의 체제로 나아가겠다는 것을 의미한다. 현 정부 출범 이래 진행되고 있는 권력관리, 경제관리 행태는 다분히 이태리 무솔리니 정권이 채택했던 '조합주의(corporatism)' 체제에 가깝다고 할 수 있다.

무솔리니가 채택한 조합주의는 국가 지도 아래 공동생산, 공동구입, 공동판매, 이익 공유라는 특징을 지니고 있다. 조합주의 역사의 뿌리는 로마제국 멸망 후 가톨릭 수도원 중심의 공동체 경제다. 중세 산업혁명 고조기인 1881년, 교황 레오 13세(Leo XIII)가 신학자, 사회 사상가들로 하여금 조합주의 개념을 제시토록 요청했을 때 1884년 프라이부르크(Freiburg) 위원회가 내놓은 선언에 의하면, 국가가 공동체(community)와 공동체 구성원의 이익을 위해 노동과 자본을 직접적으로 협조시켜 가는 구조적이고 기능주의적인 사회적 개념이다.

또한 20세기 조합주의에 영향을 준 것은 11세기 전후하여 유럽에서 성행했던 상업, 수공업의 독점적·배타적 동업조합인 길드(guild) 시스템이다. 길드 역시 공동생산, 공동구매, 공동판매, 이익 공유라는 원칙을 철저히 지키면서 유지되었고, 19세기 말 영국에서는 산업에서의 직접 민주주의 형태를 취한 길드 사회주의가 생겨났다. 조합주의가 가톨릭 전통과 기독교 전통이 강한 국가들인 이태리, 오스트리아, 북구, 덴마크, 영국에서 호응을 받은 것은 조합주의 역사의 뿌리와 관계가 깊다.

이러한 조합주의적 성격이 잘 드러나 있는 것이 2014년 당시 여당과 제1야당이 발의한 사회적 경제 법안이다. 2019년 3월, 집권여당이 발족시킨 사회적 경제위원회가 구상하고 있는 계획이 구체적으로 어떤 것인지는 공개되어 봐야 알겠지만 2014년 복사판이라면 이것은 명백한 사회주의에 가까운 조합주의적 경제 체제를 목표로 한 것일 수 있다.

집단주의 경제 체제, 공동체 경제 체제, 조합주의 경제 체제는 전형적인 큰 정부 체제 하에서만 가능하다. 이러한 체제는 정치권력, 관료권력의 비대화와 공공재정의 확대를 초래함으로써 개인 부담을 가중시키고 부정부패, 권력남용을 야기할 수 있는 가능성이 크기 때문에 한국처럼 권력정치 문화가 뿌리 깊은 정치 후진국에서는 지극히 위험한 국가 운영 체제다. 국가가 개인을 압도하는 체제는 견딜 수 없는 악의 체제가 된다.

지금 현재 벌어지고 있는 더 큰 정부 현상은 과거와 비교할 수 없을 정도로 심각하다. 대통령이 국민을 향하여 "국가가 국민의 삶을 책임지도록 하겠다."고 한 말은 레닌, 모택동, 김일성이 인민을 향해 했던 말과 다르지 않다.

국가가 국민의 삶을 책임지려면 정부는 무한대로 커져야 하고 정부가 국민 개개인에게 일자리를 마련해줘야 하고 주택, 교육, 의료, 노후 대책까지 국가가 해결해주어야 함을 의미한다. 이러한 체제는 국민 개인의 자유 희생 없이 성공한 전례가 없다.

건국 이래 큰 정부 체제를 유지해온 우리나라가 선진국 수준으로 발전하려면 작은 정부 체제로 가야 함에도 지금은 더 큰 정부 체제로 나아가고 있다. 현실적으로 나타나고 있는 현상이 공무원 증가와 국가부채 급증이다. 대선 공약에서 공무원 17만 명 증원을 약속했던 현재의 집권당은 지난 2년간 4만 2천 명을 증원했고, 2019년엔 3만 6천 명 증원을 계획하고 있으며, 다음 대선 때까지 17만 명을 다 채울 것으로 예상된다.

뿐만 아니라 구조조정이 필요한 공공기관의 비정규직 요원까지 정규직으로 전환하고 무리한 정책으로 경영상의 부담을 가중시켜 적자 폭을 확대시키고 있다. 연 11조억 원 순익을 내던 16개 공기업이 2년 만에 12조억 원을 까먹는 결과가 생겨나고 있다. 공무원 숫자가 늘어나면 재정부담은 그만큼 늘어나고 이미 적자가 눈덩이인 공무원 연금의 적자 증가는 불가피하다. 군인과 공무원 연금 부채는 940조억 원으로 국가 부채의 56%다. 온갖 명목으로 재정을 투입함으로써 국가부채가 급증하고 있다.

전체 취업자 2,600만 명 중 630여 만 명이 국가가 주는 월급(보조금)에 의존하고 있다. 이것은 4명 중 1명꼴이다. 최근 정부는 어디에 어떻게 쓰겠다는 내용도 없이 6조 원짜리 추경 총액을 정해놓고 각 부처를 향하여 돈 쓸 곳을 발굴해보라고 독촉을 하고 있고, 2019년 3월 25일부터 청년 8만 명에게 월 50만 원씩 6개월간 지원하기 위해 1,582억 원에 달하는 예산을 투입하고 있다. 일자리 창출에 돈을 쓰는 것이 아니라 일자리를 구하려는 청년들에게 돈을 쓰는 것은 낭비로 끝날 가능성이 높고, 50만 원을 지원받는 청년들이 그 돈을 어떻게 쓰는지 정부가 확인하는 것은 불가능한 일이다.

결과적으로 2020년 선거 해를 앞두고 표를 얻기 위한 '뇌물 형 복지'라는 비판을 받아도 반박하기 어려운 실정이다. 국가부채는 이미 GDP의 40%에 육박하는 1,700조억 원에 이르고 지난 한 해 동안 127조억 원이 증가하였고 2017년 400조억 원 예산이 2020년엔

500조억 원으로 늘어날 전망이다.

더욱 우려스러운 것은 재정 원칙을 '헌신짝'처럼 가볍게 다룸으로써 재정 건전성이 무시되고 추경이 상습화되어 가고 있는 현상이다. 자본주의 국가에서 정부가 사용하는 돈은 모두가 국민의 부담이다. 더 큰 정부 체제를 유지하려면 국민의 호주머니를 더 많이 털어내야 한다. 문제는 이러한 추세가 멈추지 않고 계속됨으로써 국가의 동력과 개인의 활력이 급속도로 떨어질 가능성이 높아지고 있다는 점이다.

공정하고 투명하며 책임성이 강하여 신뢰할 수 있는 정부일 때, 세금을 낸 만큼 정부로부터 합당한 편의를 제공받을 수 있을 때 국민은 국가로부터 요구받는 부담을 수용할 수 있지만 그렇지 못하면 수용하기 어렵게 될 뿐 아니라 수탈당하는 느낌을 금할 수 없게 된다. 우리 사회는 정부, 정치인, 관료를 신뢰하는 국민이 없을 정도로 신뢰가 결핍된 사회다. 공정성, 투명성, 책임성은 날이 갈수록 낮아지고 있다. 이러한 현상은 큰 정부 체제가 태생적으로 지니고 있는 속성이자 한계이다.

행정관리체계상의 문제 이상으로 문제가 되고 있는 것이 권력관리체계 문제다. 큰 정부의 특징인 권력정치가 법치를 무너뜨리고 민주적 절차가 무시되는 환경에서 권력의 도움을 받지 못하면 안전할 수도, 성공하기도 어려운 사회가 된다. 한국은 건국 이래 권력정치가 일상화되고 정치문화로 자리 잡은 나라다. 지금은 그 강도가 더 심해지고 있다는 점에서 과거와 차이가 있을 뿐이다.

오래 전 대법원 판결이 난 사건도 최고 권력자의 말 한 마디로 재조사, 재수사가 다반사로 이뤄지고 지지세력의 요청이 있으면 언제라도 진실 확인이라는 명분으로 공권력을 동원하는 나라다. 경찰, 검찰, 국세청 등 심지어 사법부에 이르기까지 정치권력 기관은 권력집단과 한패가 된 지 오래다.

최근 고인이 된 세계 14위 대한항공의 조양호 회장의 경우, 11개 정부기관에 의해 교대로 자택과 본사가 압수수색을 당해야 했고 8개월 동안 18번의 압수수색 영장이 발부됐으며, 일가족은 모두 조사대상이 되어 14회나 포토라인에 서야만 했다.

이렇게 된 배경에는 권력의 비호를 받는 반(反)기업 세력들, 이에 부화뇌동하는 언론들의 영향이 작용하고 있다. 권력정치는 필연적으로 관료행정 편의주의가 국민의 삶을 지배하는 현상을 동반하게 된다. 일제 식민지 시대 행정관리체계의 전통이 강하게 남아 있는 곳이 관료사회이고 산업화 과정에서 능력을 발휘한 집단도 관료집단이다. 빈곤 시대를 탈출하고 근대화로 접어들면서 고착화된 권위주의적 관료주의 문화에 젖은 그들은 권력의 울타리 안에서 우월적 지위를 누려온 집단이다. 이들은 쉽게 변하지 않는다. 큰 정부 체제하에서는 더욱 변하지 않을 뿐 아니라 그들의 영향은 오히려 커지는 속성을 지니고 있다.

집단주의, 공동체주의 원리를 중시하는 큰 정부 체제가 지닌 일반 속성은 다음과 같다.

- 권력정치와 관료주의 심화
- 더 많은 공공기관
- 더 많은 공무원, 공공 요원
- 더 많은 세금
- 개인과 기업의 자유 위축
- 복지 수혜적 의존형 인간
- 국가, 사회 정체와 퇴보
- 결과적 평등주의 유혹
- 전체주의 체제 유혹

이상과 같은 일반 속성을 기준으로 할 때 한국의 모습은 대체로 다음과 같다.

- 제왕적 대통령
- 정치권력이 법 위에 군림하는 권력정치
- 고질적 관료행정 편의주의
- 세금이 날로 늘어나고 있다.
- 불필요한 공무원, 공공요원이 날로 늘어나고 있다.
- 규제과잉 국가
- 기업하기 어려운 나라
- 선택권이 제한되는 나라
- 권력이 역사를 요리하는 나라
- 경쟁이 불의가 되고 결과적 평등이 정의가 되는 나라
- 개인주의가 악이 되고 집단주의가 정의가 되는 나라
- 배타적 민족주의를 부추기는 나라
- 민심이 천심으로 둔갑하는 나라
- 자유 표현이 위험한 나라
- 관용과 타협을 포기한 나라
- 정치보복이 반복되는 나라
- 과거를 캐먹고 사는 나라
- 신뢰가 없는 나라 등이다.

위와 같은 현상은 조선조 말, 망국 현상과 크게 다르지 않다. 이러한 현상이 생겨나기까지는 사상적으로 빈곤하고 용기가 없는 우파 정치인과 지식인들의 과오와 태만, 수구적 사상에 집착하면서 양심이 없는 좌파 정치인과 지식인들의 책임이 크고 국민은 주권자로서, 민주시민으로서 기본 덕목을 갖추지 못한 데서 비롯된 것이다.

현 정부 여당은 더 큰 정부 체제를 구축하기 위하여 대중영합주의 정책으로 지지 세력을 결집하는 데 전력을 쏟아 붓고 있다. 언론인 출신 류근일 씨가 현 정권을 '좌파 파시스트적 정권'으로 규정한 것은 빗나간 말이 아니다. 지금은 한국 현대사에서 좌파 파시스트 전성시대라 할 수 있고 정부는 날로 레비아탄(Leviathan)으로 변해가고 있다고 해도 과언이 아니다.

파시스트들은 대중을 우군과 적군으로 구분하고 우군에 대해서는 연대(solidarity)를 강조하고 적대세력에 대해서는 무차별 공격을 가한다. 이들에겐 관용과 타협은 굴복과 패배를 의미하고 목표 달성을 위해 수단을 정당화하기 때문에 양심의 가책이란 있을 수가 없다. 가장 위험한 파시스트는 합법적으로 선출, 구성된 정부가 정의의 깃발 아래 지지 세력의 호응을 등에 업고 조작되고 왜곡된 여론을 내세워 법의 이름으로 적대자들을 응징하고 보복을 일삼는 경우다. 이렇게 되면 국가와 정부는 괴수(怪獸, Leviathan)가 되고 견딜 수 없는 악(惡)이 된다. 현 정부는 파시스트적 열정으로 더 큰 정부 체제를 향하여 폭주하고 있다.

자유의 길, 번영의 길

미국 독립혁명 당시 토마스 페인이 말했던 것처럼 한국사회가 '견딜 수 없는 악'과도 같은 정부 아래 놓여 있는 것이 아닌지 착각할 정도로 우려를 자아내고 있다. 현 정부 여당은 국가, 국민, 법의 이름으로 대기업에 대한 연금주주권 행사와 같은 과거에 있어본 적이 없는 법적 조치, 초법적 보복을 서슴지 않고 있다.

그러면서 대통령은 "한 번도 가보지 않았던 길을 가겠다."고 선언하였다. 한 번도 가보지 않았던 길의 내용에 대한 구체적 설명이 없었으므로 추측만 할 수 있을 뿐이지만, 분명한 것은 지금까지 왔던 길을 포기하고 새로운 길로 가겠다는 뜻일 것이다.

아마도 무솔리니가 걸었던 파시스트적 '조합주의의 길'이거나 아니면 경쟁을 죄악시하고 공동체 이익을 앞세우며 결과적 평등을 목표로 하는 '사회주의의 길' 중 하나일 가능성이 높다. 반일반미 민족 자주통일을 지향하는 대북정책 노선을 감안할 때 후자일 가능성이 높지 않을까 싶다.

우리의 선택은 자명하다. 자유와 번영의 길로 나아가야 하고 이 길로 나아가려면 큰 정부 체제라는 낡고 무거운 외투를 벗어던져 버리고 작은 정부 체제의 길로 나아가야 한다. 이 길은 인간의 경험과 지혜가 안내해주는 희망과 약속의 길이다. 작은 정부란 국가가 국민의 삶을 책임지는 정부가 아니라 개인이 개인의 삶을 책임지도록 보호하고 안내하는 정부다.

개인이 스스로 자신의 삶을 책임질 때, 인간은 비로소 존엄성을 지킬 수 있다. 따라서 정부의 간섭과 개입은 필요한 만큼 최소화되어야 하고 개인과 시장의 자유와 자율성은 최대한 보장되어야 한다. 개인의 자유를 최대화하고 개인의 부담을 최소화하려는 것이 작은 정부가 지향하는 제1 목표이다. 개인의 부담을 최소화하려면 정부 규모는 작아야 하고 개인의 자유를 최대화하려면 간섭과 개입을 최소화해야 한다.

정부 규모가 작아지고 개인과 시장에 대한 간섭과 개입이 적어질수록 정치 엘리트와 관료 엘리트들의 권력과 권한 행사는 그만큼 비례해서 축소된다. 오늘날 선진 자유자본주의 국가는 예외 없이 사회안전망 구축을 중요시한다. 작은 정부는 보편복지나 결과적 평등이라는 덫을 경계하고 생산적이고 미래지향적인 복지정책과 재분배 정책을 통하여 사회적으로 소외되고 낙오하는 개인이 없도록 정책을 구사한다.

우리가 작은 정부 체제로 전환하려면 권력관리와 행정관리체계 면에서 획기적이고 전면적인 노력과 작업이 필요하다. 개헌을 비롯한 국민적 총의에 의한 혁명적 개혁 작업을 계획적으로, 지속적으로 추진하지 않으면 안 된다. 이러한 작업은 입법을 통한 계획 결정이 필요하다. 선거로 인해 정권이 바뀌고 정책 노선이 당리당략에 따라 달라지는 것을 방지하고 계획 실천의 지속성을 유지하기 위한 세심한 계획이 마련되어야만 한다. 한시적 위원회에 맡기는 우를 범하게 되면 결코 성공할 수 없다.

작고 가벼운 정부는 빠르게 멀리 갈 수 있고 장수할 수 있다. 글로벌 시대, 지식산업 시대, 디지털 시대는 점점 더 작은 정부와 큰 개인, 큰 시장을 요구하는 시대다. 우리 국회에도 미국 하원의 '감시 및 개혁 위원회' 같은 기구를 두고 끊임없이 정부의 비대화를 감시·감독할 수 있어야만 지속성 있는 개선과 개혁을 해낼 수 있다.

그러나 작은 정부 체제 구축을 위한 권력관리체계, 행정관리체계를 이상적으로 설계해낸다 하더라도 이것들이 현실에서 적용되고 뿌리를 내리면서 습관화되고 전통이 되고 문화가 되려면 긴 세월이 요구되기 때문에 수준 높은 주권자로서 국민, 민주시민의 덕목을 갖춘 시민이 중단 없는 뒷받침을 할 수 있어야만 한다. 사상과 이론이 필요하고, 국민교육이 필요하고 지도층 인사들의 사심 없는 노력과 헌신이 필요하고, 지도자들의 뛰어난 지도력 발휘가 결정적으로 중요하다.

지금 우리나라는 실패하는 길로 나아가고 있다. 여기서 멈춰야 하고 성공하는 길, 작은 정부의 길로 나아가야만 한다. 이 길은 근대국가를 창출해낸 서구 선진 자유주의 국가들이 300여 년에 걸친 시행착오, 혁명, 전쟁을 통하여 도달한 길이다. 가장 가까운 인접국 일본이 1871년 대규모 이와쿠라 사절단을 12개 선진국으로 파견할 때 조선의 실권자 대원군이 척화비(斥和碑)를 세우고 망국을 자초했던 것처럼 오늘날 남한에서는 글로벌 시대를 역행하는 배타적 민족주의라는 척화의 깃발 아래 자주, 반일, 반미라는 위정척사(衛正斥邪)의 탈을 쓰고 난동을 부리는 세력들이 나라의 주인이 된 것처럼 행세하고 있다.

반대와 비판을 하는 자는 적폐의 대상이 되고 부화뇌동하고 허리를 굽실거려야 한 자리씩 꿰찰 수 있는 천박한 세상에서 보편적 가치가 외면당하고 상식이 조롱당하고 있는 상황에서 돌파구와 탈출구가 있을까? 있다면 그것은 사상이 빈곤하고 용기가 없는 우파 정치인들과 지식인들에 의해서가 아니라 깨어나서 분노한 국민에 의한 국민적 혁명에 의해서일 것이다.

북한 인민은 이미 '견딜 수 없는 악의 체제' 하에 놓여 있다. 우리는 이것을 거부해야 한다. 국민에게 부담을 가중시키면서도 국민의 안전을 지켜주지 못하고 필요할 때 필요한 편의를 제공해주지도 못하면서 국민 위에 군림하는 큰 정부 체제, 견딜 수 없는 악의 체제를 거부하고 자유와 번영을 약속하는 작은 정부 체제의 길로 가야만 선진국이 될 수 있고, 통일도 이루어낼 수 있다.

조선인(朝鮮人) 그리고 한국인(韓國人)

이 글에서 말하고자 하는 '조선인'이란 춘원(春園) 이광수(李光洙)가 1922년에 발표한 〈민족개조론〉에 실린 조선인을 뜻하고, '한국인'이란 영국 언론인 출신 마이클 브린(Michael Breen)이 2019년에 출간한『한국, 한국인』에 쓰인 한국인을 말한다.

〈민족개조론〉과『한국, 한국인』이 발표된 시간의 차이는 3년이 부족한 100년이다. 지난 100년은 국제사회가 격동하고 인류가 격변을 겪어야 했던 세기였으며, 우리 민족은 그 과정에서 희생자가 되어야 했고 생존해야만 했고 다시 일어서야만 했으나 한반도는 양분되어 남과 북이 사상적으로 심각한 대결을 벌이고 있다.

우리에게 소망이 있다면 민족이 하나가 되어 자유롭고 번영하며, 세계인들이 인정하는 문화국가, 문명국가가 되는 것이다. 이를 위해서 우리는 지난 100년을 뒤돌아보고 지금의 우리 자신을 살펴보며 내려다봐야만 할 필요가 있다.

서세강풍(西勢强風)과 아시아 삼국(三國)

유럽인들로 하여금 중국을 비롯한 아시아에 대해 호기심을 갖게 만든 극적 계기는 베네치아 출신 마르코 폴로(Marco Polo, 1254~1324)가 중국(몽골, 元)을 여행(1271~1295)하고 돌아가 제노바에 감금당했을 때 옥중 동료이자 이야기 작가인 루스티켈로로 하여금 서술하게 하여 세상에 알려진 그의 여행기(旅行記),『세계 경이(驚異)의 서』다.

우리가 알고 있는 『동방견문록(東方見聞錄)』은 일본인이 번역한 그의 책 제목이다. 그는 육로로 파밀 고원을 넘어 원에 도착하여 원 세조 쿠빌라이(1215~1294)를 알현했고, 그의 관료가 되어 17년간이나 머물면서 중국 대륙 각지를 둘러보았고 해로로 호르무즈를 거쳐 베네치아로 귀국하여 유럽인들의 호기심에 불을 질렀다. 그의 여행기 『세계 경이의 서』가 이란, 중앙아시아, 몽골의 역사, 지리, 민속에 관한 값진 정보를 제공했기 때문이다.

그러나 중국을 비롯한 아시아 국가들에 대한 유럽인들(포르투갈, 스페인, 네덜란드, 영국)의 본격적 진출은 대항해 시대(15세기 후반~18세기 중반) 이후다. 16세기 선교사들의 진출을 시작으로 17세기 초 네덜란드와 영국이 동인도회사를 설립, 이를 거점으로 후추 등 향신료와 도자기, 비단, 차와 더불어 아편 무역에 집중했다. 주된 관심 국가는 인도와 중국이었으며, 일본은 그 언저리 국가였고 조선은 일본의 변두리 국가에 불과했다.

19세기 중반에 접어들면서 구미 제국주의 국가들의 기세가 강풍처럼 아시아로 불어 닥쳤을 때, 중국과 일본과 조선의 반응과 대응은 확연하게 달랐을 뿐 아니라 그 결과는 훗날 세 나라의 운명을 영원히 바꿔놓는 계기가 되었다. 중국의 선각자들은 청(淸) 왕조를 타도하고 혁명의 길로 나아갔으며, 일본의 선각자들은 서구 근대화를 모방하여 탈아입구(脫亞入歐)의 길을 걸었고, 조선의 지배자들은 척화비(斥和碑)를 끌어안고 침몰하였다.

중국을 강타한 서세강풍은 아편전쟁(1차 1840~1842, 2차 1856~1860)이다. 이것은 중국 현대사의 물줄기를 바꾼 역사적 사건이자 일본과 조선에도 직·간접으로 영향을 준 대사건이다. 청 왕조는 중국이 천하(天下)임을 자부하면서 구미 제국들의 거듭된 통상 요구를 거부했다. 중국 차(茶)에 열광했던 영국의 경우 6대 황제 건륭제

(1735~1795) 때 메카트니를, 7대 황제 가경제(1795~1820) 때 애머스트를 특사로 파견하여 통상을 요구했으나 거절당하자 포함외교(砲艦外交)가 유일한 방책임을 고려하게 된다.

청은 통상을 거부했을 뿐 아니라 영국 상품 수입도 금지한 상태에서 영국이 청나라로부터 수입하는 차 대금으로 한 해 지불한 금액은 은(銀) 2,800톤에 달할 정도로 무역적자가 심해지자 청이 수입을 금지한 아편을 밀수출하는 과정에서 충돌한 사건이 아편전쟁이다. 1839년 임칙서(林則徐)가 광저우 항에서 영국 상선에 실린 아편 2만여 상자를 압수하자 영국은 강력한 해군력을 앞세워 응징을 하게 되고, 난징 함락 직전에 난징조약(1842)을 맺음으로써 일단락 짓게 된 것이 1차 아편전쟁이다. 상하이, 광저우를 비롯한 5개항 개항, 홍콩 할양, 관세 주권 포기, 영사재판권 인정, 최혜국 대우, 막대한 배상금 지불이라는 굴욕적 조건을 받아들임으로써 중국은 '세계의 중심'에서 구미열강의 '반(半)식민지'로 전락하였다.

대항해 시대를 거치면서 활동무대를 5대양(大洋) 6대주(大州)로 넓힌 구미 국가들이 과학기술혁명(the scientific revolution), 계몽사상의 세례(18세기)와 산업혁명(the industrial revolution)의 성공(19세기)을 통하여 사나운 제국주의자(帝國主義者, imperialists) 모습으로 변모한 것을 간과하고 얕잡아 본 청 왕조의 자만과 오만, 안목 부족, 부정부패가 초래한 아편전쟁에서의 굴욕적 패배를 오늘날 중국 교과서는 '현대사에서 가장 치욕적인 순간'으로 가르치고 있다.

중국 공산당은 임칙서가 1839년 영국 상선에 실린 아편 상자들을 압수함으로써 발발한 아편전쟁을 혁명의 시작으로 규정했고, 1949년 10월 1일, 천안문 광장에서 중화인민공화국을 선포했을 때 모택동은 100년간에 걸친 혁명이 마무리되었다고 하면서 다시는 외국세력 앞에 무릎을 꿇는 일이 없을 것임을 다짐하였다.

난징조약에서 "영국과 청의 고위관료들은 직급에 맞춰 대등하게

1839년에 일어난 아편전쟁

교류한다."고 합의했음에도 그 후 계속해서 영국인들을 오랑캐(夷)로 낮춰 호칭하던 청은 2차 아편전쟁에서 패배하고 맺은 톈진조약(1860)에서 "앞으로 중국 당국이 발행하는 공식문서에서 영국 관리나 영국 민간인을 '오랑캐(夷)'라고 부를 수 없다."라고 못 박는 치욕을 감수해야만 했다.

일본은 1842년까지만 해도 외국 선박은 무조건 격침한다는 방침을 고수하고 있었으나 아편전쟁 결과를 지켜보면서 이 방침을 철회하였고, 12년 뒤인 1854년에는 미국의 포함외교 앞에 손을 들었으며, 1858년 미일 통상조약을 시작으로 유럽 5개국과 불평등조약을 체결함으로써 본격적인 개방시대를 맞이하게 되지만, 청에 빌붙어 살던 조선 왕실과 지배층은 어떤 위기의식도 실감하지 못하면서 내부적으로 서로 죽이고 죽는 권력 암투로 세월을 허송하고 있었다.

일본을 강타한 서세강풍은 미국으로부터 왔고, 그 상징적 사건이 1853년 페리(Pery) 함대의 에도 만(灣) 출현과 통상 요구였다. 그러나 일본은 16세기부터 유럽 국가들과 제한적이고 소극적이지만 교류를 해오면서 그들의 문물을 접하고 있었고 영향을 받고 있었다. 일본 땅에 처음 상륙한 유럽인은 1543년 포르투갈 인이었으나 중요한 계기가 된 것은 예수회 신부 프란시스코 하비에르가 선교 목적으로 1549년 사쓰마에 상륙했을 때이다. 그는 교토까지 왕래하며 기독교 전파를 시도하였고, 규슈 지방에서는 그 지역 번주(藩主)들을 개종시키는 데 성공함으로써 기독교 씨앗을 뿌렸다.

1582년 예수회 신부 발리노가 나가사키 출신 소년(13~14세) 4명을 인솔하여 로마를 방문하고 교황 그레고리우스 13세를 알현하였으며, 8년간 수학 후 1590년 귀국하면서 구텐베르크 활자기를 갖고 왔다. 그 후 1857년 막부에 의한 금교령이 내려져 1873년까지 지속됨으로써 종교적으로 접근했던 기독교 세력은 더 이상 성장할 수 없었다.

그러나 포르투갈 인들과는 달리 경제적으로 접근했던 네덜란드(蘭)는 나가사키에 상관(商館) 설치를 허용 받아 통제된 상태에서 교역을 하고 바깥 세계 소식과 정보를 막부에 제공하였으며, 서양의 학문과 기술(자연과학, 의학, 지리, 총포, 조선 등)을 소개하고 전수했다. 난학(蘭學)으로 알려진 네덜란드의 학문과 기술은 한때 유행처럼 번졌으며, 메이지 유신을 전후하여 일본 지식인 사회에 심대한 영향을 끼쳤을 뿐 아니라 근대화의 밑거름이 되었다.

이 과정에서 알 수 있는 것은 일본인들의 폐쇄성과 개방성, 그 전통성과 모방성이라는 기묘한 이중성이다. 아편전쟁 결과와 청에 대한 구미열강의 진출 상황을 훤히 알고 있었던 일본 지배층은 1853년 페리 함대가 에도 만에 닻을 내리고 개항과 통상을 요구했을 때, 이를 거부할 수 없는 시대의 흐름으로 인식하고 수용하면서 자주적

1866년 조선의 개항을 요구했던 제너럴셔먼호

근대화의 길을 걷게 된다.

조선에 대한 서세강풍 현상은 1866년 제너럴셔먼호 사건과 그 사건에 대한 보복 차원에서 일어난 신미양요(1871), 프랑스 신부 및 천주교도 학살로 인한 병인양요(1866)로 전개되었으나, 이는 본격적 조선에 대한 개항과 통상을 목표로 한 군사 행동이라기보다 제너럴셔먼호 사건과 프랑스 신부 살해에 대한 응징적인 군사 시위였으며, 이들이 물러간 뒤 조선이 쇄국과 척화정책을 한층 강화하는 계기로 작용하였다.

조선은 건국 이래 명(明)과 청(淸), 일본을 제외한 어떠한 외국과도 접촉을 금하는 고립된 국가였으며, 지구상에서는 오직 중국 대륙만이 존재하고 있는 것처럼 생각하는 왕조였다. 조선에 처음으로 발을 내디딘 유럽인은 1627년 네덜란드 동인도회사 소속 선박을 타고 일본으로 가던 중 제주도에 일시 상륙한 벨테브레(J. J. Weltevree)다. 조선은 일본과는 달리 그를 통하여 바깥 세계를 알아

볼 생각을 하지 않고 체포하여 서울로 압송하여 귀화시켰다. 그가 역사서에 등장하는 박연이다.

그 후 1653년 동인도회사 소속의 네덜란드 배를 타고 대마도, 중국을 거쳐 일본으로 가던 중 표류한 64명 중 36명(익사 26명, 병사 2명)이 제주도 서귀포에 표착했을 때 이들을 강제로 훈련도감에 편입시켜 강진, 여수 병역에서 잡역에 종사시켰다. 1666년 하멜 등 7명이 탈출, 일본을 경유 1668년 귀국하여 『하멜 표류기』라는 기행문을 발표함으로써 처음으로 조선과 조선인들이 유럽인들에게 알려지게 되었다. 『하멜 표류기』는 『난선제주도난파기(蘭船濟州島難破記)』를 우리말로 고쳐 부른 이름으로 조선의 지리, 풍속, 정치, 군사, 교육, 교역 등이 수록되어 있으며 작성 목적은 그들이 억류기간 잡역에 종사한 임금을 청구하려는 데 있었다.

도도한 서세강풍(西勢强風) 앞에 청은 쓰러졌고, 일본은 새롭게 태어났으며, 조선은 새롭게 태어난 일본의 첫 번째 먹잇감이 되었다. 1840년 아편전쟁 후 180년 동안 세계는 혁명적으로 변하고 발전했으며 그 와중에 휩쓸린 중국, 일본, 한국 역시 새로운 모습의 국가가 되었다.

중국은 절치부심(切齒腐心) 혁명에 성공하여 세계에서 두 번째 가는 경제대국이 되었고, 공산당 독재 체제 군사대국으로 성장하여 남중국해와 태평양 지역에서 미국과 힘을 겨루는 국가가 되었다. 일본은 근대화에 성공하고 태평양전쟁에서 패배했음에도 잿더미 속에서 소생하여 세계에서 세 번째 가는 경제강국이 되고 모범적 자유주의 체제 국가가 되어 미국의 가장 가깝고 막강한 동맹국으로서 태평양 시대를 주도해가는 문화강국이 되었다.

그러나 한반도는 반신불수(半身不隨)의 땅이 되어 남과 북이 대결하고 있는 최후의 냉전(冷戰)장으로 남아 있다. 북에는 스탈린 못지 않은 독재자가 지배하는 끔찍한 전체주의 국가, 거지 국가가 버티고 있다. 남에는 산업화와 민주화에 성공했다고 하는 자유민주공화국이 존재하지만 권력자들과 그 패거리들이 법치를 유린하고 무엇을 어떻게 해야 할지 모른 채 동맹국 미국을, 인접 우방국 일본을 멀리하면서 중국에 굽실거리는 신종(新種) 중화사대주의자들이 대한민국의 성취를 깔아뭉개면서 공리공론(空理空論)을 앞세워 국민의 미래를 좀먹고 민족의 장래를 위태롭게 하고 있다.

둑이 무너지다

왕조(王朝)나 제국(帝國), 또는 국가가 몰락하거나 망할 때는 사전에 전조(前兆)의 징조(徵兆)가 있는 것이 일반적 현상이며, 이러한 경우를 흔히 둑이 무너지는 현상에 비유한다. 청과 조선은 둑이 스스로 무너진 경우이고 일본은 둑을 무너뜨린 경우에 해당한다. 청의 경우 태평천국(太平天國)의 난(亂, 1851~1864)이고, 조선의 경우 동학란(東學亂, 1894)이며, 일본의 경우 대정봉환(大正奉還, 1867)이다.

청은 강희(4대, 1661~1772), 옹정(5대, 1722~1735), 건륭(6대, 1735~1795)의 3대에 걸쳐 중국 역사상 최대의 판도를 구축, 전성기를 누리면서 천하를 발아래 둔 듯이 군림하였으나 후반기에 접어들면서 지배층의 극심한 사치와 부패가 백성들을 도탄에 빠뜨려 수많은 농민들이 유랑민으로 전락하고, 정치, 경제, 사회적 모순과 갈등이 폭증하자 백련교도의 난과 같은 민중 폭동이 끊이질 않았고, 아편전쟁의 패배로 인해 구미 열강의 압력이 거세지는 상황 속에서 터진 대사건이 태평천국(太平天國)의 난(亂)이다.

기독교적 영감을 받았다고 자칭한 홍수전(洪秀全, 1814~1864)을 지도자로 한 태평천국의 난은 14년간 2,000여 만 명에 달하는 인명 피해를 초래한 중국 역사상 가장 큰 민중반란으로서 대청제국의 견고했던 기반을 뿌리째 흔들어놓음으로써 철옹성 같았던 제국의 둑이 무너지는 결과를 초래하여 손문에 의한 신해혁명의 서곡이자 중국 공산당 혁명의 전주곡이 되었다.

반청(反淸), 반봉건(反封建), 반외세(反外勢)라는 대의명분을 앞세워 만인 평등사회, 사유 금지와 평등 분배, 악습 폐지를 주장했고, 남경(南京)을 함락하여 이를 수도로 삼아 천경(天京)이라 하고 국호를 태평천국, 군대를 태평군(太平軍)이라 했으며, 한때 남군 180만 명, 여군 30만 명에 달하는 세력을 형성하여 북벌을 개시, 천진 부근까지 진출하여 청 왕조를 위협했다.

이들은 비록 실패했으나 14년 동안 16개성에 걸쳐 600여 개의 성을 함락했으며 청은 남경을 탈환하기 위해 영국 장군 고든(Gordon)이 지휘하는 외국군의 도움을 받아야만 했다.

훗날 손문(孫文)은 자신을 제2의 홍수전이라고까지 말하였고 주덕(朱德)과 모택동(毛澤東)이 창건한 홍군(紅軍)은 태평천국의 난의 교훈을 면밀히 연구하여 그들의 전술과 행동규범 중 상당한 부분을 참고하고 채택하였을 뿐 아니라 인민해방군(人民解放軍)은 태평천국이 시작한 중국의 부르주아 민주혁명을 공산주의 혁명으로 완결하는 것이 자신들의 역사적 사명이라는 가르침을 받았다.

특히 모택동이 중국 혁명투쟁에서 소련 볼세비키의 노동자 중심 혁명노선을 반대하고, 중국의 역사와 전통에 근거한 농민 중심 혁명, 즉 자각적 농민주력군 혁명이론을 내세우게 된 배경으로 작용한 이유는 태평군이 농민군이었고 태평천국의 난이 농민반란의 성격을 띠고 있었기 때문이다.

설상가상으로 태평천국의 난으로 인해 청에 진출해 있던 구미 열강(미국, 영국, 프랑스, 러시아 등)이 피해를 입자 거액의 배상금을 요구하게 되고 청은 영국의 아편무역 합법화를 받아들여야만 했으며, 기독교를 공인해주는 등 구미 열강들에게 뜯어 먹히는 만신창이의 제국으로 몰락하면서 영원할 것 같았던 대청제국(大淸帝國)의 거대한 둑이 무너져 내렸다.

제너럴셔먼호 사건(1866년), 병인양요(1866), 신미양요(1871)를 통하여 미국과 프랑스의 콧대를 꺾어놓았다고 착각하면서 척사(斥邪), 척화(斥和)의 기치를 높이 들고 문을 잠근 채 종주국 청의 품 안에 안주하며 내부적으로 병들고 썩어가던 조선이 구미열강으로부터 학습을 받은 일본의 포함외교 앞에 무릎을 꿇고 개항 요구를 받아들인 사건이 운요호[雲揚號] 사건(1875)과 이에 따른 강화도조약(1876)이다.

이 사건은 조선에 대한 청의 종주권(宗主權)을 뒤흔드는 도전이자 조선반도 침략을 위한 서막이었으며, 이후 조선반도를 청, 일, 러의 각축장으로 몰아넣는 직접적 계기로 작용하였고 이 과정에서 동학란(東學亂)이 발생하였다.

동학란은 과거 전례가 없었던 대규모 무장농민 반란이자 조선왕조의 둑을 무너뜨린 대사건이다. 동학란을 진압하기 위하여 조선조정이 청군(淸軍)을 불러들이자 요청도 받지 않은 일본군이 들어와 충돌함으로써 청일전쟁(1894)이 발발, 청이 패하자 조선에 대한 종주권을 상실하게 되고 왕실을 중심으로 한 조선의 지배층은 친청, 친러, 반일 게임에 몰두하다가 민비가 일본인에 의해 살해당하는 을미사변(1895)을 당하고 신변에 위협을 느낀 고종이 러시아 공관으로 피신하는 아관파천(1896~1897)을 하는 등 걷잡을 수 없는 혼란이 가중되는 상황 속에서 500년 왕조는 둑이 무너지면서 쏟아진 탁류에 휩쓸려 표류하게 된다.

동학란은 조선 왕실의 무능과 탐욕, 조선의 양반, 관리들의 총체적인 부정부패와 핍박과 수탈에 견디다 못한 농민들이 동학 지도자들, 그 추종자들과 합세하여 일으킨 무장봉기였으며, 동학군은 척왜양창의(斥倭洋倡義, 일본과 서양을 배척하며 국난을 당해 의병을 일으킴)이라는' 깃발을 내걸고 1864년 처형된 교조 최제우의 신원과 부정부패 척결, 내정 개혁을 요구했다.

당시 조선 왕실과 지배층의 부정부패는 필설로 표현이 불가능할 정도로 심각하였다. 지방 관리가 중앙조정에 바치는 뇌물은 의례적이고 상습적인 것으로 뇌물을 바치지 못하는 군수, 현감, 부사, 감사, 관찰사는 얼마 못 가서 파직되고 막대한 돈을 헌납하는 자들에게 그 자리들이 주어졌기 때문에 관리들의 민초들(농민)에 대한 수탈은 극에 달하고 있었다.

탐관오리 고부군수 조병갑의 수탈(收奪)과 탐학(貪虐)에 견디다 못한 동학교도들과 농민들이 1894년 2월 15일 전봉준을 앞세워 봉기하고, 5월 31일 전주성에 입성하자 고종과 민씨 세력이 청에 원병을 요청하게 되고 일본 역시 텐진조약을 빌미로 군대를 동원, 조선에 출병하였다.

이때 강화도조약에 불만을 품었던 대원군이 청의 위안스카이[袁世凱]를 등에 업고 권력을 장악하고자 했고, 고종과 민비는 청의 힘을 빌려 동학군을 토벌코자 했으나 청일전쟁에서 승리한 일본군은 민씨 정권을 축출하고 일시 대원군에게 실권을 줬으나 고분고분하지 않자 그를 몰아내고 친일내각을 출범시켜 내정개혁(甲午改革, 1894)을 단행함으로써 조선 왕실이 허수아비로 전락하자, 동학군은 반(反)외세의 기치를 내세워 재차 농민무장봉기를 일으키고 공주성을 위협했다.

그러나 동학군은 지도부의 분열과 더불어 관군과 일본군의 연합 토벌 작전으로 인해 패배하고 전봉준이 한양으로 압송, 처형됨으로써 막을 내렸다. 동학란의 기간(1894. 2~1894. 12)은 청의 태평천국의 난 14년에 비해 지극히 짧았으나 조선왕조의 둑을 무너뜨리고 청일전쟁을 야기한 역사적 대사건이다.

우리는 청과 조선의 교훈에서 왕조, 국가가 시대 흐름에 둔감하여 변화를 거부하게 되면 반드시 파국을 자초하게 된다는 것을 확인할 수 있다. 조선의 둑이 무너지고 왕조가 파국을 맞게 된 결정적 배경은 조선 사회를 지배했던 통치사상인 성리학(性理學)과 이것을 신주(神主)처럼 떠받들어 왔던 유학자들, 지식인들의 완고한 도그마적 사고에 있었다. 그들은 성리학에 매몰되어 이소사대(以小事大), 위정척사(衛正斥邪)라는 부적의 힘에 의존했기 때문에 자신을 지켜낼 수 없었을 뿐 아니라 시대적 대세의 희생자가 될 수밖에 없었다.

동학군의 척왜양(斥倭洋) 깃발이 휘날린 지 125년이 지난 지금 이 땅에는 또 다시 척왜양(斥倭洋, 반일반미) 바람이 불고 조선의 지배자들이 내세웠던 위정(衛正), 중화사상(性理學) 숭배 자리를 친중, 주체사상이 차지해가고 있다.

19세기 말 서세강풍이 불어 닥쳤을 때 일본의 반응과 대응은 조선의 그것과는 극명한 대조를 이루고 있다. 그들은 미래로 나아가기 위해 막부(幕府)라는 거대한 둑을 자신들이 스스로 무너뜨렸다. 일본 역사상 가장 강력했던 도쿠가와[德川]의 에도 막부(江戶幕府 1603~1867)였다.

막부 체제는 천황(天皇)을 상징적 존재로 둔 채 무사(武士) 집단이 실질적으로 지배하는 통치 체제로서 270여 개의 지방 번(藩)들이 중앙의 막부를 떠받치는 고도의 중앙집권적인 봉건체제였으며, 주자학(朱子學)을 통치사상으로 수용하면서 250여 년간이나 대외적으로 문을 닫고 있던 체제였다.

그러나 1853년 미국의 페리(Pery) 함대가 에도 만에 출현하여 무력을 과시하면서 개항과 통상을 요구했을 때 당시의 선각자들은 피할 수 없는 시대의 흐름임을 받아들이고 일대 변신을 도모함으로써 264년간이나 권력을 독점해오던 막부가 통치권을 천황에게 되돌려주는 대정봉환(大正奉還, 1867)을 성사시킴으로써 그토록 견고했던 도쿠가와 막부의 둑이 무너지게 된다.

대정봉환의 성사로 유신(1868)이 이루어지고 입헌 체제가 탄생하기까지 20여 년이 걸렸고, 3만여 명에 달하는 인명 피해가 발생하였다. 모든 역사가 그러했듯이 일본의 근대화 역시 수많은 인걸(人傑)들, 지사(志士)들, 사상가(思想家)들, 이론가(理論家)들의 목숨을 건 노력과 투쟁이 있었기 때문에 가능했고 성공할 수 있었다. 그러한 인물들은 하루아침에 출현한 것이 아니라 일본의 역사와 전통이라는 토양이 있었기 때문에 가능했던 현상이다.

대전환기에 역사를 연출해내는 인물들은 아무 때나, 아무 곳에서나 나타나는 것이 아니라 토양이 갖춰진 여건에서 출현하는 것이 일반적 현상이다. 대정봉환을 성사시킨 주역들은 20대, 30대 청년들이었다. 그들에겐 안내해주는 스승들이 있었고 멈출 줄 모르는 열정이 있었으며, 생사를 뛰어넘는 용기가 있었다.

일본은 역사적으로 끊임없는 전란을 겪는 과정에서, 지도자, 지배층이 솔선수범하는 전통이 강했으며, 각 지역, 각 분야에서 존경받는 스승들이 있었고, 비록 국가의 문은 닫아두고 있었으나 외국의 선진 문물을 받아들이는 노력을 게을리 하지 않았다. 나아가 일본과 일본인의 정체성 확립을 위해 역사와 지리서를 서술해내고 국학(國學)을 체계화하여 존왕양이(尊王攘夷) 사상을 정립했다. 지도자들은 민초(民草)들로 하여금 도리와 예의를 지킬 줄 아는 삶을 살아가도록 가르쳤으며, 지식인들은 애국과 충효에 앞장서는 삶을 살아가는 것이 당연하고 값진 삶이라 믿고 실천하였다.

일본에 영국 함대가 출몰하기 시작한 것은 1801년이지만 이미 17세기 초반부터 나가사키 데지마[出島, 인공 섬]를 통하여 네덜란드 상인들이 무역을 독점하면서 세계정세를 막부에 보고하고 있었다. 1854년 페리 함대가 재차 에도 만(灣)에 왔을 때 23세의 요시다 쇼인[吉田松陰]이 이를 목격하고 즉각 함상에 올라가 미국에 보내줄 것을 요구하다가 거부되고 체포되어 1859년 막부에 의해 참수 당했으나, 그 이전에 14개월간 감옥살이 후 출옥하여 고향인 조슈 번(현 山口県)의 바닷가 작은 마을, 하기[萩]에 쇼카손주쿠[松下村塾]라는 사설학교를 세우고 1년 2개월 동안 90여 명의 젊은이들을 가르쳤다.

요시다 쇼인은 학생들에게 당시의 시대 상황을 알려주고 존왕양이(尊王攘夷, 막부가 없는 천황의 땅, 일본을 건설하기 위해 "성현의 말을 따라 충효의 정신을 기르고 나라를 위협하는 해적을 멸하자."고 함) 사상을 집중적으로 주입시켰다. 그가 그 짧은 기간에 가르친 학생들 중에 훗날 걸출한 유신 지도자들이 나왔다. 4명의 총리, 육군 창설자가 배출되었고 이토 히로부미도 그 중의 한 명이다.

에도 앞바다에 정박한 페리 함대를 목격하고 혁명가로 변신하게 되는 사카모토 료마(도사 번 출신 하급무사)는 "일본을 새롭게 태어나게 하고 싶다."는 생각으로 젊음을 바치게 된다. 그는 권력도, 돈도, 명예도 없는 번을 탈출한 하급무사였으나 불타는 이상과 열정이 있었기에 대정봉환을 성공으로 이끈 인물의 한 사람이 되었다. 그는 막부 체제 시대를 끝내기 위해 견원지간이던 사쓰마 번(가고시마 현 지역)과 조슈 번(야마구치 현 지역) 간의 삿초[薩長]동맹(同盟)을 성립시키고 막부가 대정봉환을 받아들이도록 설득하였으며, 1867년 그가 막부에 전달한 '선중팔책(船中八策)' 중의 제1조 내용이 "천하의 정권을 조정에 봉환한다."는 것이었다. 대정봉환 한 달 뒤 암살당했을 당시 그의 나이는 32세였다.

메이지 유신과 근대화를 추진하는 과정에서 보여준 당대의 선각자들과 지도자들의 집념과 노력은 상상을 초월할 정도로 담대하고 집요했다. 조슈 번주가 막부 몰래 5명의 청년들을 영국으로 밀항시켜 양이(攘夷)를 위한 구체적 방안을 모색토록 한 것이 유명한 '조슈 5걸 밀항'이다. 1863년 5월, 조슈 해군이 시모노세키 앞바다에서 서양 상선을 포격, 전투를 벌였으나 패퇴(敗退)하자 곧바로 1863년 6월, 이토 히로부미[伊藤博文]를 비롯한 5명의 청년들이 요코하마 항에서 영국 화륜선에 올라 런던으로 갔다. 그러나 하선 직후 현지를 목격한 그들은 군사력 강화로 서양에 맞서 양이를 한다는 것이 얼마나 무모하고 허황된 생각인가를 깨닫고 곧바로 귀국하여 막부 체제를 무너뜨리고 천황 중심의 새로운 일본을 건설하고 탈아입구(脫亞入歐)의 길로 매진하는 데 헌신하게 된다.

사이고 다카모리가 이끄는 반막(反幕) 연합군이 에도 성에 도착했을 때 막부 정권의 육군 총지휘관이었던 가쓰 가이슈[勝海舟]는 반군과 담판을 짓고 성문을 열어주는 한편 쇼군(도쿠가와 이에노부)으로 하여금 대정봉환을 결행토록 설득하였고, 1869년 1월 마침내 천황이 왕정복고를 선언함으로써 264년간 견고했던 막번 체제의 둑은 영원히 무너져 내렸다. 가쓰 가이슈는 1860년 막부의 견미사절단에 합류했을 때 간닌마루[咸臨丸] 호 부선장으로서 태평양을 항해했던 인물이기도 하였다.

조선왕조 멸망의 씨앗들

• 이소사대(以小事大)에 대한 보답

1368년 원(元)과 홍건적(紅巾賊)을 무력화시키고 남경(南京, 난징)에서 명(明)을 건국한 뒤 북벌에 성공하여 원을 북쪽으로 몰아내자 원의 부마국이던 고려 공민왕은 명에 사신을 보내 친명반원(親明反元) 입장을 분명히 하였다.

그러나 고려가 요동에 진출할 것을 우려한 명이 고려가 원으로부터 탈환하여 화주목(和州牧)을 설치하고 통치하던 철령위(鐵嶺衛, 압록강 근방, 요동지방 등 분명치 않음) 이북 땅을 귀속시키려 하자 고려(우왕 13년, 1387년)는 요동정벌을 결정하고 군사 50,000여 명을 동원, 최영(崔瑩)을 팔도도통사(八道都統使), 조민수(曺敏修)를 좌군도통사, 이성계(李成桂)를 우군도통사로 삼아 출정케 했다.

우왕과 최영이 서경(西京, 평양)에 위치하고 정벌군이 압록강 하류 위화도(威化島)에 도착했을 때 이성계와 조민수는 물이 불어난 압록강을 건너기가 어렵다는 이유로 진군을 멈추고 사불가론(四不可論)을 내세워 요동정벌 중단과 철병을 주장하였다. 사불가론의 첫 번째가 '이소역대(以小逆大)'로서 작은 나라가 큰 나라를 거스르는 것은 옳지 않다는 것을 의미하였다. 회군한 정벌군은 개경을 함락, 우왕을 폐하고 창왕을 옹립한 다음 최영을 처형, 실권을 장악한 후 정치적 기반이 우세했던 이성계가 조민수를 제거한 후, 1389년 창왕마저 폐위하고 공양왕을 앉힘으로써 조선왕조 창건 기반을 다졌다.

1392년 이성계는 원(元)의 지배를 받던 고려를 대신하여 명(明)을 받드는 조선을 건국하고 '이소사대(以小事大),' 소국이 대국을 섬기는 것이 대의임을 내세워 왕조의 안전을 도모코자 하였다. '이소사대'의 출처는 맹자(孟子)가 말한 '유지자위능이소사대(惟智者爲能以小事大)'이다. '이소사대'를 조선이 합리화한 논리는 대국인 명나라에 대해 소국인 조선이 자세를 스스로 낮추어 예(禮)를 다하는 '근사대지례(謹事大之禮)'야말로 왕조의 안존(安存)을 도모할 수 있는 최선의 방책이라는 점에 있었다.

이 논리는 조선왕조 500여 년을 통하여 일관되게 적용된 기본적인 대명(對明), 대청(對淸) 정책노선이었으며, 이것을 우리는 역사에서 '사대주의(事大主義)'라 부르고 있다. 이러한 대외정책 노선 결정에 대해 조선이 원(元)을 대신한 명(明)을 거역할 수 없었던 현실적 지혜였다고 평가할 수 있으나, 세계사에 비추어볼 때 소국이기 때문에 대국을 섬기면서 살아가야 한다는 것은 처음부터 자립자존(自立自存)하기를 포기한 굴욕적 태도라고 봐야 한다.

'이소사대'의 덕으로 조선이 임진왜란을 당했을 때 명(明)은 이여송(李如松)이 이끄는 43,000여 명의 원군을 조선에 파견, 조선의 관군, 승군과 연합하여 평양성을 탈환하는 등 일본의 조선침략 성공을 좌절시키는 데 결정적으로 기여함으로써 조선왕조는 기사회생하게 되지만, 이소사대(以小事大), 존명사대(尊明事大) 의식이 조선 관민(官民)의 심성 깊숙이 뿌리를 내리게 되는 계기가 되어 악성종양처럼 자라난 사대주의 근성은 상무정신과 자주국방 정신을 좀먹고 문존무비(文尊武卑) 풍토에 젖어들게 함으로써 조선으로 하여금 자신을 지켜낼 수 없는 왕조가 되게 하였다.

임진왜란 때 조선을 도와준 은혜에 보답하기 위하여 숙종 30년, 원군을 보내준 명나라 신종(神宗)을 제사지내기 위해 충북 괴산군 청천면 화양동에 만동묘(萬東廟)라는 사당을 건립했고, 송시열이 죽을 때 그의 제자로 하여금 명의 마지막 황제 의종(毅宗)을 신종과 함께 제사지내도록 묘우(廟宇)를 짓게 하였다.

• 숭명(崇明), 배청(排淸)의 대가

한족(漢族) 왕조인 명(明)의 운명이 다해가고 만주족(滿族族) 왕조인 청(淸)의 기세가 불처럼 타오를 때 조선의 왕실과 지배층이 보인 모습은 어처구니없는 자해 행위 그 자체였다. 청은 북송(北宋)을 멸망시킨 금(金, 1115~1234, 퉁구스족 계통의 여진족)의 후예로 자처하면서 후금(後金)의 이름으로 시작하여 1616년 대청(大淸)으로 국호를 바꾼 후 명을 멸망시키고 중국을 통일한 후 조선이 멸망할 때까지 종주국으로서 절대적 영향을 준 왕조다.

청의 화염(火焰)이 조선반도로 번져오고 있을 무렵인 1623년 조선 왕실에서는 인조반정(仁祖反正)이라는 정변이 발생하여 명·청간의 중립외교로 조선의 안전을 보전하려던 광해군(光海君)을 존명사대 정신이 골수까지 가득했던 사림 세력이 주축이 되어 몰아내고, 광해군의 조카인 능양군(綾陽君)을 옹립하였다.

반정의 주역인 서인(西人)세력이 숭명배청(崇明排淸)을 반정의 명분으로 내세우자 청을 자극했고, 중원(中原) 진출을 노리고 있던 청이 명의 충실한 속국이자 배후인 조선을 방치한다는 것은 지극히 위험했으므로 조선에 대한 공격은 불가피했다. 이로 인해 발생한 것이 정묘호란(1627)이다.

정묘호란 결과 조선은 강요에 의해 청과 형제국가가 되었고 10년 후인 1637년 병자호란으로 철저히 유린당한 후 청의 속국으로 전락하였다. 남한산성에서 버티던 조선군은 힘 한 번 써보지 못하고 투항했으며, 1637년 1월, 인조가 청 태종 앞에서 무릎을 꿇고 머리를 조아리며 치욕적인 예를 갖추어 항복을 해야만 했고 왕자들을 비롯한 수많은 조선의 여인들이 차갑게 얼어붙은 동토(凍土)의 땅 만주로 끌려가는 치욕을 당했다.

이때 투항(投降)을 앞두고 김상헌(1570~1652)을 중심으로 하는 척화파(斥和派)와 최명길(1586~1647)을 중심으로 하는 주화파(主和派) 간 치열한 논쟁이 벌어졌으며, 둘 다 청으로 끌려가 수모와 곤경을 당했다. 역사 교과서에서는 김상헌을 숭명배청(崇明排淸)의 절개를 지킨 의인(義人)으로, 최명길은 대의명분을 저버린 소인인 것처럼 깎아내리고 있다.

김상헌은 조선조 후기 대표적 세도가문이 된 안동김씨(장동김씨)의 실질적 선조이며, 조선조말 척화의 정신적 선조라고 할 수 있다. 그를 답습한 대표적 인사 중 한 사람이 최익현이다. 인조와 조선의 지배층은 자신의 힘과 위치를 모르면서 시대 흐름에 어긋나는 대의명분론에 집착했을 때, 평소에 자신을 지킬 수 있는 힘과 방책을 갖추지 못했을 때, 파국은 피할 수 없게 된다는 생생한 교훈을 남겼다.

• 소중화론(小中華論)의 포로

숭명(崇明)은 숭중(崇中, 한족)을 뜻하고 숭중은 숭주자학(崇朱子學), 성리학(性理學) 숭배를 뜻한다. 소중화론(小中華論)이란 중국의 주류인 한족(漢族), 즉 명(明)이 호족(胡族)인 만주족에게 망함으로써 본래의 중화사상인 성리학 사상을 고스란히 보존하고 있는 곳이 조선이며, 이것을 영원토록 지켜가야 하는 것이 조선 사림(士林)들의 사명인 것처럼 주장한 논리다.

그 대표적 인물이 열렬한 존명(尊明) 사대주의자였던 송시열(宋時烈)이다. 조선 말 지배자들이 목숨을 걸고 주장했던 위정척사(衛正斥邪)는 이와 같은 사상을 바탕으로 한 도그마였다. 주자학(朱子學), 일명 성리학(性理學)은 남송(1126~1279)의 주자가 유학을 새롭게 해석하여 형이상학 차원으로 끌어올린 학문과 사상을 말한다.

그 이전까지 중국의 유학자들은 유학을 경전을 해석하거나 고증하고, 주석을 붙이는 훈고학(訓詁學) 차원에서 다루었으나 주자는 이(理)와 기(氣)라는 형이상학 차원에서 새롭게 해석하고 집대성하였다. 그는 우주만물의 본성을 이(理)와 기(氣)에, 인간의 본성을 심성(心性)에 두고 인간과 사회관계의 조화와 발전을 도모하면서 성인(聖人, 특히 위정자), 봉건적 사회 질서, 수학(修學), 특히 과거를 통한 신분질서 유지를 강조함으로써 체제 유지 학문으로 받아들여져 청조 말까지 숭상되었다.

이러한 학문적, 사상적 영향으로 인해 송(宋) 왕조는 무인(武人)을 억압하고 문인(文人)을 우대하는 극단적 문치주의(文治主義)를 채택하여 상무정신을 억압하고 약화시켜 아주 나쁜 관념이 생겨나도록 했고, 훗날 조선에까지 깊은 영향을 미쳤다. 중국인, 특히 한족이 "좋은 철로는 못을 만들지 않고(好铁不打钉), 좋은 사람을 군인으로 만들지 않는다(好人不当兵)."라는 속담을 만들어낸 배경이다.

고려 말엽에 소개된 성리학은 조선의 통치사상이 되었으며 성리학으로 무장한 사림(士林)들이 정계에서 주도적 역할을 하게 된 것은 숙종 이후이다. 중국 대륙의 주변국가이자 명, 청의 속국으로서 중국문화의 세례를 받을 수밖에 없었던 조선의 지배자들과 사림들은 중화사상에 세뇌되고 성리학에 중독되어 마치 조선이야말로 중국의 적자(嫡子)라는 착각에 사로잡혀 있었다. 이 무렵 일본 지식층들이 중화사상에서 벗어나 일본 역사의 전통과 관습에 바탕을 둔 국학(國學) 사상을 일으킨 것과는 대조가 된다.

조선을 유교의 나라, 성리학의 나라로 만든 대표적 인물이 조선 후기 정치계와 사상계를 주름잡았던 서인(西人)의 영수 우암 송시열(尤庵 宋時烈, 1607~1689)이며, 그에게 가장 많은 영향을 끼친 인물은 주자, 율곡, 조광조다. 송시열의 부친은 어린 아들에게 "주자는 훗날의 공자다. 율곡은 훗날의 주자다. 공자를 배우려면 마땅히 율곡으로부터 배워야 한다."고 가르쳤다. 그의 삶에 결정적 영향을 끼친 사건은 정묘호란(丁卯胡亂)과 병자호란(丙子胡亂)이다.

오랑캐인 만주족 왕조인 청이 한족 왕조인 명을 멸망시킨 것은 그와 조선의 사림들로 하여금 자신들이 받들고 있는 정신적 지주를 무너뜨린 것이라고 인식했기 때문에 심정적으로 받아들일 수 없는 치욕으로 간주하였다. 그에게 중원 대륙의 주인은 여전히 청이 아닌 명이었으므로 청을 인정하는 것은 패륜이라고 생각하였다. 그는 1635년 봉림대군(효종)의 사부(師父)로 임명된 인연으로 훗날 북벌주장의 선두에 서게 된다. 1649년 '기축봉사((己丑封事)'를 조정에 올려 '북벌론'의 합당함을 제시하고 북벌이야말로 국가대의라고 주장하였다. 멸망한 명을 위하여 강대한 청을 정벌하는 것이 대의(大義)

라는 생각은 고려 때 묘청이 금(金)국 정벌을 주장했던 것만큼이나 비현실적이고 허황된 사고였다.

도그마에 빠진 지식인들은 현실적 가능성보다 비현실적 명분론에 집착하는 지적 좀비들로서 허위의식에 사로잡혀 망국을 자초한 조선시대 사림들의 일반적 모습이자, 21세기 남한사회를 휘젓고 있는 전근대적이며 배타적인 '반일반미 민족자주 주체 사회주의 통일론자'들의 모습이기도 하다.

송시열은 주자 제일주의자로서 주자의 학설을 비판하는 자들을 사문난적(斯文亂賊)으로 매도하고 가차 없는 공격을 가한 극단적 성리학 옹호자였다. 그가 비록 1689년 사약을 받고 죽었으나 유교의 대가들만이 오를 수 있는 문묘(文廟)에 배향되었고 전국 23개 서원에 배향되는 등 조선이 망할 때까지 크나큰 영향을 미쳤다. 학문을 좋아하고 선비들을 아낀 왕으로 알려진 정조(제22대, 재위 1776~1800)는 청을 통하여 실학(實學)이 들어오고 천주교가 전래되던 시기였음에도 오직 성리학만을 배우고 실천할 것을 강조함으로써 조선사회의 학문과 사상적 체계를 도그마에 빠지게 한 실수를 저질렀다.

19세기 말 조선이 망할 당시 조선의 지배자들이 주장했던 위정척사는 우연한 일이 아니라 지나간 역사에서 잉태된 필연적 결과였다. 마이클 브린(Michael Breen)이 그의 저서『한국, 한국인』에서 성리학 사상이 우리 민족에 끼친 악영향에 대해서 쓴 날카로운 견해를 참고할 필요가 있다. 왜냐하면 성리학이 지배하던 시대는 오래 전에 끝났으나 그것이 한국인의 정신세계에 남긴 독소가 지금까지 영향을 주고 있기 때문이다.

"유교 사상은 한국에서 자아의 개발과 가족 및 사회의 질서를 확립하는 측면에서 대실패를 겪었다. 필자는 때로 선의와 목표의식을 갖고 모든 것을 설명하고 앞으로 나아갈 길을 제시하는 사상에 열광했던 한국의 성리학자들이 공산주의와 같다는 생각을 해본다. …
공산주의자가 그랬던 것처럼 일단 권력을 획득하자 그들의 종교는 약속을 지키지 못했다. 그와 같은 시스템은 실현되기에는 너무도 유토피아적이었을 것이다. 유교의 혁명가들은 현명하고 품위 있는 사람이 지배하고 고결한 사람들의 국가를 꿈꾸었다. 이를 위해서 시, 서예, 도덕에 중심을 둔 교육체계를 확립하고 시험을 통과해야만 고위 관직에 오를 수 있도록 했다. 그러나 결과는 부패가 만연하고 정의가 실종되었으며, 계급체계가 고착되고, 편협하고 악의적인 법이 시행되는 국가가 되었다. …그들은 경쟁적인 주장을 내놓고 파당을 조성하여 서로를 공격했다. …이 시기의 유교 사상은 일본이나 중국보다 훨씬 더 깊이 한국의 심층부로 들어갔으며, 오늘날에도 조상을 기리는 제사와 수직적 인간관계를 중요시하는 성향에 확실히 남아 있다."

추측컨대 브린은 조선사회에 대한 비판을 통하여 오늘날 한국사회의 풍토(공리공론, 허위의식, 명분론, 분열성, 파당성, 기회주의성, 비겁성, 윤리불감증 등)를 비판하고자 하지 않았을까 하는 생각이 든다. 정신적 측면에서 그때나 지금이나 크게 달라진 것이 없기 때문이다.

• 위정척사와 척화비(斥和碑), 좀비가 되다

위정척사(衛正斥邪)는 무능부패하고 탐욕스러운 왕실과 권력자들, 중국밖에 모르고 성리학에 도취한 사림들이 지배하던 조선을 멸망으로 이끈 안내장이자 초대장이었다고 할 수 있다.

"정도(正道), 정학(正學)을 지키고 이단(異端)과 사학(邪學)을 물리친다."는 뜻을 지닌 위정척사의 정학이란 성리학이고 그 밖의 학문이나 사상은 이단이므로 이를 배척하는 것이 정도(正道), 즉 올바른 길

조선은 곳곳에 척화비를 세우며 끝까지 외세의 개항 요구를 받아들이지 않았다.

이라는 의미다. 이는 곧 중국의 정통 학문이자 사상인 성리학을 배우고 실천하여 중국(淸)만을 받드는 것이 정학, 정도이므로 성리학 외의 어떤 학문이나 사상도 거부해야 하고, 중국 외의 어떤 나라도 배척해야 한다는 극단적 독단론이었으며, 사대주의 근성에 젖어 소중화론(小中華論)을 대의명분으로 삼았던 조선왕조 500년을 통한 학습 결과였다.

청과 일본이 구미 열강의 포함외교(砲艦外交)에 굴복하여 개항과 통상을 허용하고 있을 무렵, 조선의 실권자 흥선대원군은 위정척사, 쇄국양이(鎖國攘夷) 일변도로 대응하면서 곳곳에 척화비(斥和碑)를 세웠다. 그를 비롯한 척사(斥邪) 주창자들은 개항과 통상을 필사적으로 반대하였다. 그들 중 한 명인 이항로(李恒老)는 척화(斥和), 주화(主和)가 인간과 짐승을 나누는 기준으로 척화가 당연하다고 했으며, 조선이 위기를 벗어나려면 서양 재물 사용금지를 위한 양물금단론(洋物禁斷論)이 실천되어야 한다고 주장하였다. 1880년 김홍집을 우두머리로 한 제2차 수신사가 일본을 방문하고 귀국했을 때, 당시 주일 청국 참사관이었던 황쭌셴[黃遵憲]으로부터 받은 『조선책략(朝鮮策略)』은 조정과 사림들의 격렬한 반대를 불러일으켰다.

『조선책략』에 담긴 내용들은 조선이 반대할 이유가 없는 지극히 현실적 방책들이었다. 중국과 친하고 일본과 손잡으며 미국과 연대할 것이며 통상을 확대하고 서양학문과 기술을 배우고 기독교, 천주교의 포교 허용 및 유학 파견과 서양인을 초빙하여 학교를 설립하는 것이 조선의 앞날을 위해 크게 도움이 될 것이라는 내용이었다. 그런데 성리학을 맹신하던 조선의 지배층과 사림들에게는 위정척사를 포기하라는 것과 같았기 때문에 격렬한 반대를 불러일으킬 수밖에 없었다.

구미 열강의 조선반도 진출을 둘러싸고 벌어진 첫 충돌사건이 1866년에 발생한 80톤급 미국 상선 제너럴셔먼호 사건이다. 중국의 천진 항을 출항한 제너럴셔먼호가 조선 관리의 만류에도 불구하고 대동강을 거슬러 평양까지 올라와 통상을 요구하며 무례한 행위를 하자 군민이 합세하여 화공으로 배를 불태우고 선원 전원을 살해하였다. 1866년은 대원군이 천주교 금압령(禁壓令)을 발표하고 프랑스 선교사 9명, 남종삼, 정의배를 비롯한 천주교도 8,000여 명을 학살하는 등 배외(排外) 정서가 고조되고 있던 시기였다.

천주교 박해의 직접 원인은 교도들이 조상 제사를 거부하고 위패를 철거하는 등 성리학적 규범을 무시했기 때문인데, 성리학 본거지 국가였던 청은 1858년 영국의 요구를 수용하여 기독교, 천주교를 허용하고 있었다. 제너럴셔먼호 사건에 대한 보복으로 미국은 1871년 아시아 함대 사령관 J. 로저스(Rogers)를 군함 5척, 병력 1,230명을 이끌고 일본 나가사키 항을 출항하여 제너럴셔먼호 사건에 대한 응징과 사과와 배상 및 통상을 요구하고자 강화도 초지진, 덕진진, 광성보를 점령하여 전투를 벌인 사건이 신미양요(辛未洋擾)다.

이 전투에서 미군은 3명, 조선군은 350명이 전사했으며 대원군은 끝까지 개항과 통상을 거부하였을 뿐 아니라 미 함대가 물러나자 기고만장하여 서울 종로를 비롯하여 전국 각지에 척화비(斥和碑)를 세웠다.

프랑스 신부 및 천주교도 살해 당시 탈출한 펠릭스 클레르 드 리델(Felix-Clair Ridel) 신부가 천진에 주둔하고 있던 프랑스 인도차이나 함대 사령관 피에르 로즈(Pierre G. Roze) 제독에게 알리자, 베이징 주재 프랑스 대리 공사는 청국 정부에 공한을 보내 한반도로 출격할 것임을 통보하고 청의 간섭을 사전 차단하였으며, 청으로부터 통보를 받은 대원군이 천주교도에 대한 탄압을 강화하자 1866년 로즈 제독한테 군함 7척, 600명의 해병대를 이끌고 부평 물치도(작약도)에 접근, 강화도 갑곶진, 진해문 고지 점령, 한강수로 봉쇄 선언, 강화성을 공격하여 점령하고, 금, 은괴, 무기, 서적, 양식 등을 약탈한 후 1개월 만에 퇴각한 사건이 병인양요(丙寅洋擾)다. 이를 계기로 대원군은 척화비를 세우고 쇄국양이 정책을 더욱 강화하였다.

척사위정(斥邪衛正), 쇄국양이(鎖國攘夷)를 상징하는 척화비는 흥선대원군이 병인양요, 신미양요에서 프랑스군과 미군이 퇴각한 뒤 서울을 비롯하여 전국 각지에 세운 비석이며, 1871년에 세운 비석 표면에 새겨진 문장은 척화의 뜻을 극적으로 표현하고 있다. 큰 글자로 새겨진 주문(主文)인 "洋夷侵犯, 非戰則和, 主和賣國"은 "서양 오랑캐가 침입하는데 싸우지 않으면 화친하자는 것이니 화친을 주장함은 나라를 파는 것이다."라는 뜻이고, 작은 글자로 새겨진 "戒吾萬年子孫 丙寅作 辛未立"은 "우리의 만대 자손에게 경계하노라. 병인년에 짓고 신미년에 세우다."라는 의미다.

척화비는 1882년 임오군란 당시, 대원군이 청으로 납치되어가자 일본공사의 요구로 모두 철거되거나 파묻히는 수난을 당해야만 했다. 결사항쟁의 결의로 지켜내고자 했던 조선의 위정척사 의지는 자신을 지킬 수 있는 힘이 없었기 때문에 운요호[雲楊號] 사건으로 인해 물거품으로 끝이 났다. 메이지 유신과 근대화로 탈아입구(脫亞入歐)를 향하여 질주하던 일본이 구미열강으로부터 받은 학습을 기반으로 하여 첫 번째 먹잇감으로 조선을 선택하고 개항과 통상을 강요하면서 포함외교를 벌인 것이 운요호 사건이다. 운요호는 일본이 영국에서 구입한 근대식 군함으로서 1875년 9월 20일, 강화도에 출현하여 조선군과 충돌했고 이 사건을 빌미로 1876년 2월 26일 '강화도조약'을 체결하고 개항과 통상 요구를 수용하게 된다. 이후 조선의 운명은 일본과 청의 손으로 넘어갔다.

위정척사, 척화비를 둘러싼 조선왕조 역사는 지나가버린 과거사로 끝나버린 것일까? 그렇지 않은 것 같다. 중화 사대주의, 성리학 도그마, 소중화론, 위정척사와 척화비로 엮어진 조선왕조의 역사는 정신적, 사상적 노예의 역사였으며, 세월은 흘러갔으나 그 잔재는 좀비 현상이 되어 남아 있다.

조선왕조의 지배자들은 500여 년간 중국을 받들며 성리학 사상에 도취한 소중화론자들로서 성인(聖人)과 도덕군자들이 다스리는 이상적 사회를 주창했으나, '상업을 도둑질하는 근본'이며 '농업이 천하

대본(大本)'인 것처럼 가르치고 청빈이 미덕인 것처럼 떠들어대면서도 자신들은 노동을 천시하고 부정과 부패를 일삼으면서 권력과 명예와 부를 독식하고 백성들을 도탄에 빠지게 하였다.

이것은 마치 20세기 소련을 맹주로 하는 맑시스트들이 계급이 없는 만인평등 세상이라는 유토피아 건설을 약속하면서 인민을 억압하고 노예로 살아가게 하면서 지배 엘리트 자신들은 철저히 부패하고 권력을 독점하면서 영화를 누리며 살았던 역사를 닮은 모습이다. 불행하게도 이러한 역사는 지금도 계속되고 있다.

조선왕조 역사는 좀비가 되어 살아있고 20세기 역사는 지속되고 있다. 한반도 북반부에서는 김씨 왕조가 주체사회주의라는 가면을 쓰고 구(舊)공산주의 소련의 스탈린 시대나 중국의 모택동 시대보다 더 가혹한 독재체제를 유지하면서 모든 권력과 명예와 물질적 풍요를 독점하는 가운데 인민의 삶을 최악의 상태로 황폐화시키고 있으며, 동족이라는 환상에 젖어 있는 남한의 친북좌파들은 조선시대 척왜양(斥倭洋)과 다를 바 없는 반일반미에 사로잡혀 대원군의 척화비와 다를 바 없는 소녀상을 곳곳에 세우면서, 조선의 위정척사만큼이나 강한 의지로 반자본주의에 입각하여 자본가를 도둑인 것처럼, 개인주의와 경쟁을 악인 것처럼 가르치고, 주체사회주의에 입각한 집단주의와 결과적 평등이 정의인 것처럼 가르치면서 조선의 성리학자들이 성리학에 집착했던 것 못지않게 실패로 막을 내린 사회주의, 세계사 흐름에 역행하는 배타적 민족주의에 집착하고 있다.

이것은 19세기~20세기 초, 근대화한 구미 열강들이 아시아로 몰려왔을 때, 눈을 감고 귀를 막음으로써 망국을 자초했던 것처럼 미·소 냉전 이후 인류가 추구해왔던 보편가치의 글로벌화(자유민주주의, 자유 시장경제, 자유교역, 상호의존, 상호협력, 평화와 번영)라는 21세기 흐름을 역행하는 또 다른 형태의 자폐증 현상이다. 오늘날 한국의 정치인들, 지식인들 중에는 우파, 좌파를 막론하고 중국 앞에 허리를 굽혀 환심을 사려는 인사들이 적지 않은데 이것은 전형적인 좀비 현상이다.

좀비(Zombi)란 부두(voodoo)교 사제가 살아있는 인간의 영혼을 뽑아내고 그로 하여금 사제 마음대로 행동하도록 만들어진 존재, 살아있으나 자신의 의지가 아닌 타인의 의지에 따라 기계처럼 살아가는 존재를 말하는 것으로, 500여 년에 걸쳐 세뇌된 중화 사대주의 근성이 심성 깊숙이 남아 있어 자신도 모르게 중국 앞에서 작아지고 허리를 굽히는 현상이야말로 의문의 여지가 없는 좀비 현상이다.

박근혜 전 대통령은 재임 당시였던 2015년 9월 3일, 중국의 '중국 인민 항일 전쟁 승리와 세계 반파시즘 전쟁 승리 70주년 기념식'에 초대받아 자유세계 국가 지도자로서는 유일하게 시진핑 국가주석과 나란히 단상에 올라 혈맹인 미국과 인접 우방국인 일본을 불편하게 했다. 중국의 공개적 압박 때문에 눈치를 보느라고 사드(THAAD) 배치가 지금까지 매듭지어지지 못하고 있는 상황에서 이번에는 파로호(破虜湖) 개명 소동이 벌어지고 있다.

파로호는 6.25 전쟁 때 격전이 벌어졌던 화천댐을 말한다. 1951년 5월 26일부터 3일간 중공군 20,000여 명이 괴멸된 곳으로 이승만 대통령이 방문하여 오랑캐(虜)를 쳐부순(破) 호수라는 뜻으로 '파로호'라는 휘호를 남긴 이래 불려오는 이름을 중국 외교부가 중국 관광객들이 불쾌하게 생각한다는 구실로 '대붕호(大鵬湖)'로 개명하기 위해 '남북 강원도 협력협회'를 발족시키고 "비극의 호수를 세계적인 평화와 상생의 공간"으로 만들자면서 '2019년 대붕호 평화문화제'까지 열었다.

자기 자신도 지키기가 벅찬 나라에 살면서 세계평화를 떠들고 중국에 추파를 보내는 것만큼 허황되고 수치스러운 행위가 또 있을까? 개명 논의의 발원지는 베이징[北京]이고 중심인물은 노영민 전 주중대사라고 한다. 그가 대사 부임 초기에 베이징 외교가에 인사를 다니며 써준 '만절필동(萬折必東, 황하가 만 번 구부러져도 동쪽으로 흐른다.)'은 조선 14대 왕 선조가 임진왜란 때 나라를 살려준 명나라에 끝까지 충성하겠다는 뜻으로 쓴 것으로, 조선조 당시 장기집권 세력으로 위세를 떨친 노론(老論)은 명이 멸망한 후에도 이 문구를 사용했을 뿐 아니라 명나라 황제를 섬기려고 만든 '만동묘(萬東廟)' 옆 등산로 절벽에는 선조의 휘호가 지금까지 남아 있다.

노영민 전 대사의 본의가 어떤 것이었든지 간에 역사적 맥락에서 볼 때, "우리는 여전히 중국을 받드는 나라로 남아 있다."는 오해를 초래할 수 있다.

파로호(破虜湖)는 6.25 전쟁 당시 항미원조(抗美援朝)라는 구실로 북한을 구원하기 위해 참전한 중공군(中共軍)을 저지, 격파한 피의 격전장이며, 자유세계 수호라는 고귀한 목적으로 참전한 UN군의 도움으로 작은 나라 대한민국 국군이 큰 나라 중화인민공화국 군대를 이길 수 있었다는, 영원히 기억되어야만 하는 역사의 현장이다. 그 흔적을 지우자는 것은 우리 스스로 뼛속 깊이 중국에 대한 사대주의자이며 소중화주의자임을 고백하는 것과 다를 바 없는 주장이다. 중국과 같은 강자는 비굴하게 굽실거리는 약자일수록 더욱 잔인하게 짓밟는 속성을 지니고 있다. 2019년 6월, 중국의 외교·안보 연구소 총재가 사드 문제에 대해 저들의 속내를 드러내는 발언을 거리낌 없이 하는 태도에서도 확인할 수 있다.

"한국의 사드 배치가 중국에 실질적인 안보 위협이 되지 않는다. 그것은 중국에 대한 한국의 커다란 변화로 여겼기 때문에 실망했고 이에 대응했다."

"한국은 중국이 겁박하면 꼬리를 내리는 국가다."라는 잠재의식이 깊이 박혀 있는 것이 중국 공산당 지도자들의 일반적 인식임을 부정하기 어렵다. 그들의 마음속에는 과거 조선 반도에 대한 종주국으로서 누렸던 대국(大國) 근성과 우월감이 진하게 남아 있다. 사드 문제로 미묘했던 시기에 베이징을 방문했던 문재인 대통령은 시진핑으로부터 제대로 예를 갖춘 식사 대접조차 받지 못하면서도 "중국은 높은 산봉우리이고 한국은 작은 나라"라고 자신을 낮추었다.

지금 정부는 또 다른 문제로 중국으로부터 겁박을 받으며 동맹국의 눈치를 살피고 있다. 미·중이 벌이고 있는 무역전쟁에서 미 정부가 중국 전자업체인 '화웨이[華爲]가 미국 안보에 위협이 될 수 있으므로 거래를 중단하라는 요구에 대한 입장을 분명히 밝히지 못하고 있는 것은 사드 경우를 연상케 한다.

위정척사, 소중화주의 사상이 우리 민족 심성에 남긴 영향은 유전자처럼 남아 독소로 작용하고 있는 것은 아닐까 하는 의문을 진지하게 가져봐야 할 시점이다. 작은 나라이기 때문에 큰 나라를 이길 수 없고, 작은 나라이기 때문에 큰 나라의 심기를 불편하게 할 수 없다는 생각만큼 잘못된 것은 없다. 이것은 노예근성이기 때문이다.

역사를 통하여 작지만 강했던 나라, 작지만 큰 나라를 이겼던 나라의 예를 쉽게 확인할 수 있다. 고대 도시국가였던 아테네가 거대했던 페르시아제국의 대군을 무찔렀던 것은 아테네 시민의 자유정신과 탁월한 지도자의 지도력이 있었기 때문이고, 2차 세계대전 당시 소국 핀란드를 대국 소련이 집어삼키지 못한 것은 핀란드 국민의 결사항전이 그만큼 치열했기 때문이며, 1979년 중국의 등소평이 베트남을 침공했다가 망신을 당하고 물러나야만 했던 것은 베트남 인민의 필사적 대결을 감당해낼 수 없었기 때문이다.

대한민국은 더 이상 중국 대륙에 붙어 중국의 눈치를 봐야 하는 주변국가가 아니라 반도국가로서 해양국가의 길로 나아가고 있다. 해양국가란 독립적이며 개방적이고 모험적이면서 교역을 통하여 평화와 번영을 추구하는 특성을 지니고 있으며, 자신을 존중하면서도 상호존중과 상호협력을 소홀히 하지 않을 뿐만 아니라 자신의 운명을 스스로 개척해나가는 진취성을 지닌 국가를 말한다. 이러한 나라는 어떠한 나라도 두려워하지 않으며 어떠한 나라 앞에서도 주눅 들지 않고 어떠한 경우에도 물러서지 않는다.

• 각자도생(各自圖生)의 비극

조선이 망하지 않았다면, 그것이야말로 기적이었을 것이다. 왕실은 중국의 품에 안겨 안존(安存)하면서 지배층 사림들과 엉켜 부패할 대로 부패했고, 분열·대립하면서 서로 죽이고 죽는 권력다툼에 몰입하느라 나라는 방치되고 백성은 버려졌으며 민족정신은 헐벗은 산과 들처럼 피폐해져 갔다. 조선은 더 이상 자신의 힘으로 자신을 지킬 수 없게 되고 자신의 운명을 스스로 결정할 수 없는 나라로 전락하면서 일본의 먹잇감이 되어 갔다.

이를 위해 청일전쟁에서 승리한 일본이 조선반도에 대한 지배권을 장악하면서 가장 먼저 취한 조치가 갑오개혁(甲午改革)이다. 갑오년(1894년), 일본군이 왕궁을 포위하고 대원군을 앞세워 민씨 일파를 축출하고 김홍집을 중심으로 한 친일내각을 출범시켜 19개월간, 3차에 걸쳐 단행한 국정개혁을 말하는 것인데, 이는 일본이 조선을 식민지화하고 나아가 일본화하기 위한 전(前) 단계 조치로 이루어진 일본식 근대화 개혁, 즉 '식민지 근대화' 개혁을 의미한다. 오늘날 민족주의 사학자들이 식민지 근대화론을 주장하는 학자들을 친일로 비판하는 근거가 되고 있지만 학문적 설득력이 전혀 없는 정치적 주장에 지나지 않는다.

조선 말 '근대화' 작업은 일본의 강요에 의한 것이었고 그 모델 역시 일본 모델을 본 딴 것임을 부정할 수 없다.

갑오개혁은 중앙과 지방의 제도, 행정, 사법, 교육, 사회 등에 걸친 광범위한 것으로 500여 년간 지속되어 온 조선의 체제였던 구체제 청산을 의미했기 때문에 민비 중심의 수구세력에 의한 반격은 충분히 예상될 수 있었다.

주요 내용 중 개국 기원(紀元)을 사용하도록 한 것은 청에 대한 종속국 지위를 포기한 것을 의미하고, 정부 조직 개편, 국왕의 인사권·재정권·군사권 박탈과 축소, 과거제 폐지, 일본식 관료제도 도입, 일본식 도량형 채택, 문벌과 반상(班常) 제도 폐지, 문존무비 구분 폐지, 조혼 금지, 과부 재혼 허용, 연좌율 폐지, 신식 화폐 사용, 조세 현금납부제 채택, 지방관의 사법권·군사권 박탈, 근대식 형행제도와 사법제도(행정기구에서 분리·독립, 재판소 설치 : 지방재판소와 개항재판소, 고등재판소와 순회재판소, 특별법원) 채택 등 광범위한 사항을 포함하고 있으며, 이들 사항은 일본이 메이지 유신 이후 시행한 근대화 정책들을 참고로 한 것들이다.

박영효 등 친일세력이 1895년 민비 시해 음모 실패로 도주한 후 권력을 상실하자 갑오개혁에 반대하는 배일(排日) 세력을 등에 업은 민비 측이 이완용, 이범진 등 친러파를 기용하여 친미, 친러 노선으로 선회하면서 구제도로 복귀하고자 시도하는 과정에서 을미사변과 아관파천이 발생하였다. 미우라 고로[三浦梧楼] 주한 일본공사 주도로 왕궁을 침범하여 민비를 시해(弑害)한 것이 을미사변(乙未事變, 1895년)이고, 이에 신변의 위협을 느낀 고종과 왕세자가 러시아 공관으로 피신한 것이 아관파천(俄館播遷, 1896년)이다.

당시 고종의 요청을 받은 러시아 공사 베베르(Waber)로 하여금 인천에 와 있던 수병 150명, 포 1문을 동원, 서울로 이동시킨 후 이들 엄호 하에 2월 11일 새벽, 극비리에 정동에 있는 러시아 공관으로 옮겨간 고종은 친일파(김홍집, 유길준 등 5대신) 인사들을 5대 역적으로 적시하고 체포·처형토록 하자 순검들과 군중이 합세하여 김홍집 등을 체포·타살함으로써 유길준 등 잔여 친일인사들은 일본인 보호 하에 일본으로 망명하였다. 이로써 친일내각은 몰락하고 이완용, 박정양 등 친러·친미파 내각이 탄생하자 정부 각 부처에 러시아인 고문과 사관이 초빙되고 러시아인 재정고문관이 재정을 농단하는 사태가 벌어지기까지 했으며, 러시아가 각종 경제적 이권을 챙기자 구미 열강도 동등한 권리와 이권을 요구하였다.

1897년, 러시아 공관에서 경운궁(덕수궁)으로 환궁한 고종은 국호를 대한제국(大韓帝國), 연호를 광무(光武)라 정하고 황제 즉위식을 통하여 독립제국임을 내외에 선포하였으나, 그것은 임종을 앞둔 환자가 마지막 숨을 몰아쉬는 모습과도 같았다. 러일 전쟁(1905년)에서 러시아가 일본에 패함으로써 조선반도에 대한 주도권은 완전히 일본으로 넘어갔고 조선의 운명은 일본의 손에 맡겨지게 되었다. 1905년 11월 17일, 경운궁 중명전에서 을사보호조약이 체결되고 자주 외교권을 상실하게 된다.

고종이 러시아 공관에서 경운궁으로 환궁하여 대한제국을 선포한 1897년은 파리 만국박람회가 열린 1889년보다 8년 후이며, 이즈음 구미 열강들이 5대양 6대주를 무대로 제국주의 시대를 향해 박차를 가할 때였다. 프랑스 혁명 100주년을 기념하기 위해 세워진 에펠(Eiffel)탑 아래서 1889년 개최된 파리 만국박람회는 구미 열강들이 빛나는 과학기술과 풍요를 약속하는 산업혁명 성과를 과시하며 겨루는 화려한 무대였으나, 은둔의 조선반도는 암흑이 뒤덮고 있는 비운의 무대였다. 국가는 빈곤하고 허약했고 백성은 헐벗고 무지했으며, 지배층들은 눈을 감고 귀를 막은 채 분열하고 대립하면서 침몰하고 있었다. 고종의 의사였고 외교관이었던 미국인 호러스 알렌과 미국에서 귀국한 서재필이 남긴 글에서 당시 상황을 읽을 수 있다(조선일보, 2019년 5월 15일). 황현의 『매천야록』에 실린 알렌의 글은 고종이 얼마나 무능하고 부패한 군주였으며, 조선이 얼마나 비참한 나라인가를 묘사하고 있다.

"한국인은 가련하다(韓民可憐). 일찍이 구만리를 다녀보고 위아래 400년 역사를 보았지만 한국 황제와 같은 사람은 처음 보았다."

서재필은 『회고 갑신정변』(1935)에서 실패 원인을 "까닭도 모르고 일반 민중의 몰지각(無知沒覺)" 때문이라고 하였다. 갑신정변이 있었던 1884년 당시 조선엔 서점 한 군데 없고 정부가 펴낸 언문책이라곤 '삼강오륜' 같은 유교 교리서만 있었다고 하니 당시 조선사회의 사상적 풍토와 지적 수준을 짐작할 수 있다. 사직이 누란의 위기에 처했을 때, 고종과 민비가 무당의 잠언을 믿고 금강산 일만이천봉 봉우리마다 쌀 한 섬씩을 바치고 국태민안(國泰民安)을 빌었다고 하니 나라가 온전할 수가 없었을 것이다.

이 시기 우리 역사는 일본 역사와 너무나 대조적이다. 1715년 막부 쇼군의 특명으로 서양 신부에 대한 심문 내용을 바탕으로 세계 82개국의 지리, 정치, 경제, 사회를 망라한 『서양기문(西洋紀聞)』을 출간했으며, 1774년 스기타 겐파쿠 등 난학자들이 네덜란드 해부학서를 『해체신서(解體新書)』라는 이름으로 번역해냈고, 막부는 1790년부터 서양 서적을 수입하기 시작했으며 이를 번역하는 직책을 두고 번역 사업을 추진하였다. 1872년 후쿠자와 유키치는 『학문의 권장』이라는 베스트셀러 책을 출간하여 시대정신과 새로운 지식 함양을 고무하였으며, 근대적 입헌제도와 헌법 제정을 앞두고 천황 중심 체제를 지향했던 가네코 켄타로[金子堅太郞]는 루소의 자유민권론에 기울고 있는 원로원 인사들을 설득하기 위하여 1881년, 에드먼드 버크의 〈프랑스 혁명에 대한 성찰〉(1790) 등을 참고로 한 『정치논략』을 저술, 출간하여 당대 지도자들에게 영향을 줬다. 그들은 사상이 있었고 이론이 있었고 앞날을 내다보는 안목이 있었고 '탈아입구'하겠다는 강력한 의지가 있었고 희생을 두려워하지 않았다.

조선과 일본은 똑같이 성리학의 세례를 받았으나 19세기 중엽 이후 국제사회가 급변하면서 요동칠 때 조선은 성리학이라는 완고한 틀 속에 칩거하면서 중국만을 바라본 반면, 일본은 성리학적 세계관과 윤리관을 수용하면서도 넓은 세계를 바라보면서 새롭게 태어나는 길을 걸었다. 결과적으로 당시의 그러한 선택이 20세기 이후 한반도와 일본의 운명을 판가름 짓는 결정적 계기였다고 할 수 있다. 근대국가로 거듭난 직후였던 1900년 일본의 문맹률이 0%였던 데 비해 1945년 해방 당시 한국의 문맹률이 80%를 넘었다는 것은 많은 것을 생각하게 하는 구체적 근거다. 조선왕조가 망해가는 과정에서 보여준 각자도생(各自圖生)의 비극적 종말을 통하여 기억해야만 할 교훈이 있다면 시대 흐름을 거역하고 시대 흐름에 맞지 않는 사상적 도그마만큼 잘못되고 위험한 것이 없다는 점일 터이다.

우리는 조선이 마지막 숨을 몰아쉴 때 절규했던 최익현의 호소문을 기억해 볼 필요가 있다. 이것은 현재 상황과도 연관되기 때문이다. 그는 조선조 최후의 소중화주의자이자 위정척사론자라고 할 수 있으며, 당대의 대표적인 성리학자 이항로(1792~1868)의 모범적 제자였다. 그는 22세 때(철종 6년, 1855년) 급제하여 관직에 나아갔고 고종 초기에 철폐한 만동묘(萬東廟)와 서원의 복구를 주장하여 만동묘를 복원토록 하였다. 그는 화양동의 만동묘를 철거한 것은 군신(君臣)의 윤리를 무너뜨린 것이고 서원을 혁파한 것은 사제(師弟)간의 의리를 끊어버린 것이므로 반드시 복원되어야 한다는 논리로 설득하였다.

강화도 조약이 맺어지고 개항과 통상이 허용되었다는 소식을 접하고 올린 상소문이 그 유명한 "도끼를 지니고 대궐문에 엎드려 화의(和議)를 배척한다."는 뜻의 '지부복궐척화의소(持斧伏闕斥和議疏)'다. 그는 "통상조약을 맺으면 우리 경제가 지탱할 수 없고 왜인은 서양 오랑캐와 하나가 되었으니 그들을 거쳐 서양문화가 들어오면 인륜이 무너져 금수(禽獸)가 될 것이다. 저들은 재물과 여색만 탐하는 금수이므로 화친해 어울릴 수 없다."고 하면서 "바라건대, 이 도끼로 신에게 죽음을 내려주시면 조정의 큰 은혜일 것이며 지극히 애통하고 절박해 삼가 죽음을 무릅쓰고 아뢴다."는 문장으로 상소문의 끝을 맺고 있다.

그는 단발령에 반대해 궐기하려다 체포되기도 했고 1905년 을사보호조약이 체결되자 마지막 상소인 '청토오적소(請討五賊疏)'를 올리면서 조약의 무효를 선언하고 체결에 참여한 이완용, 이근택, 이지용, 박제순, 권중현의 처단을 요구하였으나 받아들여지지 않자 1906년, 전북 태인에서 거병, 관군과 일본군에 맞섰으나 실패하고 체포되어 쓰시마(對馬島)로 유배당하여 옥중에서 단식으로 저항하다 순국함으로써 그의 절규는 허망한 메아리로 끝났다.

목숨을 걸고 상소할 용기로 나라를 지키려는 노력을 하였다면, 조선의 문인들이 무인들을 존중하였다면, 조선의 지배자들이 공리공론으로 날을 지새우고 권력과 부와 명예를 다투며 분열하고 대립하지 않았다면, 조선이 개방하고 통상을 받아들였다면, 백성들이 잘 살도록 노력했다면, 바깥세상이 돌아가는 사정을 알려고 노력했다면, 백성들을 가르치고 깨우치도록 노력했다면 조선은 결코 쉽게 망하지 않았을 것이다.

끝난 다음에 눈물을 흘리는 인간만큼 비참한 인간은 없다. 당해본 다음에야 후회하는 인간만큼 못난 인간은 없다. 이런 인간은 경멸의 대상이 되어야 한다. 나라도 마찬가지다. 역사는 이것으로 끝난 것일까? 그런 것 같지 않고 반복되는 조짐이 날로 늘어나고 있다.

윌슨 대통령의 민족자결주의에 대한 오해

1918년 세계 제1차 대전(WWⅠ)이 끝난 후 미국의 윌슨 대통령(Woodrow Wilson, 재임 1913~1921), 영국의 로이드 수상(David Lloyd George, 재임 1916~1922), 프랑스의 클레망소 수상(Georges Clemenceau, 재임 1917~1920)이 파리 강화회담에서 합의하여 발표한 14개 조항 중 하나가 민족자결주의(民族自決主義, National Self-Determination) 원칙이다.

14개 조항은 미국의 윌슨 대통령이 제안한 것을 수용한 것으로, 윌슨이 미 의회에 제출한 연두교서에서 밝힌 14개 조항(Fourteen Points)을 참고로 한 것인데 당시 월터 리프먼(Walter Lippmann, 1889~1974)을 비롯한 일단의 지식인들이 건의한 것을 윌슨 대통령이 받아들인 것이다. 리프먼은 당대의 저명한 언론인이자 저술가로서 1947년 〈냉전(冷戰)〉을 발표하여 국제적 유행어를 만들어낸 인사이며, 1938년 파리에서 유럽 사상계 인사들과 회동하여 신자유주의(neo-liberalism) 태동의 계기를 마련했던 인물 중의 한 명이다.

민족자결주의는 1648년 웨스트팔리아 체제 출범으로 생겨난 주권국가 개념에 바탕을 둔 반(反)제국주의, 반(反)식민 사상으로서 각 민족은 정치적 운명을 스스로 결정할 권리가 있으며, 타민족의 간섭을 받을 수 없다는 것을 의미한다. 14개 조항의 주요 골자는 민족자결주의, 비밀외교 타파, 공해의 자유, 법에 의한 통치 등이었으며 약소민족(또는 점령 지역)의 독립 및 복귀와 관련된 내용은 8개 항에 달할 정도로 강조되었다.

"피지배 민족(식민지, 점령지역)에게 자유롭고 공평하고 동등하게 자신들의 정치적 미래를 결정할 수 있는 자결권을 인정해야 한다."

"피지배 민족(식민지, 점령지역)에게 자유롭고 공평하고 동등하게 자신들의 정치적 미래를 결정할 수 있는 자결권을 인정해야 한다."

이 조항이 당시 강대국 지배하에 놓여 있던 전 세계 약소민족들에게 희망을 안겨주었고 용기를 고무시켰다. 일제 식민지 지배하에 놓여 있던 우리 민족도 이에 고무되어 1919년 3월 1일 독립만세 운동을 벌였고 1919년 4월 중국 상해에서 임시정부가 탄생하였지만 미국을 비롯한 전승국들의 한국 독립 요구에 대한 반응은 냉담하였다.

재미 이승만 박사가 미 국무성을 방문했을 때 냉대를 받아야만 했던 이유는 파리강화회의에서 결정된 민족자결주의 조항이 발칸 반도 및 동부 유럽의 패전국 영토에 귀속되었던 민족, 즉 유럽 국가들에게 국한되었기 때문이다. 전승국들의 오스트리아-헝가리 제국과 오스만-터키 제국의 광대한 영토를 민족을 기준으로 분리·독립시켜줌으로써 잠재적 적대 세력을 무력화시키는 것에 목적을 둔 조항이었기 때문이다.

아시아에서는 여전히 미국은 필리핀을, 영국은 인도를 지배하면서 미얀마를, 프랑스는 인도차이나 반도를, 일본은 조선과 타이완을, 네덜란드는 인도네시아를 점령하고 있었으며, 세계 제2차 대전 중반인 1943년 카이로 회담에서 연합국에 의해 처음으로 한국의 독립을 승인받게 된다. 국제정세에 어두웠던 한국의 항일 지도자들은 윌슨의 민족자결주의 원칙이 자신들에게도 해당되는 구원의 메시지인 것처럼 이해했으나 그것은 크나큰 오해였다.

춘원의 〈민족개조론〉

춘원(春園) 이광수(李光洙, 1892~1950)가 〈민족개조론〉을 발표한 1922년은 대한제국 멸망 12년 후, 3.1 독립만세운동 발발 3년 뒤였으므로 당시 사회, 경제적 상황은 조선왕조 말과 크게 다르지 않았을 것이다. 당대에 천재의 한 사람으로 알려졌던 춘원 이광수는 한국 근대소설의 선구자이며 항일과 언론활동에 깊이 참여한 선각자였으나 1939년 친일어용단체인 조선문인협회 회장이 되어 일제 침략전쟁을 옹호했다는 이유로 친일인사로 매도당한 인물이다.

그는 일본 와세다대학교 철학과에서 공부했고 한국 최초의 근대장편소설인 『무정(無情)』(1917)을 매일신보에 연재하여 유명인사가 되었다. 1919년에는 도쿄 유학생의 '2.8독립선언서'를 작성했으며, 한때 상해 임정에도 큰 기대를 갖고 참여했으나 실망하고 1921년 귀국하여 일시 경신학교 등에서 교편을 잡기도 했으나 동아일보, 조선일보에 몸담고 글로써 민족을 깨우치고자 노력하였다.

그가 1922년 『개벽』지에 〈민족개조론(民族改造論)〉이라는 논문을 발표했을 다시 그의 나이 30세, 피 끓는 청년의 나이였다. 그가 임정에 실망하고 귀국하여 곧바로 논문을 발표하게 된 배경은 3·1 독립만세운동의 좌절, 임정에 대한 실망, 구미 열강의 한국 자주독립에 대한 외면이라는 비관적이고 냉혹했던 당시의 시대상황이다.

그는 조선민족이 새롭게 깨어나 스스로 일어서지 않으면 미래가 없다는 믿음으로 민족개조에 의한 장기적 실력 배양만이 유일한 길이자 최선의 길임을 역설한 것이 〈민족개조론〉이다. 논문 내용에 대한 찬반을 떠나서 이 논문이 지닌 시대적, 역사적 의미는 매우 크다. 그 이전에도, 그 이후에도 진지한 민족적 반성 위에 민족개조와 관련하여 그 정도 수준으로 심도 깊게 논의된 바가 없기 때문이다.

우리 민족, 우리 국민이 지닌 정신적 고질병 중의 하나는 잘못된 것에 대한 책임을 남의 탓으로 돌리고 실패를 축소하거나 감추려 하며 작은 성공을 큰 것처럼 과장하기 좋아하고 우리 것이면 다 훌

춘원 이광수(1892~1950)

륭하다거나 우리 민족만큼 순결하고 위대한 민족도 드문 것처럼 떠들어대는 습성이다. 이것은 민족적, 국민적 반성을 소홀히 하면서 희망적 가상현실에 집착하는 정직하지 못한 퇴행적 현상이다. 해방된 지 74년이 지났으나 여전히 민족은 둘로 갈라져 있다. 북한 인민은 날조된 역사를 믿고 있으며 남한 국민은 역사를 두고 다투면서 반일, 친일 논쟁을 벌이고 있다. 오늘날의 한민족은 지난날의 조선민족 이상으로 분열하고 충돌하며, 남과 북이 총구를 겨누고 있는 상황에서 권력 암투와 음모가, 허위와 부정의가 난무하고 있는 남한에서는 서로 손가락질을 해대면서 밤과 낮을 지새우고 있다.

춘원이 민족개조론을 발표한 지 97년이 지난 현재 그때와 지금을 비교하여 얼마만큼의 변화가 있었는지, 얼마만큼의 개조가 이루어졌는지, 아니면 얼마나 더 나빠졌는지를 살펴볼 필요가 있고 그러한 비교 결과를 확인할 수 있을 때 우리 자신을 뒤돌아보며 앞날을 도모하는 데 큰 도움이 될 수 있을 것이다. 그는 논문 서두에서 다음과 같은 내용으로 시작하고 있다.

"나는 많은 희망과 끓는 정성으로 이 글을 조선민족의 장래가 어떠할까, 어찌하면 이 민족을 현재의 쇠퇴에서 건져 행복과 번영의 장래에 인도할까 하는 것을 생각하는 형제와 자매에게 드립니다."

춘원이 민족개조론을 1922년『개벽』지 5월호에 논문 형식으로 발표한 시기는 일본이 1920년대 식민정책에서 문화정책을 내세운 시기와 일치하고 있다. 일제가 문화운동을 위한 구체적 강령으로 내세운 참정권 획득 청원, 실력 양성, 민족성 개조는 그들이 보기에 무지몽매한 조선 민족을 계몽하여 일본화하려는 술책이었으나 민족개량주의자들의 환영을 받았고 즉각적 해결이 비관적일 때였으므로 장기적 관점에서 이를 적극 활용하려는 분위기 속에서 춘원도 〈민족개조론〉을 썼다.

그가 이기적이고 나약하며 겁쟁이인 조선민족이라는 대 전제 하에 민족개조의 원리, 역사상으로 본 민족개조운동, 갑신 이래 조선의 개조운동, 민족개조 가능성, 민족개조에 필요한 시간, 민족개조 내용 등을 제시하자 즉각적으로 논란의 대상이 되었다. 항일투쟁을 당면 목표로 내세웠던 민족주의자들의 비판이 거셌으나 1920년대 중반부터 민족운동이 민족주의 진영과 사회주의 진영으로 분열되면서 통합 노력이 절실하던 때였으므로 큰 영향을 주게 된다. 그가 당시의 시대 성격을 '개조의 시대'로 규정한 것은 파리평화회의를 세계를 개조하는 회의로 인식하면서 개조, 갱신, 개혁이 강조되는 시대임을 확신했기 때문이다.

그는 인류 역사상 손꼽을 수 있는 민족개조 운동의 예로서, 고대 희랍의 소크라테스(Socrates), 프러시아의 프레드릭 대왕(Frederici the Great), 러시아의 피터 대제(Peter the Great), 그리고 일본의 메이지 유신[明治維新]을 거명하고 인민의 사상을 개조하는 것이 민족개조 운동이며 이것은 수많은 인물과 조직, 금전을 필요로 하고 장구한 세월이 요구되는 사업이라고 하면서 특히 조직(단체)의 중요성을 강조하였다.

소크라테스가 실패한 것은 조직이 없었기 때문이고 기독교가 성공한 것은 교회를 남겼기 때문이라고 단언하였다. 우리의 경우 갑신(甲申) 이래 조선민족개조운동은 워낙 근거가 미약했기 때문에 삼일천하(三日天下)로 끝이 났고, 진정한 의미에서 민족개조운동을 위한 첫 소리는 서재필, 이승만, 윤치호, 안창호 등이 '독립협회' 간판 아래 독립신문을 발간하고 연설회 등을 통하여 민족의식을 깨우치고자 혁구취신(革舊就新), 서양문화 수입, 계급사상 타파, 자유·평등사상 고취, 군주전제와 벌족주의 타파 등을 주장하였으나, 이것 역시 오래가지 못하고 실패하게 된다. 이들 선각자들은 미국의 영향을 크게 받은 인사들로서 서재필은 미국 시민이 되어 귀국한 지식인이었고, 이승만, 윤치호, 안창호 등은 기독교, 미 선교사, 배재학당 등을 통하여 개화된 인사들로 애족과 애민, 우국충정과 열정은 넘쳤으나 민족사상을 시대에 맞게 개조하는 데 필요한 서구 근대사상과 이론을 체계적으로 학습하거나 갖추지 못했기 때문에, 무지하고 무식했던 일반 대중의 절대 다수를 대상으로 성공하기란 어려울 수밖에 없었다.

춘원은 독립협회를 중심으로 한 당시의 개조운동이 실패한 이유를 지도부는 단결이 없었고 참여자는 조직 훈련이 없는 오합지중이었다는 점, 정치적 색채를 띰으로써 장기적 개조운동이 불가능했다는 점, 지도력을 갖춘 인물과 그를 뒷받침할 수 있는 전문가가 없었다는 점을 들었다. 특히 운동 참여 회원(조직원)들이 갖추어야 할 자격을 매우 중요시하였다.

"회(會)의 목적과 계획을 잘 이해하고 그 규칙에 잘 복종하며, 회비를 꼭 내고 집회 때마다 반드시 출석하고, 회를 사랑하고 위하는 회원이 되기 위해 훈련을 받은 자."

비단 독립협회뿐만 아니라 그 이후 각종 단체가 실패한 근본 원인은 회원들이 회원 될 자격이 없었고 인물과 자금, 단결이 부족했기 때문에 오랫동안 지속될 수도, 성공할 수도 없었다고 하였다. 당시 조선민족의 심각한 쇠퇴현상의 원인에 대해 일본인은 이조(李朝)의 악정(惡政)에 있다고 했고, 서양인은 실정과 부패(maladministration)에 있다고 하였는데, 이는 곧 도덕적 타락을 의미한다.

춘원 역시 민족개조운동의 성격을 논함에 있어서 민족 쇠퇴의 근본 원인이 '신지식 결핍'에 있는 것이 아니라 '도덕적 부패'에 있으므로 개조운동의 방향은 반드시 도덕성 회복에 두어야 하며, 이를 위해 허위, 비사회적 이기심, 나타(懶惰, 게으름), 겁나(怯懦, 비겁), 무신(無信), 사회성의 결핍과 같은 타락현상의 극복을 촉구하는 한편 지배층의 악정과 도덕적 타락에 대해 신랄한 비판을 가했다. 당시 그의 비판은 한 세기가 지난 지금도 여전히 유효하지 않을까 하는 생각을 금할 수 없다. 그는 특히 두 가지 측면에서 구체적인 비판을 하고 있다.

"첫째, 허위(虛僞)의 인(仁)이다. 국사(國事)를 한다고 하면서 사사(私事)를 하고 총준(聰俊)을 거(擧)한다고 하면서 당여(黨與)를 거하고, 죄인을 벌한다고 하면서 자기의 사혐(私嫌)을 보(報)한다. 교화의 머리가 되는 대제학(大提學)이 반드시 학식과 품격이 빼어난 자가 아니며, 원수(元帥)와 대장이 반드시 무용과 전략을 구비한 자가 아니다.

최근의 예를 보더라도 수만의 시위대(侍衛隊), 진위대(鎭衛隊)가 국방을 위하여 있던 것이 아니요, 무슨 대신 무슨 국장이 국사를 하느라고 있던 것이 아니라 모두가 허(虛)요 모두가 위(僞)다.

둘째, 그네는 단체생활의 생명인 사회성, 곧 봉사정신이 없었다. 만일 공을 위하여 사를 희생하는 정신, 즉 일생의 사(事), 언(言), 행(行)이 국가와 민족을 위함이라는 정신이 없었기 때문에 이렇게 빙공영사(憑公營私, 공적인 일을 빙자하여 개인의 이익을 꾀함)의 악행을 한 것이외다."

2019년 현재 춘원이 생존해 있어 한국 정치, 사회에 대한 비판을 한다면 그 당시보다 더 가혹하지 않았을까 싶다. 그는 절규하듯이 "'배반'은 실로 조선의 교우사(交友史) 단체사를 관류한 악덕이다."라고 말하면서 "허위와 사욕이 악정의 원인이다. 허위(虛僞)하므로 정의가 없고 사욕하므로 그들에겐 충신이 없으며, 국가와 국민에 대한 애(愛), 경(敬)도 없다. 민중을 바로잡지 못한 것도 도덕성 결여 탓"이라고 했다.

춘원은 인의예용(仁義禮勇)이라는 바탕을 지니고 있는 민족이므로 민족개조가 가능하다는 낙관론자였으나 긴 세월에 걸친 간고한 노력이 있어야만 가능하다고 하였다. 그동안 도덕적 타락을 극복하지 못한 것은 "첫째, 나타(懶惰, 게으름)하여 실행정신이 없고 둘째, 겁나(怯懦, 비겁)하여 실행용기가 없고 셋째, 신의와 사회정신 결핍으로 동지적 단결을 도모하지 못했기 때문"이라고 하면서 "갑신 이래 삼인 이상의 동지가 3개년 이상을 그대로 유지했다는 것을 듣지 못했고 밤낮 공상과 공론을 일삼으니 무슨 일을 해낼 수 있겠는가?"라고 탄식하였다.

민족개조의 방법론을 제시함에 있어서는 밖에서 구할 것이 아니라 안에서 구해야 하고 지름길이 있거나 요행으로 이루어지는 것이 아니라 장기간에 걸친 교육을 통한 실력 배양만이 최선의 길임을 강조하면서 특히 사상이 중요하다고 하였다. 이를 위해 민족 각자가 자각에서 출발하여 사상을 찾아야 하고, 사상을 토대로 구체적 방안을 설계하고, 삶을 통하여 이를 실현하고, 나아가 반복 실행함으로써 습관이 되고 개개인의 습관이 민족공동체의 관습과 전통으로 발전해 나갈 때 민족개조가 이루어질 수 있다고 한 것은 덕목(가치와 원칙, values and principles)의 생활화, 습관화를 의미한 것으로 개인의 오랜 습관이 개인의 성격으로 변하듯이 집단이 될 때 집단적 습관이 집단적 성격, 즉 민족의 성격, '민족성'이 된다.

이것은 민주주의 대 제국주의, 자본주의 대 노동주의에 대한 선택 이전의 문제로서 조선인의 성격을 개조한 후 각자가 선택해야 한다는 회피적 입장을 보인 것은 일제 치하의 정치적 상황 때문이었을 것이다. 춘원은 이 과정을 위해 얼마나 긴 세월이 요구되는가를 공자의 말로 비유하고 있다.

"七十從心所慾不踰矩(자기가 원하는 모든 덕목이 칠십 년의 부단한 노력과 실행으로 모두 습관을 이루어 자기의 성격이 되었다.)"

그는 안으로 행복을 누리는 인민이 되게 하고 밖으로 세계문화에 공헌하는 민족이 되게 하기 위한 개조사업의 기초 확립에 필요한 요소를 구체적 숫자를 제시하면서 다음과 같이 썼다.

전 민족을 개조하려면 전 민족 지식계급의 절반이 찬성해야 한다. 매 1000명당 1명의 의식화된, 사상을 갖춘 지식인이 앞장서야 한다. 2,000만 조선인 중 20,000명의 의식분자가 있다면 민족개조는 가능하다. 오늘날 5,000만 국민을 전제로 하면 50,000명이 있어야 한다는 계산이 나온다. 비현실적이라고는 할 수 없는 숫자다. 30년 정도면 10,000명을 확보할 수 있다. 그러나 개조사업의 완성은 50년, 100년, 200년의 사업, 즉 영원한 사업이 되어야 한다.

그는 특히 개조의 초점과 관련하여 세 가지를 거론하면서 지금도 참고해야 할 신랄한 비판을 쏟아냈다.

첫째 비판이다.

"조선인끼리 서로 신용이 없다. 외국인은 신용하면서도 자국인은 신용하지 못하는 기현상이 있다. 이조사(李朝史)를 보면 서로 속이고, 의심하고, 시기하고, 모함한 역사다. 이조사와 같이 완인(完人)이 없는 역사는 드물다. 현재에도 조선인 중에 만인의 신망을 일신에 집(集)하였다 할 만한 인물이 없고 모두 의심을 받을 자뿐이다. 서로 신용하지 못한 고로 큰 단체 사업을 경영할 수가 없다. 단체를 보더라도 인물도, 실력도 없으면서 무슨 큰 실력이나 있는 것처럼 허장성세를 한다. 민족적으로도 조선민족은 결코 타민족 중에 신용 있는 민족이 아니다. 일본인도 우리를 신용하지 않는다. 미국인의 오족(吾族)에 대한 신용 역시 말이 아니다. 선교사들도 신용하지 않고 재미동포 역시 신용을 잃었다. 합병 전 몇 십 년간의 한국정부의 외교는 거의 전부 허위와 사기의 외교였다. 여기서 민족적 신용을 실추함이 다대하다. 자칭 애국지사, 망명객들이 중국의 고관과 부호에게 애걸하며 사기로 금품을 얻는 자가 점점 증가하여 민족의 신용을 떨어뜨리고 있다. 수십 인의 명망 높은 애국지사들을 가졌으나 그들의 명망 기초는 대부분 허명이다. 그들이 내세우는 유일한 기초는 감옥에 들어갔다 나오는 것, 해외에 표박(漂迫)하는 것인 것 같다. 자기네끼리 서로 믿지 못하고 밖으로 이민족 간에도 신용을 잃었으니 어떻게 살리오!"

춘원이 일본에서 유학했고 중국에 있던 임정을 거쳐 귀국한 당대 최고의 지성인으로서 남다른 관찰력과 통찰력이 있었다고 볼 때 그의 비판은 결코 비판을 위한 비판이 아니라 진실에 입각한 비판이라고 할 수 있다. 당시 신용이 없음으로 인해서 생겨났던 온갖 모순들은 97년이 지난 현재에도 이 땅 위에서 반복되고 있으며, 어떤 면에서는 더 악화되어 가고 있다.

둘째 비판이다.

“조선 민족은 적어도 과거 오백년 간 공상(空想)과 공론(空論)의 민족이었다. 그 증거는 오백년 민족생활에 아무 것도 남겨놓은 것이 없음을 봐도 알 수 있다. 과학을 남겼나, 부를 남겼나, 철학·문학·예술을 남겼나. 무슨 자랑할 만한 건축을 남겼나. 영토를 남겼나. 그네의 생활 결과에는 남은 것이 하나도 없고 오직 송충이 모양으로 산의 산림을 말짱 벗겨먹고…. 의주에서 부산, 화령에서 목포에 이르는 동안의 벌거벗은 산, 마른 하천, 무너진 제방과 도로, 쓰러져 가는 성루와 게딱지같고 돼지우리 같은 가옥, 이것이 오백년 나타(懶惰)한 생활의 증거가 아니고 무엇입니까. 진실로 근대조선 오백년사는 민족적 사업의 기록이 아니요, 공상과 공론의 기록이다. …이조사(李朝史)의 주류인 당쟁 또한 공상과 공론으로 된 것이며, 이조사에 나오는 인물 대부분 공상과 공론의 인물들이다. 그네들의 명망은 그들이 이루어놓은 사업이 아닌 그들의 언론과 문장으로 하는 것들뿐이다. 임진(壬辰), 병자(丙子之役) 같은 대사건에도 당시의 당국자들은 군비나 산업에 노력하기보다 의리가 어떤 등, 어느 대장의 문벌이 어떤 등, 시(詩)가 어떤 등, 혹은 의주의 행재(行在), 혹은 남한(南漢)의 몽진에 공상과 공론을 일삼았다. 진실로 근대 조선사는 허위와 나타의 기록이다. 과거에만 그러한 것이 아니라 현재 조선도 그러하다. 우리가 보는 전등, 수도, 전신, 철도, 윤선(輪船), 도로, 학교 같은 것 중에 손수 한 것이 무엇 무엇입니까. 교육을 떠받들고 산업을 떠받들지만 교육기관 중에 조선인의 손으로 된 것이 삼사의 고등보통학교가 있을 뿐이고, 산업기관이라고 자본을 총합하여도 일천만 원도 못 되는 구멍가게 같은 은행 몇 개가 있을 뿐이다."

셋째 비판이다.
"사회봉사심의 결여다. 조선인은 사회생활의 훈련이 없어 그 애호의 정이 미치는 범위가 가족, 붕당을 초월하지 못한다."
개조방법론에서 그는 교육을 통한 지(知), 덕(德), 체(體) 함양과 증진, 부의 축적, 사회봉사정신의 함양, 민족으로 하여금 참되고 부지런하고 신의 있고 용기 있고 단결력을 갖추게 하여 모두가 골고루 잘 살게 하려면 사상으로 무장된 지도자들과 전문가들, 조직이 있어야 하고, 계획적이고 체계적인 학습과 실천이 따라야 하며, 이를 위한 금전적 뒷받침이 있어야 하되 비정치적이어야만 성공할 수 있다고 하였으나 유감스럽게도 교육에서 사상성을 도외시한 오류를 범하고 있다고 하였다.
춘원은 그처럼 뜨거운 열정으로 민족개조론을 전개하고 말미에 "내 작은 생명을 이 고귀한 민족개조 사업에 바친다."고 다짐하면서도 지극히 비관적인 결론으로 끝을 맺고 있다.
"나는 차라리 조선민족의 운명을 비관하는 자다. 우리는 순탄치 못한 환경에 처해 있고 정신적으로나 물질적으로 피폐한 상태에 처해 있다. 우리 민족의 성질은 열악하여 낙관할 여지가 없다."

이러한 비관적 입장이 태평양전쟁 기간 중 그로 하여금 친일인사로 변신케 한 것이 아닐까 하는 추측을 낳게 한다. 특히 태평양전쟁에서 일본이 패전하지 않는다고 가정했을 때 그 가능성은 훨씬 높아진다. 비단 그만이 아니라 조선의 수많은 지식인들도 같은 심정이 아니었을까. 그러한 변신이 민족적 차원의 반일, 친일 문제가 아니라 인간 본연의 차원에 속하는 생존의 문제였을 때, 그것은 개인의 숙명이라기보다 민족의 운명으로 받아들였을 경우 생겨날 수 있는 현상이 아니었을까.

우리는 여기서 '민족적 책임'의 문제를 생각해봐야 한다. 개인의 잘못이 아니라 민족 전체의 잘못으로 민족 구성원 개개인이 고난과 불운을 감내해야만 했을 때 개인에 대한 도덕적 비난은 무의미하거나 책임을 전가하는 결과가 될 수 있다. 민족적 책임을 외면하고 민족적 반성을 회피하는 민족은 내부적으로 분열하고 서로가 서로에게 책임을 전가함으로써 미래를 향한 민족 에너지를 소진하게 만들고 민족 심성을 어둡게 하며 국민정신을 타락시킨다.

오늘날 우리가 춘원의 〈민족개조론〉을 읽으면서 많은 것을 생각하게 되지만 그 많은 것들 중에서 한 가지만을 거론하라고 한다면 정신적 피폐일 것이다. 1922년 당시 조선민족의 정신적 피폐 현상과 2019년 현재 대한민국 국민의 정신적 피폐 현상을 비교했을 때 지금이 그 당시보다 더 피폐해 있다고 할 수 있지 않을까? 비록 물질적 피폐, 물질적 빈곤에서는 벗어났으나 정신적 피폐, 사상적 빈곤에서 벗어나지 못하면 언젠가는 애써 이룩한 물질적 풍요가 쓸모없게 되고 국민의 피와 땀과 눈물로 지키고 이루어놓은 지난날의 성취가 물거품이 될 수도 있는 것이 보편적 인간사다.

마이클 브린의 『한국, 한국인』

마이클 브린(Michael Breen)은 영국 출신으로 《가디언》, 《더 타임즈》, 《워싱턴 타임즈》지에서 한국과 북한 담당 전문기자로 활동한 언론인이자 한때 주한 외신기자클럽 회장을 지냈으며, 지금은 글로벌 PR 컨설팅 회사를 운영하면서 36년째 서울에서 살고 있는 저술가이기도 하다. 그가 1990년대 발표했던 『The Koreans(한국인)』를

2018년 다시 수정·보완하여 『The New Koreans(새로운 한국인)』라는 제목으로 출간한 것을 번역가 장영재 씨가 『한국, 한국인』이라는 제목으로 번역 출간하였다.

『한국, 한국인』은 97년 전 춘원이 발표했던 논문 〈민족개조론〉 이후 한국과 한국인에 대한 가장 심층적인 관찰 기록이자 분석 기록이라고 할 수 있다. 예민하고 날카로운 지적 관찰력과 분석력을 지닌 선진국 영국 저널리스트가 수십 년에 걸쳐 직접 눈으로 보고 귀로 듣고 현장에서의 삶을 통한 경험을 토대로 쓴 책이라는 점에서 충분히 읽어볼 가치가 있으며, 특히 〈민족개조론〉과 비교해서 오늘을 살아가고 있는 우리 자신을 뒤돌아보고 살펴볼 수 있다는 점에서 큰 도움이 되는 책이라고 할 수 있다.

그가 책에서 우리가 말하지 않고 있었던 것을 말하고, 모르고 있었던 것을 말하고 있다는 점에서 놀랍다. 그는 북한을 조롱하듯이 비판하고, 신라 문화를 높이 평가하면서 한국이 대중문화 강국으로 발전할 것이라고 했다. 그러나 절망적 환경을 극복하고 이루어낸 경이적인 경제적 성취를 세계사적 측면에서 높이 평가하면서도 정치·사회적 모순에 대해서는 비판적이며 객관적이다. 이성보다 정서를 앞세우고 집단주의 성향이 강한 국민, 무엇을 해야 할지를 모르는 정치 지도자들, 애국심이 없는 지식인들이 일반적인 한국인들의 모습이라고 하면서 한국인들이 지니고 있는 역사인식의 한계와 오류에 대해서 강하게 비판하고 있다. 그는 책머리에서 북한 사람들을 허풍쟁이로 묘사하고 있다.

"핵무기를 흔들고 인종적 순수성을 내세우고 외세로부터 자립을 자화자찬하고 국제규범과 외교 관계를 무시하면서 동시에 항상 적들로부터 도움을 구하려고 하는 북한이 저항적으로 보이게 된 것은 역설적인 일이다. 그러나 북한 사람들은 '허풍쟁이'다. 한 손엔 깃

2019년 저자의 사무실로 방문한 마이클 브린과 환담을 나누었다.

발을, 다른 손에는 동냥 그릇을 들고 서 있을 뿐이다."

그는 아마도 북한을 '깡패국가(rogue-state)', '거지국가(begger-state)'라고 말하고 싶었을 것이다. 그는 『Mr. 김정일』이라는 책을 낼 정도로 북한에 대해서도 현장 방문과 경험과 폭넓은 지식을 지닌 언론인 출신 저술가다. 그는 자신이 살고 있는 한국에 대해서 자유로운 입장에서 편견 없는 평가와 비판을 하고 있기 때문에 객관성과 설득력을 지녔다고 할 수 있다.

한국인들은 자신들이 집단적으로 이룩한 국가적 성취를 공허하게 느끼는 무언가가 있고 타인을 평가함에 있어서도 매우 인색하지만 자신이 보고 판단하기엔 한국인은 빈 호주머니와 맨 주먹으로 세계사적으로 의미 있는 국가적 기적을 만들어냈으며, 1920년~1955년 사이에 태어난 세대가 그 주인공들로서 한국 역사상 가장 위대한 세대라고 하였다.

이 말은 한국인 누구도 일찍이 말한 적이 없었던 찬사다. 1920년~1955년 사이에 태어난 세대란 건국 세대, 산업화 세대, 민주화 세대를 말한다. 그는 오늘날 한국의 젊은 세대는 나이든 세대에 빚을 지고 있다고 하였다.

"1920년~1955년에 태어난 세대의 업적은 진정 놀랄 만한 이야기다. 한국의 성장에는 물론 리더십도 중요한 요소였지만 모든 세대가 참여하고 기여한 데 힘입은 것이다. …그들은 한국 역사상 가장 위대한 세대라 해도 무방할 것이다. 영웅이며 동상을 세워줄 만한 자격이 있다."

우리는 이들 세대가 이룩한 것을 두고 '한강의 기적'이라고 한다. 그러나 놀랍게도 누구도 그런 말을 해주지 않았고 스스로도 그런 생각을 하지 않았지만 그들의 성취는 한국을 넘어 세계적으로 대단히 중요한 의미가 있다면서 두 가지 점을 지적하고 있다.

"국가 발전, 흔히 말하는 서구 형 근대화엔 기독교 문화에 바탕을 둔 서구모델만 있는 것이 아님을 인식하게 되었고, 한국인들이 길을 보여주기 전까지는 믿지 않았지만 한국인의 기적 창조를 보면서 세계 모든 빈곤하고 낙후된 국가들도 빈곤에서 벗어나 민주적, 자본주의 사회를 이룩할 수 있는 날이 올 것이라는 확신을 갖게 되었다."

한국인들이 이처럼 스스로 이룩한 성취에도 불구하고 한국의 기적이 여전히 미완(未完)의 상태로 남아 있는 것은 집단주의 성향이 강하기 때문인데 이것을 개인주의 풍토로 바꿔가야만 한다고 강조하였다.

"한국의 리더십은 개인의 삶을 개선하는 것이 중요하다는 생각을 명확히 하는 길을 찾지 못했다. 개인의 행복을 위한 비전을 세우고 이를 저해하는 낡은 가치와 습관을 떨쳐버리는 것이 한국인의 남은 과제다. 그렇게 되면 기적은 완성될 것이다."

이것은 국민의 생각하는 습성을 바꾸는 것이자 새로운 문화를 만들어내는 것을 의미하는 것이므로 긴 세월과 지속적인 노력을 필요로 한다. 더욱이 허풍쟁이 북한을 닮아가려는 정치인들, 지식인들과 세력들이 집단주의 가치를 앞세우며 평등주의 사회를 구축하고자 기승을 부리고 있는 현실적 장애 요소를 우선적으로 극복해야 하는 힘든 과제를 안고 있기 때문에 쉬운 일이 아니지만 결코 포기할 수 없는 국가적, 국민적 과업이다.

브린(Breen)은 한국이 21세기에 진정한 선진국으로 발돋움할 수 있을 것인가 하는 가능성에 대해서는 긍정보다 비관적이다. 빵만으로 선진국이 될 수 없음을 알기 때문일 것이다. 그가 춘원이 조선을 묘사한 것과 비슷한 어조로 한국을 묘사하고 있음을 확인할 수 있고, 외형의 획기적 변화에도 불구하고 내적인 면에서는 큰 변화가 없음을 말하고 있는 것 같다.

"북은 암흑(밤)과 침묵(낮)의 땅이며 남은 반항의 땅이다. …고대 신라 수도였던 경주를 제외하면 과거의 유적은 거의 없다. 옛 서울의 성벽과 요새, 20세기 초에 건설된 성당, 오래된 은행과 공공건물 정도가 고작이다. …도시의 두드러진 특징은 아파트 단지다. 형편없는 미적 감각과 건축의 품질 때문에 20년 된 주택이 마치 고대의 유적처럼 보인다. 획일적이고 흔해 빠진 형태의 간판이 넘쳐나서 시각적 공해와 혼돈 상태를 불러온다. …한국인은 자신이 속한 집단 밖에 있는 사람에게는 별로 관심이 없다. 산업의 역사나 자유의 경험이 없었다. 그들은 미국의 지원을 통해서 자신감을 얻었으며 집단적 도전이 된 삶을 추구해 나갔다."

그가 외국인들의 한국 방문기 인용을 통해 한강 기적 이전의 조선을 소개한 내용은 우리 선조들이 아무 것도 남겨 놓은 것이 없다고 한탄했던 춘원의 글을 떠올리게 한다.

"지저분한 개와 눈이 흐릿한 아이들, 퇴락하고 비참한 소도시, 사람들은 가축우리 같은 작은 오두막에서 살았으며 거리에 면한 악취가 풍기는 도랑에 쓰레기를 버렸다."(Isabella B. Bishop, 영국 여행가, 지리학자. 1897년 조선 방문, 『Korea and Her Neighbors』,한국과 그 이웃 나라들, 1898)

"7시가 되기도 전에 상상할 수 있는 가장 완벽한, 죽음과도 같은 정적과 평온함이 감돌았다. 넓은 거리는 거대한 묘지 같았고 평평한 지붕의 초라한 작은 집들은 무덤 같았다. …흰 옷을 입은 사람들은 입을 다문 채 유령처럼 집으로 돌아가고 있었다."(Monsignor Vay de Vaya, 로마 가톨릭 활동연구가, 1906년 한국 방문)

"한국인은 진저리가 난다."(Beatrice Webb, 영국 작가, 1911년 아시아 여행)

서방 선교사들이 한국을 동방의 아일랜드라고 묘사한 것에 대해 아일랜드 인에 대한 모독으로 느꼈다는 제임스 커크업(James Kirkup, 작가)은 1969년 「한국의 거리(Street of Korea)」라는 글에서 자신의 체험을 차갑게 썼다.

"그날 밤 나는 얼음장 같은 방에서 차가운 시트를 덮고 누운 채로 서울의 첫 인상을 정리해 보려고 애썼다. …침울하고 황량한 느낌을 떨쳐버릴 수 없었다."

이처럼 어둡고 우울한 기록은 망하기 직전 조선의 모습이자 식민지 대한의 모습이었으며 1970년 이전 독립 한국의 모습이었으나, 1988년 '88 서울 국제올림픽 대회' 당시 컬러 TV를 통하여 전 세계에 중계된 기적처럼 발전하고 변모된 한국의 모습이 세계인들을 놀라게 하였고, 2002년 월드컵 대회 당시 '붉은 악마'의 거리 응원은 한국인들의 역동성을 보여주기에 충분하였다. 2019년 방탄소년단(BTS)은 뉴욕, 런던, 도쿄에서 영국의 비틀즈(the Beatles) 이래 가장 인상적인 공연으로 청중들을 열광시켰다. 한국의 프로 여성 골퍼들은 미국과 일본 무대를 주름잡으면서 활동하고 있다.

88서울올림픽 입장식

이처럼 세계에서 13번째 GDP를 자랑하는 경제 강국, 세계 1, 2위를 다투는 반도체 산업 강국, 그리고 조선, 자동차 산업 강국이자 세계에서 대학교 졸업 비율이 가장 높은 나라가 되었다. 어느 모로 보아도 밝고 힘찬 모습이지만 안으로 들여다보면 여전히 어둡고 우울하다. 한반도의 절반 땅인 북한은 빈곤과 억압과 어둠으로 뒤덮여 있고 남한에서는 서로 분열하며 자신들이 이룩한 위대한 성취를 애써 깎아내리면서 성취가 가져다준 열매를 탕진하는 무리들과 충돌하면서 심한 우울증을 앓고 있다.

브린(Breen)은 책에서 연례 협회에 참석한 한 독일 기업인의 말을 인용하면서 자신의 견해를 덧붙이고 있다.

"한국인은 우울하며 그 우울함에서 벗어나지 못한다. 한동안 머물다 보면 분노, 짜증, 우울, 체념, 실패감이 보인다."

브린은 한국 여성의 출산율이 세계에서 제일 낮고(1.21명), 자살률은 OECD 국가 중 가장 높으며(2012년 기준 10만 명당 29.1명, OECD 평균 12.1명), 2013년 조사에서 10대의 11.2%, 70대 이상 17.1%, 전체 13%가 우울증을 경험하고 있음을 근거로 들면서, 특히 한국인 심성의 특징이라 할 수 있는 한(恨)에 대해서 선진 외국인다운 견해를 보였다.

"한(恨)은 집단적 경험으로 인한 심리현상으로 분노와 무력감이 승화하여 수동적인 원한처럼 남아있는 현상"으로 다수 한국인들이 자신이 불행하다고 생각하는 이유는 성공을 거두지 못했기 때문인데 이를 극복하려면 성공하는 길을 다변화하고 서열을 자존심과 분리시켜야 한다고 조언하고 있다.

이러한 지적과 조언을 하고 있는 브린이 사상적으로 좌, 우가 분열하여 충돌하고 있는 한국사회에서 평등사회를 꿈꾸는 자들이 성공하지 못하는 이유를 정부의 탓, 남의 탓으로, 성공한 자와 가진 자의 탓으로 돌리면서 분노와 증오심, 원한과 적개심을 의도적으로 부추기고 있는 것과도 관계가 있음을 알고 있는지는 의문이다. 그는 우리가 듣기 거북한 한국인에 대한 비판에도 주저함이 없고 부인하기도 어렵다.

"매일 같이 신문에 보도되는 기사로 볼 때 부패는 고질적이며, 한국인은 자신보다 못하고 맞서 싸울 능력이 없다는 사람들에게 놀라울 정도로 비열해질 수 있으며, 한국인들은 선천적으로 객관적 진실과 올바름보다는 인간관계의 조화를 추구한다. 한국은 1970년대 세계적으로 소득 대비 교육수준이 가장 높은 국가가 되었으나 공중도덕 면에서 높은 점수를 주기 어렵고, 지식인들은 민족주의와 정체성에 대한 강렬한 집착은 있을지 몰라도 나라를 사랑하는 마음은 없다.”

특히 한국인의 역사 공부, 역사 인식에 대한 그의 관찰은 날카롭고 의미심장하며 우리가 말하지 않았던 것, 말하지 않고 있는 것들을 솔직하게 말하고 있다.

“한국인은 민족주의 성향이 강하다는 사실은 매우 잘 알려져 있다. 이것은 한 핏줄에 대한 믿음, 피해의식, 자신감 결핍에서 나오는 현상이다. 한국인들은 서구인들과 달리 역사 전개 과정보다 결과적 사실만을 배우며 자국의 역사를 생각하는 시간이 많지 않다. 한국인은 외국에 나가서는 그곳의 어두운 역사를 즐길지라도 자국의 관광 상품에서는 어두운 역사를 회피한다. 서구인들은 야생 다큐멘터리를 적자생존이라는 진화론에 근거를 두기 때문에 동물이 살아남고 번식하기 위해 어떤 과정을 밟는가를 체계 있게 관찰하고 분석하여 정보를 종합하는 것처럼 역사도 같은 방법으로 바라본다. 이 사회는 어떻게 시작되었는가? 어떻게 발전했는가? 몰락한 이유는? 우리는 인류사회를 시대별로 살펴보고 문화가 꽃피고 변하면서 공예품, 음악, 기타 증거로부터 얻은 정보를 모아서 살펴본다. 그러나 한국인은 이런 이론을 배우지 않는다. 사실만을 배운다. 역사적 사실은 민족주의적 긍지의 관점에서 중요하다. 의문을 제기하고 분석하는 것은 적절치 않게 여겨진다. 실제로 대학에서조차 수업시간에 의문을 제기하는 것이 교사에 대한 도전이자 모욕으로 간주된다. 서양의 역사에서는 고통스러운 추억과 승리의 기억 모두가 분류되고, 중요도가 부여되고, 토의되고, 이론을 뒷받침하는 증거로 사용되며, 이런 방식을 통해 기억된다. 한국에서는 세부사항은 사라지고 일화에 의해서 촉발되는 기억만 남는다.”

한국은 근현대사 서술을 두고 정부가 바뀔 때마다 시비가 되거나 바뀌는 나라다. 승리의 역사는 과장되고 패배와 치욕의 역사는 감춰지거나 축소된다. 한국은 현재 통일된 역사 교과서가 없다. 견해가 다르고 기록이 부실하고 흔적도 부족하며 연구가 부족했기 때문이지만 체계적이고 일관된 연구가 불가능했기 때문이다. 브린은 한국 역사학자들과 달리 신라 역사를 높이 평가하고 조선왕조 역사에 대해서는 어떤 한국의 사학자보다 신랄했으며, 망국 당시 한국인이 보였던 무기력함을 조롱하듯이 비판했다.

"675년, 나당전쟁이 끝난 후 통일신라시대는 당시 암흑시대 유럽의 어느 나라보다 앞선 문명국가였으며, 최초로 독특한 한국문화를 창출한 왕조였다. …성리학이 조선인으로 하여금 순종, 순수를 강조하는 방향으로 개조시킴으로써 조선은 '동아시아 역사상 가장 교조적인 성리학 왕조'로서 백성의 나라가 아니라 왕실의 나라였다. 백성은 군역(軍役), 노역, 납세와 수탈의 대상이었으므로 국가에 대한 충성심도 확고하지 못했다. 평범한 한국인들이 민족이라는 개념을 미화하게 된 것은 20세기에 접어들면서다. 임진왜란 당시 실제로 일본 침략군을 저지한 결정적 요인이 거북선이 아니라 중국 명나라 개입이었을 가능성이 크다. 시어도어 루즈벨트(Theodore Roosevelt)가 러일전쟁의 포츠머스 조약 중재를 통해 한국을 일본의 영향권에 둠으로써 일본의 보호국이 되었을 때, 독립을 잃는 과정에서 아무런 투쟁도 없었다. 1919년 3·1 운동 당시 왕실의 모습은 어디에서도 찾아볼 수 없었다. 우리는 여기서 조선민족이 얼마나 겁이 많았고 지배자들은 얼마나 비겁했는가를 알 수 있다."

춘원이 민족개조론에서 조선인의 항일 투쟁이 어떤 수준에 있었던가를 말했던 것처럼 브린 역시 유사한 견해를 서술하고 있다.

"소수의 부역자를 제외하면 민족적 저항이 있었다는 허상을 뒷받침하기 위해서 민족주의자들은 중국을 비롯하여 해외에서 벌어진 독립운동을 민족적 저항의 증표로 간주하려고 한다. 그러나 이런 설명은 별로 설득력이 없다. 많은 독립운동 단체가 파벌적 내분에 빠져들었으며, 독립운동을 전체로 보아도 일본의 지배를 끝장내고 나라를 해방시키는 데 크게 기여하지 못했기 때문이다."

우리를 부끄럽게 하는 비판이지만 부정할 수 없는 진실이다. 특히 2019년은 현 정부가 임정 100주년, 건국 100주년이라는 의미를 부여하면서 1948년 대한민국 건국을 없었던 일처럼 각색을 했고, 방송과 신문은 애국인사들의 이야기를 끊임없이 쏟아내고 있어 마치 민족 모두가 항일독립투쟁을 한 것 같은 착각을 불러일으키고 있다.

2019년 6월 6일, 현충일 추념사에서 대통령은 공산주의자로서 의열단, 조선의용대를 조직하여 중국에서 항일투쟁을 했고 해방 후 북한에서 개국공신 반열에 올랐던 김원봉을 추켜세우면서 "통합된 광복군이 대한민국 국군의 창설 뿌리가 되고 나아가 한미동맹의 토대가 됐다."고 그를 미화하고 대한민국 역사를 왜곡하면서 국군을 모독했다.

우리가 항일 애국지사들의 노력과 희생을 존중하고 기억해야 하지만 없었던 사실을 가미하여 미화하고 영웅화하는 것은 오히려 그들을 욕되게 하는 행위다. 해방 직전까지 중국에 머물렀던 광복군은 총 한 방도 쏜 적이 없었고, 해방은 우리의 힘으로 된 것이 아니라 미국을 주축으로 한 연합군이 일본을 패망시킨 결과로 주어졌을 뿐이다.

이명박 정부가 1948년 8월 15일을 건국일로 정하고자 했을 때 광복회는 이를 반대하면서 광복절을 고집함으로써 무산된 적이 있다.

대한민국 건국을 부정하고 대한민국을 임정의 연장선상에 두려는 것은 역사적 사실을 외면한 떳떳하지도, 정직하지도 못한 발상이다. 제2차 세계대전 당시 런던에 자유망명정부를 세우고 프랑스 내 레지스탕스를 뒷받침했던 드골이 프랑스를 승전국 위치에 올려놓기까지 했으나 귀환 후 어떤 기득권도 요구하지 않았던 것과는 좋은 비교가 된다.

이처럼 한국인은 역사를 쉽게 과장하고 왜곡하는 아주 나쁜 속성을 지금도 버리지 못하고 있다. 심지어 앞서간 정부가 국민의 땀과 혈세로 이루어놓은 것을 다음 정부가 깨부수는 것이 한국의 정치인들이자 지식인들이며, 어떤 경우에도 앞서간 자들의 공을 인정하지 않으려고 몸부림치는 것이 그들이다.

민족주의 성향이 강한 학자들은 조선조 말에 이미 자본주의 맹아가 싹트기 시작했다고 뻥튀기를 하고, 일본 식민지 시대 조선의 근대화가 시작됐다고 하는 '식민지 근대화론'을 주장하는 학자들을 친일사관을 지녔다고 비판하는 위선적 행태를 서슴지 않고 있다.

그러나 춘원이 말했던 것처럼 조선왕조가 남겨놓은 것은 아무 것도 없었고 있었다면 헐벗은 강산과 가난과 수탈에 익숙한 백성들뿐이었음을 뒤돌아보고 다시 생각해 볼 때, 브린의 주장을 반박하기는 더욱 어렵다.

"일본의 통치 하에서 한국이 근대화된 것을 지적하기는 어렵지 않다. 그러나 한국인 스스로 근대화를 이룰 수 있었다고 주장하기는 어렵다."

북한을 허풍쟁이라고 했던 브린의 말처럼 한국 역시 허풍쟁이라고 해야 하지 않을까 하는 생각이 날이 갈수록 깊어지는 것이 현실이다.

그는 또 한국인들의 '분열적 성향'이 민족 분단의 한 요인으로 작용했다고 했다. 해방 정국에서 민족주의자들(남한)은 신탁통치를 반대했고 공산주의자들(북한)은 UN 감시 하의 총선거를 반대했다.

"지도자들은 협력할 줄 몰랐다. 파벌주의에 물든 한국인들은 미군정 하의 남한에서 50개가 넘는 정당을 만들게 했다. 이러한 분열적 성향은 민족 분단의 한 요인이 되었다."

그가 한국이 지난날의 성취를 완성하고 선진국이 되기 위해 반드시 극복해야 할 과제들이 있음을 상기시키기 전에 한국인들이 이룩해낸 위업에 대해서 새삼스럽게 강조하고 있는 이유는 한국인 스스로 자신들의 성취에 대해 올바르게 인식하지 못함으로써 앞으로 더 나아가지 못하고 있다고 판단했기 때문인 것 같다.

그는 성취를 말하기 전에 새삼스럽게 성취 이전의 한국 현실을 잔인할 정도로 묘사하고 있다. 한국전쟁 당시 영국 특파원 제임스 카메론(James Cameron, 훗날 유명작가)이 여름날 황폐화된 한국의 첫인상을 "분뇨의 악취가 너무 지독해서 다른 모든 감각의 배경으로 남아 있다. 가난한 나라가 처음은 아니었지만 이같이 처참한 곳을 본 적은 없었다."고 썼다. 그는 영국인의 목숨을 희생할 가치가 없다고 생각했고 그 후 다시는 한국을 방문하지 않았다.

1948년 남한의 국민 1인당 소득은 86달러로, 아프리카 수단 수준에 머물렀고 1960년 초까지 해마다 사람이 굶어 죽었다. 그러나 지금은 과거의 한국이 아니라 불가사의에 가까운 경제 발전이 세계인들을 놀라게 하고 인정케 했다면서 신흥 산업국 전문가인 루치르 샤르마(Ruchir Sharma)의 글과 작가 마크 클리포드(Mark Clifford), 미국의 정치경제학자인 프랜시스 후쿠야마(Francis Fukuyama)의 글을 인용했다.

1965년의 고속도로 개통식. 1968년에 준공된 경인고속도로 현장으로 보인다.

"인류 역사상 50년 동안 5% 이상 성장을 지속할 수 있었던 국가는 한국, 타이완뿐이다. 금메달을 공동으로 받을 만하다. …이러한 위업의 바탕은 일본과 미국의 도움, 박정희 대통령의 지도력, 국민들의 필사적 노력의 결과다."(루치르 샤르마)

박정희 대통령을 '경제전사'로 표현한 마크 클리포드도 찬사를 아끼지 않았다.

"박정희는 근대사회에서 유례를 찾기 힘든 국가 건설자였다. 아타튀르크, 나세르, 레닌 같이 더 잘 알려진 국가 건설자 중에 그 누구도 박정희보다 더 튼튼하고 번영하는 나라를 건설한 사람은 없다."

프랜시스 후쿠야마는 한국 발전 모델을 특수한 예라고 하였다.

"한국은 변칙적 사례다. 한국의 사례는 …단호하고 유능한 국가 권력이 어떻게 산업구조를 결정하고 오래된 문화적 성향을 극복할 수 있었는지를 보여준다."

브린은 한때 게으름으로 유명했던 한국인들은 기회와 압력, 박정희의 당근과 채찍에 의해서 놀랍도록 열심히 일하는 사람들로 변했고, 한국의 성공 스토리는 한국만의 성공 스토리가 아니라 세계사의 성공 스토리라고 높게 평가하면서도 한국인들의 의식 속에 잠재하고 있는 반(反)자본주의 및 반미(反美) 정서라는 어두운 그림자를 놓치지 않았다.

"한국은 표면적으로는 자본주의 국가였지만 강력한 중앙정부의 통제력을 수용한 면에서 사회주의 국가였다."

"북한은 노동자의 천국, 이상사회를 건설했다는 거짓말 위에 존재한다. 한국인은 마음속으로 정통성의 우위를 주장하는 북한 주장을 인정한다. …미국에 예속되었다고 생각하기 때문이다. …북한은 전쟁 중에는 중국의 구원을, 전후에는 소련의 지원으로 국가를 재건했다."

이러한 현상은 한국인들이 얼마나 이중적인 의식구조를 갖고 있는가를 의미한다. 브린이 말하듯이 한국의 성공 스토리는 미국의 성공 스토리이고 미국과 일본의 도움으로 성공할 수 있었다는 것을 부인할 수 없다. 그러나 한국인들은 공개적으로 이러한 역사적 진실을 말하기를 꺼려하고 있을 뿐 아니라 일본과는 과거사(위안부, 강제 징용) 문제를 두고 충돌하면서 경제적 보복을 자초하고 있다.

그가 또 성공에 가려진 한국사회의 주요 모순들 중 교육 문제, 지식인들의 허위의식 문제, 저생산성, 민주주의를 가로막고 있는 문제들을 강조한 부분에서 우리가 참고하고 배워야 할 것들이 적지 않음을 확인할 수 있다. 한국은 아이들을 훌륭한 시민으로 만들려는 생각보다 학력과 자격을 취득하는 방향으로 몰고 간다.

"한국의 젊은이들이 학교에서 인생에 대하여 배우는 내용 중에는 우리가 납득하기 어려운 것이 적지 않다. 예를 들면 세상에서 성공하는 길은 하나뿐이라는 생각 같은 것이다. 한국의 문화는 다양성을 중시하거나 이상적으로 생각하는 문화가 아니다. 한국인은 한 마음, 하나의 국민, 한 가지 시스템, 한 민족, 하나의 길, 통일성에서 미덕을 본다. …한국 교육은 교과서에 있는 것, 시험에 나오는 것이 전부다. 삶의 경험, 비판적 사고, 창조성에 대해서는 거의 관심이 없다."

조선왕조 500년 동안 구축된 유교문화와 전통이 남긴 폐단은 감투를 좋아한 것(과거 급제, 관직 진출, 입신양명), 생산 활동을 천시한 것, 성리학에 몰입함으로써 명분주의와 허위의식을 조장토록 한 것이다. 특히 명분주의와 허위의식은 조선을 망하게 한 원인 중의 원인으로 작용했고 이 폐단은 지금까지 고쳐지지 않고 있다. 특히 지식인들이 심하다. 브린은 자신의 경험을 진솔하게 털어놓았다.

"나는 하버드에서 박사학위를 취득했다고 주장하는 한 일류대학의 종교학 교수를 알고 있다. 우연히 알게 된 사실인데 하버드에서 같이 공부했던 미국인이 그녀가 실제로 졸업하지 못했으며, 최하위상(booby prize, 꼴찌 상)을 받았다고 했다. 또 한 친구의 부인은 남편이 다니던 유럽 대학에서 공부했다고 주장했지만 사실은 로맨틱한 주말을 보내기 위해서 그를 방문했던 것뿐이다."

불행하게도 한국사회가 명문대학에 대한 미신과 같은 환상을 갖고 있는 것도 허위의식과 무관하지 않다. 하버드대학교, 서울대학교만 나오면 제일 잘 났다고 자만하고 그들의 말과 글이면 모두가 사실이며 진리인 것처럼 착각하는 것이 일반 대중이다. 그러나 그러한 배경을 지닌 지식인들이 교단에서, 정부에서, 정치무대에서 얼마나 존경받고 신뢰받아 왔는지를 뒤돌아보면 그들에 대한 과대평가가 얼마나 허망하고 거짓된 것인지 느끼지 않는 국민은 드물다. 명문학교를 존중하고 아껴야 하는 것은 당연하지만 그릇된 허위의식이 착각을 일으키게 하는 것은 조심해야 한다.

"한국인들이 비즈니스 측면에서 가장 절실하게 개선해야 할 점은 생산성이다. 한국인의 시간당 생산성은 OECD 평균치인 44.56달러에 비해서 29.75달러에 불과하다."

한국 민주주의가 안고 있는 결정적 문제점은 폭민(暴民)주의를 민주주의로 착각하는 데 있으므로 올바른 민주주의를 지향하려면 이것을 반드시 고쳐야 한다는 그의 충고를 깊이 명심할 필요가 있다.

"그들은 '폭민(暴民)'을 '국민'이라고 보며 국민의 뜻에 응하는 것이 민주주의 요체라고 생각한다. 한국에는 어떤 쟁점에 대한 대중의 정서가 특정한 임계질량에 이르면 앞으로 뛰쳐나와 모든 의사결정과정에 압도적인 영향을 행사하는 '야수'로 변한다. 한국인들은 이 '야수'를 '민심'이라고 부른다."

그가 말한 폭민과 민심이란 박근혜 대통령 탄핵을 요구하던 촛불군중과 이것을 국민 여론이라 하여 헌재의 전원일치 합헌 판정을 당연한 것으로 받아들였던 현상을 두고 한 말이다. 이것은 대의민주주의 종주국이자 정치 선진국인 영국 출신 지식인의 견해로서 많은 의미를 함축하고 있는 무거운 충고다.

이것은 브린이 협의 민주주의, 참여 민주주의와 같은 현란한 언어로 대의민주주의 체제를 무너뜨리고자 하는 좌파들의 위험한 술책을 꿰뚫어보고 하는 충고다.

최근 박원순 서울시장이 '시민민주주의위원회'를 구성하여 예산 심의에 참여시킬 것을 시의회에 요구하고 시의회 의원 다수가 이를 수용했다는 보도는 보통 심각한 것이 아니다. 그의 발상은 좋게 말해서 직접 민주주의를 하자는 것이고, 솔직하게 말하면 인민 민주주의의 길로 가자는 것이다. 국민이 이것을 수용하려면 개헌을 통하여 대의민주주의 체제를 포기해야만 가능하다. 그런데도 우파 정당으로 자처하는 자유한국당은 관심조차 보이지 않고 있다.

한국의 정치인, 언론, 지식인 그 어느 누구도 브린처럼 말하거나 글을 쓴 적이 없다. 선출되지 않은 임의의 시민위원회를 만들어 기존의 의회를 포위하자는 것은 인민 민주주의를 꿈꾸는 급진 좌파들의 고전적 수법이다. 미숙하고 불안정한 대의민주주의 체제를 최소한 정상적 수준으로 정착시키고, 결과 못지않게 절차와 과정을 중시하는 성숙된 정치문화를 만들어 가면서 법치주의를 선진국 수준으로 끌어올려야 하는 것이 국가적 과제임에도 불구하고 정서가 이성을 압도하고 국민정서가 정의로 착각되는 한 한국의 민주주의 발전은 영원히 불가능하다.

정서를 조작하고 확산시켜 여론으로 둔갑시키는 주체는 정치인, 언론인, 지식인, 정치적 성향을 띤 단체들, 심지어 수사기관과 재판관들이고, 대중은 현혹되어 덩달아 맞장구를 치는 현상이 날이 갈수록 심해지고 있다. 탄핵 정국 당시 이 땅의 지성으로 자처하는 도올 김용옥이 외쳤던 것을 기억할 필요가 있다.

"민중의 함성이 정의다."

전봉준이 환생하지 않고서는 상상하기 어려운 민중 선동이다.

브린은 한국 정치 지도자들에 대해서도 지극히 냉소적이다. 소위 민주화투쟁에 앞장섰던 지도자들은 민주주의 발전에 공을 남기지 않았다고 하면서 그 이유를 말했다.

"한국의 대통령들은 자신들이 무엇을 어떻게 해야 되는지를 몰랐을 뿐 아니라 지도자로서 갖추어야 할 직관과 전략적 감각이 부족했고 자신을 보좌할 뛰어난 사람들을 선택할 줄 몰랐다. 한국 지도자들은 국민들에게 피, 고통, 눈물과 땀을 요구하지 않았고 장기적 보상을 위한 단기적 희생을 수용하려고도 하지 않았다. 오직 달콤하고 공허한 약속만을 남발했다."

그가 주한 외신기자 시절 외신기자 오찬장에서 있었던 YS와 관계된 일화를 소개하면서 YS가 얼마나 단순하고 생각이 얕은 지도자였는가를 회상했다.

오찬에 참석했던 어느 기자가 "당신이 대통령이 되면 어떤 민주적 개혁조치를 취할 것인가?"라고 질문했을 때, YS는 "내가 당선되면 한국은 민주주의가 될 것입니다."라고 대답했다.

브린이 본 YS는 '자신이 모르는 일은 중요하지 않다는 소신'의 소유자였으며, '자신이 곧 한국 민주주의'라는 확신을 지닌 정치 지도자였다. 그는 "일본의 버르장머리를 고쳐놓겠다."고 호언했다가 오히려 뒤통수를 맞아 외환위기를 초래하고 떠났다. DJ는 "당선되면 3년 안에 국가경제를 회복시키겠다."고 했고, MB는 '7-4-7'이라는 대선공약을 했으나 실현되지 않았다. 브린은 한국 정치의 앞날과 법치에 대해서도 지극히 비관적인 입장을 드러냈다.

"민주주의 발전 과제는 정당정치 개선이다. 현 시점에서 많은 여당 인사들이 1980년대 학생 및 노동 운동권 출신인데 그들에게는 완고한 독선주의자라는 두드러진 약점이 있다. 모든 정당들은 파벌을 형성하려는 보스들 때문에 파벌주의로 약화되고 있다."

조선조 말, 고종과 민비, 대원군이 오직 자기들의 배와 호주머니를 채우면서 백성들을 방치하고 나라 문을 걸어 잠근 채 파당(派黨)을 지어 서로 물어뜯던 모습을 연상하지 않을 수 없게 하는 지적이다.

"민주주의는 계획에 맞추어 전개되지 않는다. 정치가 마치 독한 술에 취한 것처럼 휘청거리지만 책임지는 사람은 없다. 한국이 나라로서 잘 되기보다는 정치인들 입에 맞는 나라가 되고 말 것이라는 생각이 들기도 한다. 한국의 정치는 경제에 걸맞지 않게 뒤처져 있다. 그들은 자신이 뭘 하고 있는지 모른다."

한국은 법치(法治) 국가가 아니라 인치(人治) 국가임을 송상현 전 국제형사재판소 소장의 말을 인용하여 설명했다.

"한국은 서명하고 비준한 조약으로 보면 서유럽 국가처럼 보인다. 한국의 법체계는 일본화한 독일 법에 기초하고 있다. 결과적으로 권력을 가진 사람들이 정의하는 대로 법이 시행되는 경우가 많다."

한국 국민이 법의 보호를 받고 있다고 한다면 거짓말이다. 권력을 차지하고 있는 자들이 자신들의 정치적 목적을 위해서라면 헌법에 금지된 '소급입법'을 예사로 만들고, 정의라는 허울 아래 정치보복을 서슴지 않으며, 필요할 때마다 '특별법'을 만들어 정치적 목적을 이루어낸다. 경찰, 검사, 판사를 믿는 국민은 드물다. 무리한 압수수색, 무제한 별건 수사, 큰 사건 수사 때마다 목숨을 끊는 피의자들이 끊이질 않는다. 언론은 때로 맞장구를 쳐주고 국민은 멀뚱멀뚱하다. 헌법 정신, 법치 정신이란 한갓 장식물에 불과하다.

헌법 자체에 결함이 많고 법률 체계는 자유주의 체제 바탕이 되는 개인주의에 반(反)하는 국가주의 체계라는 근원적 한계를 지니고 있을 뿐만 아니라, 권위주의 정치문화가 강한 국가 속성 때문에 검찰, 경찰은 권력의 도구로 전락해왔고 이제 정치화되고 이념화된 사법부조차 권력 주체가 바라는 정치적 판결, 이념적 판결을 서슴지 않고 있다.

민주주의란 곧 법치주의다. 한국의 민주주의 수준이 후진국 수준이고 법치주의가 무늬만 법치주의일 뿐 인치주의에 머물고 있는 한 한국의 정치 발전은 요원할 뿐 아니라 불가능할 수도 있다.

정치가 들쑥날쑥하고 법치가 제대로 시행되지 않는 사회에서 장기 계획을 세우기 어렵다는 브린의 말은 정부, 기업, 개인 모두에게 해당되는 말이다.

"한국에서 장기 계획은 어렵다. '토지 이용 10개년 계획'을 제외하고 5년 이상을 내다보는 계획이 존재하지 않는다. 북한과 관련된 계획조차도 5년 이상을 내다보는 계획이 없는데, 이는 그 자체로서도 놀라운 실패다."

이러한 현상은 실패 수준을 넘어서 한국 정치인들의 잔인성을 뜻한다. 5년 한시적 정권이 물러나면 다음 정권이 전 정권의 정책을 백지화하거나 심지어 그 정책을 적폐로 몰아 누가 그런 정책을 입안하고 결정했는지를 수사하여 책임자들과 관계자들을 감옥으로 보낼 뿐만 아니라 이미 국민의 세금으로 건설해 놓은 구조물을 때려 부수기까지 한다.

국가적 장기 계획이 불가능하고 정권마다 정책이 바뀌는 환경 하에서 기업이 장기투자 계획을 세운다는 것은 더욱 불가능할 뿐 아니라, 정권에 잘못 보이면 자칫 패가망신할 수도 있다고 생각하게 만들고 있다. 최근 대한상공회의소 소장이 "제발 정치가 경제를 놓아 달라."고 애원하다시피 한 것은 상황이 그만큼 심각하고 절박하다는 것을 의미한다.

브린은 또 한국이 제조업 산업에서 서비스·첨단산업으로 가는 과정에서 경제발전을 저해하는 결정적 요소를 정치적 리더십이 결여되었기 때문이라고 하였다.

"생산자의 나라라는, 수출에 집중하던 시절의 유산을 완전히 해결하지 못한 리더십의 무능력 때문이다. 현재 한국 정부는 소비자를 위한 노조 책임자와 같다. 정치인과 관료들이 갈등을 중재하고 문제를 완화시키며 대중을 선도할 능력이 없기 때문이다."

미래 산업의 하나인 서비스 산업에서 가장 큰 잠재력이 있는 분야가 의료 산업이다. 외국인 환자들이 몰려오고 있음에도 이를 유치하기 위한 영리병원 허가는 불가능하다. 의사들이 첨단 의료기기를 구입하고 더 많은 의사를 고용할 수 있도록 의료수가(醫療酬價)가 인상되기를 바라지만 정부는 'NO'다.

브린은 중소기업 발전을 가로막고 있는 '파산법'을 가혹한 악법이라고 하였다. 한 번 망하면 다시는 일어서지 못하게 하고 자유자본주의, 자유시장의 운영 원리인 위험 감수(risk-taking), 새로운 시작(begin-again)을 철저히 무시하는 악법이라고 하였다. 과연 우리 정치인들, 관료들이 이러한 문제에 대해 얼마나 알고 있을까? 모르고 있을 가능성이 훨씬 크다.

한국사회는 인간관계와 신뢰성 면에서도 후진성을 면하지 못하고 있음을 지적하였다.

"기독교 대중화에도 불구하고 삶의 현실을 지배하는 생각은 보이지 않는 신과의 관계보다는 다른 사람들과의 관계에서 나온다."

이 경우 이해관계가 끼어들게 되면 정상적 인간관계 유지는 불가능하게 되고 사회 전체가 불안정하게 되어 낙하산 줄을 잡아야 한 자리씩 꿰차거나 자신의 이익을 지킬 수 있게 된다. 이것은 능력이 아니라 요행이, 실력이 아니라 연줄이 삶의 성패를 좌우하는 것을 뜻한다. 권력자와 권력집단은 이러한 생태계를 이용해 파당을 만들고 자리를 지켜낸다.

혈연, 지연, 학연, 기타 인연이 결정적으로 작용하는 한국인의 연고주의는 고질병 중의 고질병이다. 이런 환경에서 신뢰나 정의란 허구에 불과하다.

"기업들은 대학, 연구기관, 컨설턴트 같은 외부자는 말할 것도 없고 자사의 직원도 믿지 않는다."

한국은 인간사회에서만 그런 것이 아니다. 국가와 국가 간에도 신뢰성이 없는 나라로 알려진 국가다. 실력보다 연고주의가, 신뢰성보다 요령이 삶을 좌우하는 사회의 젊은이들은 희망을 갖기보단 좌절할 가능성이 훨씬 높다. 한국인의 자살률이 OECD 국가 중 가장 높은 것도 결코 우연한 것이 아니다.

한국의 발전 단계를 1막 산업화, 2막 민주화, 3막 문화로 구분한 브린은 최종 단계인 문화가 국제사회에서 한국인의 위상을 결정하게 될 것이라고 하였다.

"한국인은 항상 자신들이 독특하다고 말했지만 고유한 언어 외에는 어떤 측면에서 독특한지 알지 못했다."

그는 특히 대중음악 산업, 영화 산업을 비롯하여 패션, 미용, 디자인 같은 분야의 발전 가능성을 높이 평가하면서도 소설(小說) 분

전 세계적 팬덤을 형성하고 있는 방탄소년단(BTS)

야가 이제 겨우 실험 단계를 통과하고 있는 이유를 현대 서구 소설의 수준 높은 번역물을 접할 수 없었기 때문이라고 판단했는데 이는 우리 자신들이 깨닫지 못하고 있던 것들이다.

그는 한국의 대중음악 산업과 영화 산업을 예로 들었다. 1992년 스무 살의 서태지가 락(Rock)과 전통음악, 랩(rap)을 혼합함으로써 신호탄을 쏘아올린 이래 2006년 보아가 케이팝(K-POP) 아티스트로서 최초로 일본 가요차트 정상을 차지한 것을 비롯하여 2009년 음악 수출 3,100만 달러 이후 매 5년마다 60%가 증가하고 있으며, 파리의 택시 운전기사가 싸이의 〈강남스타일〉을 흥겹게 부르고 있는 가하면, 2019년 5월 방탄소년단(BTS)이 1964년 2월, 미국 '에드 설리번 쇼'에서 비틀즈(the Beatles)가 데뷔했던 바로 그 무대에서 50년이 더 지나 바가지 머리를 하고 노래를 불러 청중들의 뜨거운 호응을 받았다. 그들은 비틀즈와 비슷한 옷차림으로 비틀즈처럼 휩쓸고 있는 자신들의 신곡 '작은 것들을 위한 시(Boy with luv)'를 불러 폭발적 인기를 끌었고 미국 CNN 방송은 "이렇게 거대한 팬덤은 비틀즈 이후 처음"이라는 찬사를 보냈다.

그러나 방탄소년단들은 말했다.

"하지만 우린 BTS지 비틀즈가 아니다."

영화 산업 면에서도 2000년 이후 국제무대에 진출하여 최루성, 직설적 표현 면에서 뛰어나다는 평가를 받고 있다.

브린이 "한국인은 문화적 소통이 매우 미약하다. 우리 한국인은 한국문화의 가치를 충분히 인식하지 못한다."는 MB 정부 시절 한국관광공사 사장을 역임했던 이참의 말을 인용하면서 신라문화를 높게 평가한 것은 놀랍다.

"800년에 경주는 세계에서 가장 큰 네 도시 중 하나였다. 불교 중심지였으며 세계와 교역하는 도시였다. 대단히 세련된 예술도 있었다. 그러나 그들은 이런 사실을 높이 평가하지 않았다."

오늘날 남한사회에서 신라의 역사는 괄시를 받고 있고 북한에서는 무시당하고 있다.

당나라의 힘을 빌려 고구려, 백제를 멸망시켰다는 것이 그 이유다. 우리는 솔직해질 필요가 있다. 고구려는 내부 분열로 무너지게 되어 있었고 백제 역시 신라를 상대하기에는 역부족이었다. 신라가 약했던 시기에 고구려, 백제는 끊임없이 신라를 괴롭혔다. 외부세력과 연합하여 자신을 지키고 적대세력을 제거하는 것은 고금을 막론한 국제사회의 생존법칙이다.

신라가 당의 힘을 빌려 고구려, 백제를 멸망시킨 후 잔류하려던 당나라군을 무력으로 몰아낸 자주 왕조였음을 고려할 때, 고구려 역사에 정통성을 부여하면서 신라 역사를 무시하거나 깎아내리는 것은 역사에 대한 오해이자 왜곡이다. 자신조차 지켜낼 수 없었던 고구려가 어떻게 민족 역사의 정통성을 대표할 수 있겠는가. 사상이 있었고 경제가 있었고 군사력과 문화가 있었고 지도력이 뛰어났던 왕조는 우리 역사상 통일신라가 유일하다.

브린은 편견이나 정치적 이해관계가 없는 외국 지식인이었기 때문에 신라 문화를 높게 평가할 수 있었을 것이다.

브린은 성공적인 '서울 국제올림픽대회'가 있었던 1988년을 시점으로 앞으로 40년(2028년) 동안 경제적으로 선진국이 되고 민주주의 역량을 강화하면서 문화가 세계적으로 인정받는 성숙된 국가, 통일국가가 되기 위해서는 새로운 세대 등장과 강력한 지도력 발휘가 필요함을 강조하면서 이들이 극복해야 할 당면과제를 반복, 강조하는 것으로 책을 마무리했다.

"이제 한국에는 국민 대다수가 원하거나 옳다고 믿는 것이라도 때로는 거스를 수 있을 정도로 강한 지도자가 필요하다. 안정된 민주주의는 대의제도와 법치에 기반을 둔다는 것을 이해하는 지도자가 필요하다."

이렇게 이야기한 것은 이러한 자질을 갖춘 지도자만이 '국민정서가 신(神)'이라는 미신을 타파하고 요동치는 민주주의를 안정시킬 수 있으며, 칼춤을 추는 법치주의를 순치시킬 수 있음을 암시하고 있다. 그러나 1970년대, 1980년대 저항세력들이 완고한 독선주의자로 무대를 장악하고 있는 현 시점에서 대의민주주의 발전과 법치주의 확립이 어려울 것이므로 새로운 세대의 등장을 기다려야 한다는 견해를 피력했다.

"한국의 민주주의가 국민정서와의 로망스에서 벗어나는 것을 보려면 새로운 세대를 기다려야 할지도 모른다."

한국은 지금 새로운 리더십과 새로운 세대 등장이 절실하게 요구되는 시대에 직면하고 있는 것이 사실이다. 이것은 3김정치와 저항정치의 종식을 의미한다. 현재 정치무대를 장악하고 있는 인사들은 직·간접으로 3김의 후예들이자 저항세력의 아이콘들이다. 이들의 시대적 역할은 끝난 지 오래다.

반(反)독재 민주화 투쟁 시대는 1987년에 끝이 났고 반(反)시대적이며 반(反)역사적인 반일반미 민족자주 투쟁으로 대한민국을 접수하려는 세력들의 꿈은 결코 이루어질 수 없기 때문이다. 이들이 정치 무대를 장악하고 있는 한 한국의 발전은 불가능할 뿐 아니라 퇴보와 추락을 초래할 가능성이 크다. 이들은 벌써 탈피했어야 할 과거의 틀 속에 갇혀 넓은 세계를 살피고 먼 미래를 내다볼 수 있는 생각도, 능력도 없고 오직 권력과 세속적 이익에만 집착하는 좀비족에 가깝기 때문이다.

춘원의 〈민족개조론〉과 브린의 『한국, 한국인』을 하드 파워와 소프트 파워 면에서 비교하면 다음과 같다.

하드 파워 면에서 경제, 군사, 인프라는 세계적으로 인정받는 국가가 되었으나 정치와 법치 수준은 크게 달라진 것이 없는, 패거리정치, 보복정치, 인치에 젖어 있는 후진국 수준이다. 숙명처럼 여겨졌던 빈곤은 까마득한 과거사가 되었고 헐벗었던 강산은 푸른 강산으로 변했고 더럽고 악취 나는 거리는 더 이상 볼 수가 없다.

소프트 파워 면에서 교육은 대학교 졸업률에서 세계 제1위지만 정치·사회적 의식수준은 여전히 낮다. 특히 춘원이 〈민족개조론〉에서 개탄했던 정신세계는 크게 바뀌거나 달라진 것이 없다. 지도층의 도덕적 부패, 지식인들의 허위의식, 분열성, 거짓말, 비열성은 물론 신뢰성 부족과 책임성 부재는 오히려 심화된 면이 있고, 정적(政敵)에 대해서는 잔인하여 관대함이 없으며, 연고주의가 만연하여 젊은이들을 좌절케 만드는 원인으로 작용하고 민족적 배타성은 의도적으로 조장되고 있다. 미끼에 약한 탓으로 배반을 쉽게 하는 것도 달라진 것이 없을 뿐 아니라 심지어 권력자, 힘 있는 자들이 배반을 조장하기까지 한다.

춘원이 조선민족이 무지하고 가르침을 받지 않았던 탓으로 사상을 몰랐기 때문에 올바른 길로 나아가지 못하고 있으므로 교육계몽을 통하여 이를 해결해야 한다고 역설했지만 100여 년이 지난 지금도 우리 국민은 사상의 빈곤 현상을 벗어나지 못하고 있다. 가르치지 않았고 배우지 않았기 때문이다. 우리 국민은 무지하지 않지만 사상을 모르고 있기 때문에 개인은 우왕좌왕하거나 쉽게 부화뇌동(附和雷同)하고 국가는 시행착오를 반복하고 있다. 1922년 조선이 직면했던 가장 큰 문제는 빵의 빈곤 현상이었으나 100여 년이 지난 지금 한국이 직면하고 있는 가장 큰 문제는 사상의 빈곤 현상이다.

사상이 없는 인간은 생식력을 상실한 노새와 다를 바가 없다. 그러나 사상 빈곤 탈피는 빵 빈곤 탈피보다 더 긴 세월과 지속적인 노력이 요구된다. 빵의 빈곤 탈출엔 40년이 걸렸으나 사상의 빈곤 탈출은 더 긴 세월이 필요하고 지금 당장 시작한다고 했을 때 금세기 안에 해결된다면 성공이다. 일본은 견고한 사상의 바탕 위에 서 있는 정신적 선진국인 데 비해 한국은 모래성과도 같은 사상의 바탕 위에 있는 정신적 후진국임을 인정할 필요가 있지 않을까 싶다.

추락하는 한국

자유대한민국은 배타적 민족주의, 평등주의, 주체사회주의로부터 위협을 받아 반신불수 국가가 되어 추락하고 있다. 피와 땀으로 이룩해 놓은 물질적 기반도 흔들리고 우리의 정신적, 사상적 세계는 한없이 취약하다. 우리 사회는 도덕적 부패라는 중병을 앓고 있고 정치 지도자들의 국정관리 능력은 바닥을 드러낸 지 오래다. 잘난 체하는 지식인들은 심한 근시안의 소유자들이자 속물근성에 젖어 있는 기회주의자들이다. 젊은이들은 좌절하고, 열심히 살아가는 국민은 세금이라는 이름으로 수탈당하는 조선시대 백성들과 다를 바가 없고 우유를 제공해야 하는 젖소와 같은 존재다.

사람도, 기업도, 돈도 한국을 떠나고 있으며 동맹국과 우방국으로부터 신뢰를 상실해가는 대한민국은 바야흐로 내일의 잔인한 보복을 잉태해가고 있다. 1920년대 춘원 이광수가 보고 느꼈던 조선, 조선인과 2010년대 마이클 브린이 보고 느낀 한국, 한국인 간에 차이가 있다면 얼마나 큰 것일까?

가시적이고 물질적인 면에서는 기적에 가까운 변화와 성취를 이뤄냈으나 비(非)가시적이고 비(非)물질적인 면에서는 크게 달라진 것이 없다. 어떤 면에서는 더 나빠진 부분이 있다.

단결할 줄 모르고 분열하는 습성은 그때나 지금이나 같다. 항일세력은 민족주의 진영과 사회주의 진영으로 분열했고, 임정과 광복군이 있었다고 하나 국내에서는 총 한 번 쏘아보지 못하고 해방을 맞이했다. 민족은 또 다시 자유대한민국과 공산주의 북한으로 양분되고 남한에서는 좌·우로 분열하고 동·서로 분열하며 이익을 차지하기 위해 이합집산을 거듭하는 분열과 대립을 계속하고 있다.

남한의 정치인들, 지식인들이 통합과 화합을 부르짖을수록 분열과 갈등과 충돌은 오히려 증폭되어 왔고, 충돌 저변에는 좌절과 분노와 증오가 두텁게 쌓여가고 있다. 춘원이 조선민족은 단결할 줄 모른다고 개탄했던 것처럼 마이클 브린 역시 한국인들은 단결할 줄 모른다고 말했다.

단결을 민족적, 국민적, 시민적 차원으로 구분할 때 민족단결은 남과 북 어느 한쪽이 철저히 굴복하기 전까지는 불가능한 상태다. 국민단결이란 국가 체제가 떠받치고 있는 헌법적 가치, 즉 체제 사상을 공유할 때 가능한 것인데 지금은 사상과 가치를 두고 심한 분열과 충돌을 하면서 승패를 다투고 있어 타협이 불가능한 상태다. 시민단결은 국민이 공유하는 사상과 가치를 옹호하며 민주시민으로서 지켜야 할 덕목(virtue)을 고양하고 법과 질서를 존중할 때 이루어지는 것이지만 지금은 그렇지 못하고 떼를 지어 자신들의 이익을 위해 정서와 여론이라는 구실을 내세워 법 위에 군림하는 것을 정의라고 강변하는 현상이 날로 심해지고 있을 뿐 아니라 정치적 이해관계를 함께하는 권력자, 권력집단이 이들의 정서를 암암리에 조장하고 옹호하는 기막힌 현상이 일상화되어가고 있다.

오늘날 한국의 시민사회는 법은 허울뿐인 장식품에 불과하고 질서란 강자들의 논리일 뿐 시민사회의 정의와 일반시민들의 안전과는 무관한 것이 되어 가고 있다. 정치계가 분열하고 관료사회가 분열하고 교사·교수사회가 분열하고 지식인 사회가 분열하고 시민사회가 분열하고 노동계가 분열하고 지역과 계층 간 분열이 심화되고 심지어 독립적이어야 할 사법부마저 권력과 이념이 끼어들면서 분열하고 있다. 민족분단, 민족분열은 남과 북 체제가 지닌 사상의 차이에서 비롯된 것이고 남한사회에서의 분열 현상은 사상의 빈곤에서 비롯되고 있다.

따라서 사상의 차이를 극복하고 사상의 빈곤에서 벗어나지 못하는 한 민족통일은 불가능하고 남한 국민은 자유주의 사상이 내포하고 있는 보편적 가치를 공유할 수 없으며, 시민사회는 성숙될 수 없다. 이러한 국민과 시민사회는 단결은커녕 분열을 거듭할 수밖에 없다. 단결하지 못하고 분열하는 국민과 시민이 대의민주주의의 생명이 되는 절차와 사회질서 유지와 정의의 생명이 되는 법치를 존중하는 시민사회를 꾸려간다는 것은 불가능하다.

대한민국이 건국한 지 71년이 경과했지만 건국일 결정조차 합의를 하지 못하고 있고, 5,000년 역사를 자랑하는 문화민족인 것처럼 떠들면서도 역사 교과서 서술 내용을 두고 끝없는 다툼을 벌이고 있다. 이처럼 국민이 단결하지 못하고 시민사회가 분열을 계속하는 한 국가는 상승하기보다 추락할 가능성이 높다. 대한민국은 아직도 선진국 문턱을 넘지 못하고 있는 나라다.

한국인은 조선인처럼 지금도 신뢰성이 없어 서로가 서로를 믿지 못하는 국민이다. 국민은 정부를 믿지 못하고 정치인들을 믿지 못하며 관료들을 신뢰하지 않는다. 이들은 필요할 때마다 선동하고 여론을 조작하며 심지어 정부 통계까지 조작하거나 왜곡하여 발표한다. 이들은 국민에게 한 약속을 헌신짝처럼 저버리고 상습적으로 거짓말을 함으로써 국민을 기억상실증 환자처럼 대한다. 국민은 경찰과 검찰의 수사를 믿지 못하고 판사의 판결도 믿지 못한다.

앞서간 정부의 수사 내용과 판결을 믿을 수 없다는 이유로 다음에 들어선 정부가 수사와 재판을 다시 할 뿐 아니라 수십 년 전 대법원 판결까지 난 사건과 관련해서 집권세력이 받아들이기 어려운 부분을 다시 조사하기 위해 조사위를 구성하고 가짜 증인들을 동원하여 자신들이 원하는 결론을 받아내기 위해 여론을 조작한다. 심지어 하늘이 알고 땅이 알고 세계인들이 알고 있는 사건의 주인공을 가짜로 만들기 위해 정부가 조사위원회를 만들어 수년간 헛돈을 쓰고 시간을 낭비하는 곳이 대한민국이다.

국정 최고 책임자가 자기편이라고 생각하는 집단의 거듭된 불법 행위에 대해서는 침묵하고 자기편이 아닌 집단의 불법 행위에 대해서는 차갑게 반응하는 편파성을 보이면서도 조금도 부끄러워하지 않는다. 이들은 대중을 향하여 인심(人心)이 천심(天心)이고 민중의 함성이 정의라고 꼬드겨 대의민주주의를 능멸하고 합리적 비판과 이성적 판단을 쓸모없게 만들어 법치를 무용지물로 만드는 데 뛰어난 기술자들이다.

대학교수, 언론인과 같은 지식인들의 말과 글을 믿고 산다는 것은 큰 낭패를 예약하고 살아가는 것과 다름없는 곳이 한국사회다. 이들은 숙성되지 못한 지식과 천박한 생각으로 세상을 요리한다는 허영심으로 가득 차 있는 존재들이다. 학위논문 표절은 예사이고 자신들이 몸담고 있는 집단의 이익을 위해 진실을 왜곡하거나 날조하고 독자를 호도하는 데 어떠한 양심의 가책도 느끼지 않으면서 진실과 정의를 독차지하고 있는 것처럼 말하고 글을 쓴다. 당대의 권력자, 권력집단과 자신들과 생각을 함께하는 자들과 한패가 되어 테러에 가까운 말을 쏟아 내거나 글을 쓴다.

국민으로부터 시청료를 받아 운영하는 공영방송은 집권세력의 전리품처럼 다뤄지고 정부가 바뀔 때마다 나팔수가 되며, 자신들과 다른 입장, 다른 생각을 지닌 인사들에게는 어떤 경우에도 출연 기회를 주지 않음으로써 전체주의 국가의 선전도구 같은 행태를 드러낸다. 명문대 출신 간판과 연줄이 경쟁에서 유리한 조건이 되는 사회는 실력이나 신뢰는 상대적으로 중시되지 않는다. 이것은 우리가 간판, 연줄이라는 우상숭배 시대, 우상숭배 사회에서 살아가는 것을 의미한다.

우리 사회는 성직자(聖職者)들을 믿고 살기에도 어려운 사회다. 2003년 독신으로 살아가는 160여 명의 가톨릭교회 정의구현사제단이 KAL 858기 폭파범 김현희를 정부가 조작해낸 가짜 북한 공작원으로 만들기 위해 당시 정부의 비호 아래 지상파 방송들의 엄호를 받으면서 수년간 소동을 벌였고, 5.18 광주사태 당시 계엄군 헬기가 시민을 향해 사격을 가했다고 주장하여 시비를 일으킨 것도 그 지역 출신 신부였다. 하느님의 종으로 자처하는 신부들이 세상의 심판자인 양 예언적 사명 수행 운운하면서 위선을 떨었다. 국가 안보상 반드시 필요한 제주도 강정마을 해군기지 건설을 반대하고 지역 주민을 선동하는데 앞장 선 인사 역시 그 지역 최고위 가톨릭 신부였다.

오늘날 우리 사회는 개인과 개인 간에도 믿고 살아가기가 쉽지 않은 불신사회다. 물질적 여유가 늘어날수록, 사회가 개방되고 다양해질수록 불신 풍조가 깊어가는 현상은 정치인들, 관료들, 지식인들의 책임이 크다. 이들이 불신을 조장하고 불신의 모범을 보여 왔기 때문이다. 최고 권력자가 감투만 씌워주면 멀쩡하던 고위 관료나 지식인들은 하루아침에 권력자의 하수인(下手人)이 되어 어떤 거짓말도 주저하지 않는 일이 비일비재하고 심지어 통계 장난도 마다하지 않는다.

한국은 국제사회에서도 신뢰할 수 없는 국가로 낙인이 찍혀가고 있다. OECD 회원국가, GDP 12위 국가, 원조 국가, 선진국 진입을 바라보는 국가 위치에 있으면서 약속을 지키지 않는 국가, 신뢰할 수 없는 국가라는 오명을 뒤집어쓰는 것만큼 치욕적인 일은 없다. 가장 가까운 우방국인 일본 정부가 2019년 7월 1일, 한국의 세계 1위 산업인 반도체, 디스플레이 제품에 필수적인 핵심 소재 3가지를 7월 4일부터 수출 규제를 강화하겠다고 발표했다. 이것은 건국 이래 한·일 간에 있어본 적이 없는 초유의 사태다.

우리 정부는 경제보복임을 강조하면서 WTO에 제소하고 나섰다. 일본은 G-7 회원국, 경제대국, 기술 강국, 잠재적 군사강국, 문화강국으로서 국제사회가 인정하는 선진국이다. 7월 3일, 일본기자클럽이 주최한 '당수 공개토론회'에서 "역사 인식의 문제를 통상정책과 엮는 것은 트럼프 미국 대통령이 하는 방식이 아니냐?"는 패널의 질문에 대해 아베 신조[安倍晋三] 총리는 "1965년 청구권 협정으로 서로 청구권을 포기했다. 이는 국가 간의 약속인데 이 약속이 지켜지지 않으면 어떻게 되겠느냐 하는 문제."라고 답하면서 2015년 한일 위안부 합의사항까지 언급했다. "이는 정상 및 외교장관 사이의 합의를 유엔과 버락 오바마 대통령도 높이 평가했다. 그런데 그 합의도 지켜지지 않았다."

아베 총리는 7월 7일, 한 걸음 더 나아가 적대국 간에나 있을 법한 강한 어조로 한국의 책임을 거론했다.

"한국은 (대북)제재를 잘 지키고 있다고, 바세나르 체제(Wassenaar Arrangement, 전략물자 통제 체제) 상의 무역 관리를 확실히 하고 있다고 주장한다. 하지만 국가 간의 청구권 협정을 어기고 약속을 지키지 않는 게 명확한데 무역 관리 규정도 제대로 안 지키고 있다고 생각하는 게 당연한 것 아니냐."

같은 날 후지 TV에 출연하여 "한국의 수출 관리상 부적절한 사안이 있었다. 그들이 말하는 건 신뢰할 수 없다. 이번 조치는 세계무역기구(WTO)의 룰에 반하지 않는 무역관리의 문제다. 바세나르 협정에도 안전보장 상의 무역 관리를 각 국가가 완수해야 한다는 의무가 부여되어 있다."고 하였다.

일본이 그 동안 절치부심하면서 오랫동안 벼르고 준비해온 발언이자 조치임을 짐작할 수 있다. 한국 정부의 반박과 대응에는 한계가 있을 수밖에 없고 칼자루는 일본이 잡고 칼날은 한국이 잡고 있는 형국이다. 상황이 이렇게 된 것은 한국 정부(대법원 판결)와 한국의 반일민족주의 세력들이 원인을 제공한 면이 크다. 1965년에 맺어진 한일 기본조약에 딸린 협정 4개 중 하나인 청구권 협정에는 "한국의 일본에 대한, 일본의 한국 내 재산에 국가나 개인 청구권이 완전히 최종적으로 해결된 것"으로 명시되어 있고, 강제징용 피해에 대한 보상도 명시돼 있다. 강제 징용자를 103만 명으로 산정하고 개인청구권에 대해서는 "나라로서 청구하며 개인에 대해서는 국내에서 조치하겠다."고 명시했다. 이는 피해자들을 대신해 자금을 받은 한국 정부가 개별 보상으로 해결하겠다는 약속이다.

한일 협정에 따라 정부는 일본으로부터 무상 3억 달러, 장기 저리 2억 달러 상당의 물자, 상업차관 3억 달러를 받아 한강의 기적을 일으키는 종자돈으로 썼다. 한국 정부가 피해자들에게 보상한 금액은 92억 원이었으나 노무현 정부 당시 민관합동위원회가 이 문제를 다시 제기하면서 피해자 72,631명에게 6,200억 원의 위로금을 지급함으로써 마무리 지었다. 노무현 정부가 무상 3억 달러 중에는 징용피해 보상이 포함된 것으로 판단했기 때문이다.

현재 기준으로 보면 8억 달러는 적은 액수지만 당시로서는 큰 액수였다. 1965년 당시 일본은 태평양전쟁 패전국으로서 잿더미 위에서 다시 일어서기 시작한 지 겨우 20년이 되던 해로, 여유가 큰 상황이 아니었음을 감안할 필요가 있고 당시 한일 양국의 경제 현황을 살펴보면 명확해진다.

한국은 1951년 샌프란시스코 강화조약에 초청받지 못한 국가였기 때문에 국제법상 일본은 한국에 대한 법적 배상책임을 지지 않는 국가였음을 감안할 때, 당시 박정희 정부가 최대한의 도움을 이끌어냈다고 할 수 있다. 한일 회담을 둘러싸고 대학가에서는 격렬한

1965년 한일 경제 현황

국가 내용	한국	일본	비고
GDP	31.2억 달러 (세계은행)	909.5억 달러 (세계은행)	약 30배
1인당 총소득	108.70 달러 (세계은행)	919.78 달러 (세계은행)	약 8.5배
예산규모	약3억 달러 (세계은행)	약101억 달러 (일본 재무성)	약 33배
외환보유액		21억 달러 (일본 재무성)	

반대 시위가 있었고 그 이후에도 반일 민족주의 인사들은 당시 회담을 막후에서 주도해왔던 김종필 씨를 매국노인 양 비판해왔으며 지속적으로 문제를 제기해왔다.

강제징용 피해 보상은 1965년 국가 간 협정으로 결론이 난 문제다. 문제가 남아 있다면 이제는 한국 정부가 자체 돈으로 해결할 문제이지 일본이 책임져야 할 문제가 아닌데도 역사 인식이 천박하고 국가 간의 문제를 도외시한 한국의 사법부, 대법원이 2012년 항소심 판결을 뒤집고 "청구권이 살아있다."는 판결을 함으로써 문제가 다시 살아났다. 당시 주심인 김능환 대법관은 "건국하는 심정으로 (판결문을) 썼다."고 자랑했으나 그것은 건국이 아니라 한일 양국 간에 맺어진 문서상의 약속을 뒤엎고 양국 관계를 파탄으로 몰고 가는 파탄 초대장이 되었다. 대법 판결에 따라 개인 청구권 행사가 가능해지면서 소송이 줄을 잇게 되었고 현 정부는 2019년 양승태 전 대법원장이 이 문제를 두고 외교부 등과 의견을 나눈 것을 '재판거래,' '사법농단'으로 몰아 건국 이래 초유의 대법원장 구속이라는 자중지란을 초래했다.

2018년 10월, 대법원이 2012년 대법 판결에 근거하여 "일본 기업에 대해 1인당 1억씩 배상하라."는 판결을 내림으로써 한국 주재 전범 기업에 대한 자산 압류를 허용하게 되고, 주한 일본상사 등에 대한 압류, 강제집행이 가능해지자 일본 정부가 경제보복으로 대응하고 나선 것이 이번 사태다. 이번 사태는 강제징용 피해보상 문제가 직접적인 원인으로 작용했으나, 박근혜 정부 당시에 이루어진 한·일 간 위안부 합의 사항을 파기한 것도 원인으로 작용하였음을 아베의 발언에서 확인할 수 있다.

당시 정책수립 과정에서 외교적 파장을 검토해야 한다는 일각의 문제제기에 대해 청와대와 외교부는 "친일파의 말은 들을 필요가 없다."고 일축하면서 위안부 합의사항을 일방적으로 파기해버린 데서 비롯된 면이 크다. 가장 가까운 우방국과의 약속사항을 친일, 반일 잣대로 처리하는 행태는 망국을 눈앞에 두고 척왜양(斥倭洋)을 부르짖던 조선의 지배층 지식인들과 조금도 다르지 않다.

이번 사태는 한, 미, 일 관계를 떼놓고 생각할 수 없다. 일본 정부 발표가 있었던 7월 1일은 6월 30일 오사카 G-20 정상회담 직후였다는 점에서 아베 일본 총리와 트럼프 미국 대통령 간에 사전 양해가 있었으리라는 추측을 가능케 한다. 7월 8일, 윤상현 국회 외교통일위원장을 만난 자리에서 나가미네 야스마사[長嶺安政] 주한 일본대사는 "(한국에 대한 수출 규제와 관련해) 미국과 지속적으로 대화하고 있다."고 언급한 것이 이를 뒷받침해주고 있다.

중국의 군사력 팽창 정책과 북한의 핵무장으로 인해 조성된 동북아 안보환경에서 미국의 입장은 한, 미, 일 공동대응이 그 어느 때보다 긴요하므로 미 행정부는 지속적으로 한, 일 협력 관계가 개선되기를 기대해왔으나 한국은 외면하다시피 했다. 시진핑 주석 참관하에 거행된 중국의 관함식에 욱일(旭日)기를 단 일본 군함이 참가했으나 한국에서 있었던 관함식에는 욱일기에 대한 한국 정부의 거부감으로 참가하지 않았다.

미국의 아시아·태평양 전략 면에서 일본은 제1의 군사동맹국이며 미국은 전통적으로 일본 중시 정책을 펴왔음을 잊지 말아야 한다. 아베는 미국의 군사동맹국인 한국과 미국 간의 관계를 무시할 수 없으므로 트럼프의 사전 이해와 양해 없이는 경제보복을 하기가 어려운 것이 현실이다. 우리 정부가 미국의 중재를 이끌어내려고 노력하지만 미국은 듣는 척하면서 한국의 대일본 정책 변화가 가시화되기를 바랄 공산이 크고, 일본은 차제에 말이 아니라 행동을 통하여 한국으로 하여금 약속을 지키게 하고 일본이 한국경제에 미치는 직간접적 영향이 얼마나 큰 것인가를 우리 국민과 정부에게 인식시키려고 할 가능성이 매우 높다.

위안부 합의사항 파기 역시 문제이지만 소녀상 역시 간단한 문제로 보기 어렵다. 구(舊) 주한 일본대사관 앞에 세워진 소녀상 앞에서 매주 수요 집회가 열리고 새로운 부지에 신축하고자 하는 대사관도 미뤄진 상태다.

심지어 미국에서까지 소녀상을 제작·설치하여 교민들의 반일감정을 자극하고 있다. 우방국가 간에 있을 수 없는 일이다.

그러나 한국 정부는 이를 방치해왔다. 이러한 현상은 일본 정부뿐만 아니라 일본 국민의 자존심에 상처를 줄 뿐 우리가 반사이익을 얻는 것은 아무 것도 없다. 있다고 한다면 반일 민족주의자들, 한일 간 협력관계 파탄을 바라는 자들의 쾌재일 것이다. 일본의 경제적 보복이 현실이 되면서 우리 정부, 일부 정치인, 일부 언론이 보인 반응과 대응은 한심하고 부끄러운 수준을 넘어서지 못하고 있다. 반(反)기업 정서를 부추기고 대기업을 적대시하던 대통령은 대기업 총수들을 불러 모아놓고 전례 없는 비상 상황이니 기업이 앞장서서 방책을 강구해주기를 바란다는 발언을 했고, 일본의 심상치 않았던 그간의 징후에도 손 놓고 있던, 기업의 간곡한 호소에도 아랑곳없이 역주행하던 정부는 기업에 책임을 떠넘기는 듯싶은 비열한 발언을 서슴지 않았다.

일본의 경제 보복 발표 직전 무슨 뾰족한 수가 있기라도 한 것처럼 떠들던 외교부장관의 모습은 보이지도 않았다.

정부가 부품, 소재 기술개발에 장기투자를 한다고 하지만 단기간 내 해결할 수 없는 것이 우리의 현실이고, WTO에 제소하여 일본과 마주하고 있으나 결과를 낙관할 수만도 없다. 정부는 이 와중에도 부품소재 기술개발을 막는 규제 폭탄을 던져대고 있다. 국회는 6년째 마이동풍 자세로 R&D를 막는 악법을 만들었고 검찰은 적폐청산 깃발 아래 대기업들에 대한 무제한 압박, 무차별 압수수색, 사법처리에 몰두해온 것이 그간의 사정이다.

일본이 정밀화학 기술에서 오늘의 수준에 이르기까지는 100여 년에 걸친 노력이 있었다. 과학 분야 노벨상 수상자만 해도 23명이나 되지만 한국은 한 명도 없다. 대학 경쟁력 면에서 한국은 싱가포르나 홍콩보다 뒤쳐진 국가다. 돈이 있다고 해서 당장 해결할 수 있는 것도 아니다. 국정 책임을 지고 있는 학자 출신 인사가 동학란 당시의 '죽창가'를 들먹이고 '의병'과 '국채보상운동' 운운하며, 일부 시민, 학생들의 일본제품 불매운동을 통하여 무역보복을 할 수 있다고 떠들지만 헛소리다.

한국경제가 수출경제인 데 비해 일본경제는 내수경제다. 무역전쟁을 하게 되면 일본도 타격을 받게 되지만 한국은 치명상을 입게 된다는 것은 상식이다. 이미 한국의 증권시장이 출렁이고 반도체 업체가 영향을 받기 시작했으며, S&P는 한국 대기업의 신용도 추락을 경고하고 있다. 일본은 한국경제의 장단점과 정치 환경을 현

미경으로 들여다보듯 꿰뚫어보고 있다. 우리는 이미 한 번 경험한 바가 있다. 일본을 향해 버르장머리를 고쳐놓겠다고 큰소리쳤던 YS가 일본이 터뜨린 뇌관으로 인해 외환위기라는 국가적 재앙을 초래했던 것이 20여 년 전이다. 제1야당이 반일을 경계하고 실효성 있는 대책을 주장할 때 집권세력이 친일세력으로 몰아세우는 것은 현재 벌어지고 있는 난관의 책임을 회피해 보려는 비겁한 행태이자 정권 분열 행태다.

반일과 친일 논리로 국면 타개를 노리는 자들이야말로 결과적 친일 인사들이자 매국노들이다. 이들의 논리야말로 일본을 이롭게 하고 우리 자신을 해칠 수 있기 때문이다. 대책은 없으면서 국민정서를 부추기고 민족정서를 자극하는 행위만큼 어리석고 위험한 것은 없다. 정부가 보인 가장 한심한 대책은 미국의 도움을 청하는 행위다. 한반도의 주인, 동북아 중재자로 자처해오던 한국 정치 지도자들이 위기에 처하자 동맹국인 미국의 힘을 빌려 사태를 해결하고자 하는 것은 1894년 동학란이 발생했을 때 조선 왕실이 종주국인 청의 힘을 빌려 난국을 타개하려 했던 것을 연상케 하기 때문이다.

맞서서 버틸 능력도 없으면서 반일(反日) 민족주의 정서를 부추겨오던 정부가 일이 터지자 동맹국에 '구원의 손'을 요청하는 것만큼 부끄러운 일이 또 있을까. 한일(韓日) 관계개선을 지속적으로 주문해오던 미국의 지도자들이 어떻게 생각하고 있을 것인지를 조금이라도 고려했다면 그처럼 재빨리 부끄러운 조치는 하지 못했을 것이다. 국가 역량이 제한적이고 대외 의존도가 높은 나라일수록 국가 간의 신뢰, 정부 간의 신뢰, 기업 간의 신뢰, 국민 간의 신뢰는 절대적으로 중요하다.

벌써 망했어야 했을 북한에 매달리면서 가장 가까운 우방으로부터 '약속을 지키지 않는 나라,' '신뢰할 수 없는 나라'라는 욕설보다 더 뼈아픈 비난을 받고 있는 나라가 대한민국이다.

이번 일본의 한국에 대한 경제보복은 1875년에 있었던 운양호 사건을 떠올리게 한다.

척왜양(斥倭洋), 척사(斥邪)만이 나라가 살길인 것처럼 떠들던 조선 왕실과 지배자들이 일본의 포함(砲艦) 앞에 무릎을 꿇었던 것처럼 2019년 현재 반일반미 민족주의를 앞세워 온 한국 정부와 지식인들이 일본의 기술 앞에 무릎을 꿇음으로써 국민이 최대 피해자가 되고 국가가 조롱의 대상이 되지 않는다는 보장이 없다.

20세기 초 미국을 등에 업고 조선 지배권을 확보했던 일본이 미국의 암묵 하에 또 다시 한국을 압박하도록 만든 것은 우리 자신이다. 건국 이래 우리의 지도자들과 지식인들이 반일을 경계하면서 극일(克日)을 도모했거나, 우리 국민이 일본을 따라잡고 과거를 용서하며 미래를 함께 도모하고자 결의를 다져본 적도 없다. 오히려 반일·반미로 밥을 먹고 반일·반미로 출세한 자들이 날이 갈수록 늘어나고 있다. 누구도 나서서 반일을 꾸짖고 과거를 용서하자고 주장하거나 설득한 적이 없다고 해도 과언이 아니다.

독일은 19세기 이래 세 번이나 프랑스를 굴복시키고 유린했음에도 오늘날 양국은 손을 잡고 유럽의 미래를 선도해가고 있다. 프랑스의 지배를 받고 미국의 폭격을 받았던 베트남은 어떤 사과나 배상을 요구하지 않았다. 잘난 척하는 대한민국의 지도자들, 지식인들, 그리고 세계에서 대학 입학률이 두 번째로 높다고 자랑하는 국민이면서 왜 그러한 역사적 교훈을 배우지 못하는 것일까. 한국은 강제징용 피해자들, 위안부 할머니들을 정부가 보상하고 돌봐주지 못할 정도로 가난한 국가가 아니다. 그들을 위해 지급할 금액이 얼마가 될지라도 국제사회에서 신뢰를 받고 국민적 자존심을 사회에서 지키는 것이 훨씬 더 값진 것이 아닐까.

자라나는 젊은이들에게 반일을 가르치는 것은 자해(自害)며 결코 일본을 따라 잡거나 추월할 수 없게 만드는 독소다. 피해자가 가해자를 용서하는 것이야말로 아름답고 승리하는 길이다. 우리는 반일의 길이 아니라 반드시 극일(克日)의 길로 나아가야 한다. 극일은 긴 시간이 소요되고 끊임없는 학습과 노력이 있을 때 가능하다. 신뢰성이 없는 사회는 도덕적 타락을 초래하고 인간을 비열하게 만든다. 신뢰성 면에서 지금은 조선조 말보다 더 나쁘다고 말할 수 있다. 이러한 국가는 발전 가능성보다 추락 가능성이 훨씬 높다.

우리나라는 오랜 세월동안 지도력의 위기로 백성과 국민이 희생당하고 고통을 받아온 역사를 지닌 국가다. 통일신라시대 이후 이조의 세종을 제외하면, 걸출한 지도자는 없었다. 무능하고 탐욕스럽고 잔인했으며 자신들을 둘러싼 패거리밖에 모르면서 나라와 백성을 팽개치고 도망간 왕들로 인해 나라가 쑥대밭처럼 되거나 대국의 속국으로 전락했고 급기야는 망국을 자초했다. 고려의 의종, 고종이 그러했고 조선의 선조, 인조, 고종이 그러했다.

고려 고종은 원나라 군이 쳐들어오자 강화도로 도망갔으며 조선의 선조는 왜군이 밀려오자 의주로 줄행랑을 쳤으며, 인조는 청 태종이 이끄는 대군이 쳐들어오자 강화도로 가려다 가지 못하고 남한산성으로 피신했다가 굴욕을 당했으며, 고종은 신변에 위협을 느끼자 러시아 공관으로 몸을 숨겼다.

사직은 버려지고 국토는 적들의 말굽 아래 유린당했으며 백성은 끌려가거나 유리걸식하는 신세가 되었다.

고종은 내외정세가 급박하게 돌아가는 상황 속에서 국력을 강화·비축하기는커녕 눈을 감고 귀를 막고 있었으며, 자신에게 위협이 되는 개혁파를 깡그리 살해하다시피 하여 인재의 씨를 말렸다. 1948년 건국 이후 자신이 무엇을 어떻게 해야 하는지를 알고 국정을 수행했던 지도자는 이승만, 박정희, 전두환, 3명의 대통령뿐이

박정희(1917~1979) 제5대 ~제9대 대통령

다. 그들 이후 반독재 민주화 투쟁에 앞장섰다고 자부했던 지도자들, 정상적 성장과 교육 배경을 지닌 지도자들 공히 심한 지도력의 결핍을 드러냄으로써 국민을 혼란스럽게 만들고 국가를 표류하게 만들었다.

이들은 한 결 같이 다음과 같은 공통점을 보였다. 사상이 빈곤하거나 위험한 사상의 소유자였다. 우파 지도자는 사상이 빈곤하여 체제를 공고히 하고 일관된 국정수행에 실패함으로써 국민을 분열시켰으며, 좌파 지도자는 헌법 정신에 반하는 평등주의, 집단주의, 민족주의에 집착하여 완고한 독선주의로 일관하여 왔기 때문에 사상적 갈등을 심화시키고 증폭시켰을 뿐 아니라 국가발전을 저해하고 동맹국과 우방국으로부터 고립을 자초하였다. 그들의 지적 역량이 범인(凡人)의 수준을 뛰어넘지 못했기 때문에 자신이 살아가는 시대적 성격이나 요구가 무엇인지도, 자신이 무엇을 어떻게 해야 하는지도 모르는 정치적 백치들이었으며, 5년 앞을 내다보지 못하는 심한 근시안 소유자들로서 시행착오를 반복하지 않을 수 없었다.

지도자가 일반 지식인이나 대중과 구분되는 것은 경험하지 않고서도 국민을 올바른 길로 인도할 수 있는 지적 역량과 지혜를 지니고 있어야 하는 점이다. 그러나 우리의 지도자들은 경험하고 나서도, 경험하고 있으면서도 모르는 수준의 지도자들이다. 북한 체제의 모순과 잔인성을 70년 넘게 경험해 왔으면서도 '민족자주'라는 미몽에서 깨어나지 못하는가 하면, 평등주의 경제체제가 실패한 세계사적 경험임에도 미련을 버리지 못하는 것이 좌파 지도자들이며, 대의민주주의와 법치를 지키기는커녕 오히려 무너뜨리는 발상과 행위를 마다하지 않는 것이 한국의 지도자들이다.

민주주의가 타협을 본질로 하는 정치제도임이 상식처럼 강조되어 오고 있음에도 한국의 정치 지도자들은 타협을 거부하는 데 익숙해 있다. 가장 우려되는 것은 친북좌파 정부가 들어서면 북한 문제 해결이 국정의 전부인 양 집착하면서 다른 국정을 방치하다시피 하는 현상이다. 남한 내 반대세력에 대해서는 차갑고 잔인하게 대하면서도 북에 대해서는 한없이 관대하고 입만 열면 메아리 없는 평화를 떠들지만 북한은 결코 평화를 말한 적이 없다. 김정은은 금년 최고인민회의 시정연설에서 단호하게 말했다.

"나는 어떤 도전과 난관이 앞을 막아서도 국가와 인민의 근본 이익과 문제에서는 티끌만한 양보나 타협을 하지 않을 것이다. …강력한 힘에 의해서만 진정한 평화와 안전이 보장되고 담보된다는 철리(哲理)를 명심하라."

우리가 우리 지도자들로부터 듣고 싶은 내용이다. 그러나 한국 최고 지도자의 언어는 성직자의 언어에 가깝고 김정은의 언어는 전사(戰士)의 언어다.

분단국가, 전쟁을 치른 국가, 북의 위협이 점증하고 있는 국가임에도 YS 이래 대통령들은 군을 잘 알지 못했으며 군을 사랑할 줄도 몰랐고 군통수권을 효율적으로 행사할 줄도 몰랐다.

1992년 이래 6명의 대통령이 있었으나 2명만이 군에서 병으로 병역의무를 마쳤을 뿐이다. 이들 대부분의 지도자들은 입으로는 군을 국가안보의 보루라고 떠들면서도 내심으로는 군을 마치 위험집단인 것처럼 경계하거나 민족자주 통일에 방해가 되는 집단이나 되는 것처럼 홀대하면서 군을 음해하려는 헛소문만 들어도 수사를 벌이고 조그마한 꼬투리만 잡아도 망신을 주거나 모욕을 가했다.

좌파 지도자들은 거리투쟁에서 희생당했거나 노동현장에서 사고사를 당한 영전 앞에서는 예를 다하고 유족을 위로하면서도 조국의 바다를 수호하다 북에 의해 폭침당한 천안함과 함께 수장당한 장병들을 외면했다. 한국의 최고 지도자에게 요구되는 첫 번째 리더십은 자유를 지키고자 하는 결연한 전사의 리더십이다. 그러나 우리의 현실은 그 반대이다. 이 상태가 계속된다면 자유통일은커녕 자유 수호조차 힘겨울 수 있다.

한국의 지도자들은 허영심은 많고 용기가 부족한 것이 일반적 특징이다. 용기가 없고 허영심이 많기 때문에 비이성적인 대중의 요구를 꾸짖거나 거부하지 못할 뿐 아니라 오히려 그들과 영합함으로써 결과적으로 거짓말꾼이 되고 있다. 그들은 국민을 향해 땀과 희생을 요구한 적이 없고 모든 문제를 해결해주고 모든 요구를 다 들어줄 것처럼 약속하는 데 익숙하다. 용기가 없으면 책임을 회피하게 되고, 용기가 없으면 거짓말을 하게 되고, 용기가 없으면 비열해질 수밖에 없다.

최고 지도자가 거짓말을 하고 책임을 전가하거나 회피하며 여론을 조작하게 되면 그 밑의 참모들, 각료들도 따라하고 당과 국회의원들, 관료들도 따라하게 되어 국민도 양심의 거리낌 없이 거짓말을 하고 책임을 회피하게 된다. 이러한 현상이 지속되면 습관이 되고 고질적 병이 되어 사회를, 국가를 병들게 한다. 조선왕조가 그렇게 해서 병들고 망했다.

국가권력이 당대 권력집단의 정치목적 달성을 돕기 위해 어떤 거짓말도 서슴지 않고 자신들이 인정하기를 거부하는 진실을 허위로 만들기 위하여 국가권력을 무제한 동원하고 여론을 조작하여 가짜를 진짜로, 진짜를 가짜로 둔갑시키는 신통술을 발휘하는 것은 우파 지도자, 좌파 지도자 구분이 없다.

대한민국의 최고 지도자는 취약한 대의민주주의와 법치 확립을 위해 전사다운 모습으로 헌법을 지킬 수 있어야 하고 자유자본주의 체제를 전복하려는 좌파 세력에 맞서 싸워야 하지만 그들이 지닌 사상과 이론은 빈약하고 의지도 미약하다. 한국은 한가한 나라가 아니다. 모든 조건을 갖춘 지도자가 국정을 담당해도 쉽지 않은 나라다. 하물며 자질도, 능력도 부족하고 허영심만 가득한 지도자들이 계속해서 국가를 이끌어간다면 결과는 비관적일 수밖에 없다.

1980년대 투쟁세력이 성장하여 오늘날의 정치무대를 장악하고 있는 전투적 독선주의자들, 평등주의자들, 반일반미 민족주의자들, 주체사회주의 신봉자들이 자유를 지키고 경제 기적을 달성한 이 땅의 주체세력을 기득권 세력, 적폐 세력, 심지어 친일친미 세력으로 몰아 이들을 교체하고 국가와 정부가 만인을 골고루 잘 살게 하는 평등사회를 건설하기 위해 분투하면 할수록 자유대한민국은 추락을 모면하기 어렵다.

오늘날 이 나라를 등지고 영원히 떠나고 싶어 하는 국민의 숫자가 해마다 늘어나고 중소기업들이 해외로 이전하려는 숫자가 늘어나는 현상이 이를 뒷받침하고 있다. 분열하고 신뢰성이 없는 사회가 자질과 능력이 부족하거나 사상이 빈곤하고 위험한 사상을 지닌 지도자들 손에 맡겨지면 국민은 버림받거나 야수로 변하게 되고 대의민주주의와 법치가 무너지고 국가가 혼란에 빠지는 것은 피할 수 없게 된다. 이것은 국민의 타락, 국가의 추락을 의미한다.

장기적 관점에서 우리를 우울하게 만드는 것은 교육환경이 날로 황폐화되어 가고 있는 현상이다. 미국, 영국, 독일, 프랑스, 일본 같은 모든 선진국들은 국가경영에서 국방 다음으로 교육을 중시했다. 이들 국가들은 긴 안목으로 교육계획을 세웠고 장기적인 투자와 일관되고 지속적인 교육정책으로 최고 수준의 교육환경을 유지하면서 인재들을 길러냈다.

경제는 국방과 교육 토대 위에서 발전했으며 정치가 대의민주주의와 법치를 보장함으로써 국가와 사회가 발전했다. 미국의 링컨 대통령은 남북전쟁을 치르면서도 각 주에 정부 소유 토지를 나누어 주면서 이를 밑천으로 삼아 대학교를 세우도록 했다. 오늘날 미국의 각 주가 운영하고 있는 주립대학들이다. 조선왕조 몰락 원인 중에는 왕실, 사대부, 사림(士林)들이 학문을 독점했고 일반 백성들은 배울 수가 없어 무지했으며, 지배층이 독점한 학문조차 성리학(性理學) 일변도였던 사실과 깊은 관계가 있다.

고려시대 금속활자를 만들어냈다고 하는 나라에서 출판과 유통은 국가가 독점하였으며 출판물 대부분이 성리학적 윤리에 관련된 책들뿐이었다. 조선일보에 땅의 역사를 연재하고 있는 박종인 기자가 소개한 내용 중에 『퇴계집』에 실려 있다고 하는 "공자는 서점이 필요 없다."고 한 것이나 1771년 조선 21대왕 영조가 서적 외판상인(책쾌, 冊儈)과 통역관(번역관, 상역, 象譯) 100여 명을 사람들이 보는 앞에서 학살하였다는 사실은 상상을 초월하는 망언이자 만행이다. 일반 백성은 농사나 짓고 충과 효만 행하는 것으로 만족해야 했기 때문에 나라가 망할 때도 왜 망하는지도 모르고 망국의 백성이 되었다.

1905년 을사보호조약 직전 '황성신문'과 '대한매일신보'는 조선 민족이 "지식이 전무(全無)한, 국가 존망이 자기와 상관없는 줄 알기에 나라가 위태롭다."고 썼다. 춘원이 〈민족개조론〉에서 백성이 사상이 없고 무지하다고 개탄하면서 교육을 통한 민족계몽운동이 필요하다고 역설한 배경이다.

오늘날 한국인의 대학입학률은 세계에서 두 번째로 높고 제조 산업에서 성공한 국가가 되었으나 국가가 제대로 가르치지 않은 탓으로 국민은 민주시민(民主市民)으로서 갖추어야 할 기본 지식과 덕목에 대해서는 무지하여 대의민주주의가 위협을 받고, 법치가 유명무실해져도 학교가 좌파 선생과 교수들에게 장악되다시피 하고, 위험한 사상으로 인해 사회가 분열하고 충돌하며 요동을 쳐도 국제사회로부터 불신당하고 고립되어 가고 있어도 자신들과는 아무런 상관이 없다는 듯 무감각하다는 면에서 1905년 당시 조선의 백성들과 크게 다르지 않다.

후진적 정치수준에서 벗어나 선진국 문턱을 넘어서고자 하면서도 민주시민 교육은 전무하다시피 하고 앞서가기에는 교육환경이 낙후되어 있을 뿐 아니라 날로 황폐화되어 가고 있다. 교육기관이 잘 갖추어져 있지 않으면 어떤 국가도 국제경쟁에서 살아남고 발전해 나갈 수 없다. 세계 유일 초강대국이자 인류 역사상 가장 번영하고 있는 미국의 국가경쟁력은 세계 제일 가는 대학 경쟁력에 있다. 한국의 자연과학 계통 고급인력 절대 다수가 미국 유학을 거치는 것도 그러한 교육 환경 때문이다.

한국이 지니고 있는 자원은 사람이 전부라고 해도 과언이 아니다. 한국은 인간자원이 유일한 국가이고, 한국경제는 수출경제다. 이러한 환경이 요구하는 것은 자명하다. 국가가 인간자원 개발에 최우선을 두고 장기적이고도 지속적으로 집중적인 투자와 미래지향적 교육정책을 통하여 인재를 길러내야 함을 말한다. 글로벌 경쟁시대, 지식산업 시대, 4차산업 시대가 요구하는 것은 최고 수준의 인간자원(human capital)이다.

최고 수준의 인간자원이란 최고 수준의 지식, 기술을 갖춘 인간집단을 말한다. 최고 수준의 인간자원을 길러내려면 최고 수준의 교육 환경을 만들어내고 유지함으로써 학교와 학생들에게 폭넓은 선택권이 주어지고, 창의성과 다양성이 존중되고 결과적 우열이 당연시되는 풍토가 조성되고 고무되어야만 한다.

따라서 좌파 정부와 좌파 세력이 추구하는 경쟁 없는 교육, 교육평준화는 최악의 정책이다.

오늘날 좌파 정부와 좌파 지식인들은 사상투쟁 선상에서 획일적인 교육평준화에 집착하면서 교육환경을 황폐시키는 데 국가권력을 남용하고 있다. 우리의 경우는 그간 좌파, 우파 정부를 막론하고 제도와 정책 면에서 가장 변덕스럽고 시행착오가 많았던 것이 교육 분야다. 교육 철학이 빈약하거나 심지어 교육과 무관한 인사들이 교육부장관이 되어 왔고, 교육현장은 관료 행정편의주의가 학교, 선생, 학생, 학부모들의 숨통을 조여 왔으며, 설상가상으로 전교조라는 이념집단이 교육 현장을 장악하다시피 하고 있다.

지금과 같은 현상은 중국인들이 과거 여성들에게 전족(纏足)을 강요함으로써 신체적 자유행동을 불편하게 했던 것과 유사하다. 정권이 바뀌면 입시제도가 바뀌고, 교과서 내용도 바뀌고 학교, 학생들의 선택권도 달라지고 있는 나라에서 글로벌 시대 인재를 양성한다는 것은 거짓말이다. 문재인 정부는 대선 당시 자사고 폐지를 공약한 바 있고 2019년 7월 들어 각 시도 좌파 교육감들은 지역 내 자사고 재지정 과정을 통하여 최대한 폐지하려고 나서는 가운데 해당 학부모, 학생들이 반대 시위를 벌였다.

전국 17개 교육감 중 14명이 좌파인 친(親)전교조 교육감들이 내세우는 폐지 주장 이유는 "자사고가 고교 서열화의 주범이므로 자사고가 죽어야 공교육이 산다," "자사고는 귀족학교다."라는 것이다. 물론 이러한 주장은 평등주의 사상에 입각한 도그마적 독단(獨斷)이다. 이들이 주장하는 이면에는 자사고는 돈 많은 사립학교, 학생들은 여유 있는 집안의 자제들이라는 적대감이 깔려 있다. '자사고'는 '자율형 사립 고등학교'의 준말로서 2002년 DJ 정부가 고교 평준화 문제점 보완을 위해 '자립형 사립고'를 허용했고, 2010년 자율성을 더 높인 것이 현재의 자사고다.

좌파 정부는 자사고를 죽이면서 혁신고를 권장하고 있다. 혁신학교란 2009년 대표적 좌파 인사인 김상곤 교수가 경기도 교육감이 되면서 시작된, 좌파 교육감들의 핵심 정책으로 토론과 체험 중심 수업 학교를 말한다. 2009년 당시 13곳이었으나 2019년에는 1714곳으로 130배나 증가했다. 전교조 소속 교사가 토론 제목과 실습 방법을 결정하고 학습을 담당하게 될 때, 역사 토론을 통하여 대한민국 정통성을 부정하고 한강의 기적을 깎아내리며 실습을 구실로 빨치산 전적지 답사를 할 가능성을 배제할 수 없다.

결과적으로 지식산업 시대가 필요로 하는 인재 양성이 아니라 자유대한민국 체제를 평등주의 체제로 변혁시키는 데 필요한 의식분자들을 길러냄으로써 미래 국가의 발전 동력을 갉아먹게 될 것이다. 자사고가 없어진다고 해서 일반고와 공교육 환경이 저절로 좋아지지 않는다. 1980년대 초 정부가 과외 열풍을 잠재우고 공교육 환경을 개선시키기 위하여 과외 전면 금지령을 내리면서 재무부의 반대를 무릅쓰고 5년 한시적인 교육세를 신설하여 교육 사업에 투자했으나 기대했던 목적 달성은 이루어지지 않았고, 사교육은 더 심화되었으며, 교육세는 지금도 유지되고 있다.

중·고등학교 서열을 발표하지 않는다고 해서 학교 간 우열이 없어지는 것도 아니다. 태어난 아이들의 우열을 가리지 않는다고 해서 아이들 간의 우열이 없어지지 않는 것과 같은 이치다. 아무리 인위적으로 평준화를 추진한다고 해도 교사들의 수준, 학생들의 수준이 같아질 수 없기 때문에 학교 서열은 정해지게 마련이고, 학부모들은 점쟁이 이상으로 정확하게 알아낸다. 일반고에서 배운 것만으로 좋은 대학교 가기가 힘들어지기 때문에 학군이 좋은 곳으로 몰려가게 되고 아무리 행정적 단속을 한다고 해도 은밀한 고액 과외는 기승을 부리기 때문에 결과적으로는 경제력이 좋은 가정의 학생들이 그렇지 못한 학생들보다 유리한 입장에 놓이게 되어 더 큰 우열의 차이를 초래한다.

만약 이러한 폐단을 없애려면 모든 대학을 평준화해야 하고 모든 학교 선생, 교수들의 수준이 같아야 하고 학생들은 태어날 때부터 똑같은 두뇌를 지니고 있을 때 가능할지 모르나 이것은 현실에서 있을 수 없는 환상이다. 전체 초, 중, 고교생의 87%가 친(親)전교조, 좌파 교사들의 영향 아래 놓여 있고 우수 고교를 없애고 우열반도 편성하지 못하게 하여 수학을 포기한 '수포자'가 한 학급에서 절반이 넘는다는 것은 우리의 교육환경이 이미 위험수준에 도달했음을 의미한다.

'수월성 교육'은 북한에도 있고 영국, 프랑스, 독일, 일본, 미국에도 있다. 그러나 한국 교육계의 좌파 인사들은 그 반대 길을 줄기차게 추구하고 있다. 자유자본주의 체제 국가에서 사교육을 억제하고 없애려고 하는 것은 혁명이 아니고서는 있을 수 없는 일이다. 이러한 현상을 상징적으로 보여주고 있는 것이 상산고 사태다.

비록 교육부가 전북교육청의 결정을 받아들이지 않았으나 불씨는 여전히 남아 있다고 봐야 한다. 전국적으로 널리 알려져 있고 인정 받아온 전주의 상산고를 전북교육감이 2019년 7월, 공정치 못한 방법으로 자사고 재지정을 거부함으로써 물의를 일으키고 학부모, 학생들의 강한 반대에 부딪치자 교육부가 이들의 요구를 수용했다. 상산고 설립자이며 이사장이 17년간 매년 20억~30억씩 463억 원을 투자하여 훌륭한 자사고를 만들어냈지만 "내 돈 제발 계속 쓰게 해달라고 정부에 애원하는 꼴"이 되었다고 피를 토하듯 호소했다. 상산고의 홍성대 이사장은 『수학의 정석』 이라는 베스트셀러 저자로서 책을 팔아 번 돈을 몽땅 학교에 쏟아 붓고 있는 보기 드문 인사다. 홍 이사장은 말했다.

"설립할 때 땅 한 평, 벽돌 한 장 안 사줘 놓고 '학교 지었으면 물러나라. 이제 우리가 운영하겠다.'고 밀어붙이는 게 지금 정부 행태다. …우리나라 정부는 사학을 마치 호주머니 속의 물건 취급을 하고 있어요. 자기 멋대로 이렇게 옮겼다, 저렇게 옮겼다. …사재 털어 학교 운영하면 최소한 권한은 줘야 하잖아요? 지금 정부는 돈 잔뜩 투자하라고 해서 해놨더니 이제 필요 없다면서 빠지라고 하는 거예요. 이걸 누가 수용합니까?"

홍 이사장의 말은 "정부가 사유재산을 강탈해 가겠다."고 하는 사실을 의미한다. 상산고를 둘러싸고 벌어진 문제는 상산고만의 문제가 아니라 이미 10개 가까운 자사고가 재지정에서 탈락하여 학생·학부모들의 반발을 불러일으키고 있다. 자유자본주의(liberal capitalism)의 근본정신은 재산권(property right) 보호에 있다. 이것은 이미 인류 사회에서 보편 상식으로 받아들여지고 있다. 우리 헌법에도 재산권 보호가 명시되어 있다.

그러나 이 땅의 좌파들은 보편 상식에 반하여 자신들이 만들어낸 기준과 공공의 이익이라는 명분 아래 사유재산권 포기를 강요하고 있다. 이러한 행태는 혁명이 아니고서는 불가능한 일이다. 전국 17개 교육감 중 14명이나 되는 좌파 교육감이 당선된 것은 우파 후보들이 분열, 난립한 데 비해 좌파 후보들은 단일화로 맞섰기 때문이다. 좌파 교육감들 중에는 자신들의 자녀들을 자사고, 외고, 특목고에 보내거나 심지어 외국 명문대 입시 준비학교에 유학을 보내는 일까지 서슴지 않는다.

김승환 전북교육감은 과거에 "삼성 성장에 국민의 희생이 있었기 때문에 삼성에 학생들을 취직시키지 말라."고 전북 학교에 지시한 바 있었던 급진적 좌파 인사로서, 아들을 영국 캠브리지대에 보내기 위해 '영국의 상산고'라고 할 만한 밸러비스 칼리지에 유학을 보낸 바 있다. 이 땅의 우파는 용기가 없고 좌파는 양심이 없다는 현실을 보여주는 대표적 사례다.

한국의 대학교육 수준은 홍콩, 싱가포르, 중국보다 낮다. 세계경제포럼이 평가한 대학 경쟁력은 2010년 15위에서 2018년에는 27위로 추락했다. 일본의 과학 분야 노벨상 수상자는 23명인 데 비해 한국은 한 명도 없다. 과학기술 분야는 미국 등 선진국 유학이 필수적일 만큼 한국 대학 수준은 낮다. 제조 산업시대, 조립 산업·모방 산업에 필요한 인력 양성은 가능했으나 지식산업 시대, 4차 산업이 필요로 하는 인력 양성 환경은 열악하다. 한국이 세계 수준의 정보통신기술(ICT) 산업이란 하드웨어(hardware) 기반에도 불구하고 4차 산업 흐름에 뒤처지고 있는 이유도 40여 년 하향평준화 교육으로 인해 미·적분도 모르는 실력으로 떨어져서 AI 등 첨단산업 분야에 적응하기 어렵기 때문이다.

구글(Google), 애플(Apple), 페이스북(Facebook) 등 첨단 정보산업기업이 몰려 있는 4차 산업의 메카인 미국 실리콘밸리(Silicon Valley)에 인도, 중국 청년들은 넘쳐나지만 한국 청년들은 극히 드물고, 있다 하더라도 재미교포 청년들이다. 이러한 환경에서는 결국 선진국 의존 형 첨단산업 구조로 전락할 수밖에 없게 된다.

오늘날 한국 대학들은 관치에 질식당하고 있다. 10년 이상 반값

등록금, 11년 이상 등록금 인상 동결, 10년 이상 교수 봉급 동결이 지속됨으로써 대학 발전을 위한 투자는 불가능할 뿐 아니라 현상 유지도 벅찬 판에 비정규직의 정규직화, 최저임금 정책의 영향으로 시간 강사가 줄어들고 과목 축소가 불가피한 현상에 내몰리고 있다. 연세대학교는 개교 이래 처음으로 교육부 감사를 받게 되고 나머지 사립대학들도 그 대상이 되고 있다.

감사 결과에 따라 부정·부실이 드러나게 되면 심한 경우 관선 이사를 파견하여 주인 없는 학교를 만들어 상당기간 표류가 불가피하게 만든 것이 지난날의 경험이다.

대학만큼 자율성이 중요한 곳도 드물다. 관치로 인해 자율성이 심하게 훼손되고 투자 여력까지 고갈되면 대학의 질적 향상은 불가능하고 시간이 갈수록 질적 수준이 떨어질 수밖에 없다. 설상가상으로 사립대 법인이 소유한 토지에 재산세와 종합부동산세까지 부과하려고 지방세법 시행령 개정을 서두르고 있다. 교육부는 대학교 도서관 운영까지 간섭하고 교수들은 학생들에게 학점을 주는 것까지 교육부의 눈치를 살펴야 한다. 이러한 일련의 현상은 정부가 대학교육 자체를 철저히 황폐화하는 데 앞장서고 있음을 의미한다. 2019년 5월 23일, 5개 교수단체(전국 국공립대교수연합회, 한국 사립대학교수연합회, 민주화를 위한 전국교수협의회, 전국 교수노동조합, 한국 비정규교수노동조합)가 기자간담회를 열고 "심각한 위기에 봉착한 대학교육 현실을 만들어낸 교육부의 각성을 촉구"했다.

"한국 대학은 지금 유례없는 위기를 겪고 있다. 대학 구조조정 실패, 일관성 없는 대입정책, 재정지원을 무기로 한 지나친 간섭 등으로 교육부가 오늘날 교육 황폐화를 초래했고, 지금의 대학 평가가 교육의 본질적인 질 향상보다 각종 편법과 하향평준화만 조장했다."

오늘날 한국 대학이 발전하려면 교육 관치로부터 해방되는 것이 급선무다. 차라리 교육부를 없애는 것이 교육 발전에 도움이 된다는 것이 절대 다수 국민의 생각이다. 한국의 GDP 대비 교육투자 비율은 일본, 독일보다 높고 대학 진학률은 세계 2위이나 교육 시스템의 질적 수준은 75위로 중국보다 훨씬 뒤처지고 있다. 현 정부는 최근 '국가교육위원회'를 두어 국민을 대표라도 하는 양 모양새를 갖추면서 대부분 좌파 교육운동을 했거나 한편인 인사들로 채워 국가 교육정책 전반에 적극적인 영향을 미치려 하고 있다.

전임 교육부장관 김상곤은 "학교 간 서열을 만들어 여러 가지 불만을 낳았다. 이를 해소해야 한다는 게 국민의 의견이다."라고 했다. 그가 말한 국민이란 어떤 실체가 있는 것일까? 자녀를 서울대에 보내지 못하는 부모들, 명문대에 입학하지 못하는 학생들이 그들이라면 한국의 모든 대학을 서울대화하거나 명문대화해야만 그러한 불만을 해소할 수 있을 것이다. 가능한가? 불가능하다. 인간 사회 발전의 출발점은 불평등을 인정하는 데서 비롯된다. 인간은 영원히 결과적으로 평등한 존재가 될 수 없다. 이것은 인간존재의 자연적 보편성(universal human nature)이다.

그러나 실현 불가능한 것을 실현 가능하다고 믿는 한국의 좌파 정치인, 지식인들은 권력의 힘으로 모든 서열과 우열을 없애버릴 수 있다고 믿으며 어리석고 위험한 실험을 멈추지 않고 있다. 우열을 다투고 경쟁을 고무하여 각 개인이 지닌 창의성과 잠재 역량을 최대한 분출시키고 발휘하게 하는 것이 자유주의 사회 운영 원리이며, 이러한 원리로 인해 평등주의를 이겨낸 것이 자유주의 사회의 위대함이다.

교과서 내용을 정권 입맛대로 바꾸고 정권이 바뀌면 또 다시 바뀌는 나라에서 보편가치를 공유하고 자유 시민으로서의 소양과 덕목을 갖춘다는 것은 불가능하다. 이러한 나라에서 수준 높은 대의

민주주의와 법치를 구현한다는 것은 영원한 꿈에 불과하다. 이러한 나라가 미래 산업을 일으키고 G-7 국가들과 어깨를 나란히 한다는 것은 꿈같은 소리다. 교육을 국가 백년대계의 핵심이라고 떠들면서 5년 한시 정부가 멋대로 바꾸고 교육 관료들이 제왕처럼 군림하고 있는 나라가 대한민국이다.

지금 우리의 교육 환경은 국가가 학문과 교육을 통제하고 독점하던 조선시대와 본질적으로 달라진 것이 없다. 우리의 교육 환경은 부분적인 개선이나 일시적인 개혁이 아니라 전면적이고 근본적인 혁명적 변화가 필요하다. 교육 효과는 장기간 후에 나타나기 때문에 당장 국민의 삶에 직접적인 영향을 주지 않는 탓으로 국민이 무관심하게 지나치기 쉽다. 그러나 병든 교육 환경을 고치고 황폐화된 교육 환경을 제자리로 돌려놓으려면 또 다시 수십 년을 노력해야만 가능하다. 이미 우리의 교육 환경은 황폐화될 대로 황폐화되어 있어 초인적 결단과 노력을 기다리고 있다. 성공하지 못하면 추락을 모면하기 어렵다. 시간은 우리를 기다려주지 않는다.

조선을 닮은 모습

누군가가 말했다.

"오늘날 한국은 조선화되어 가고 있다."

동양철학자 임건순(任建淳)의 말이다. 현재 우리가 사용하고 있는 주화나 지폐를 보면 우리가 마치 조선시대에 살고 있는 것이 아닌가 하는 착각을 하게 된다. 6가지 지폐 중 주화에 새겨진 인물은 충무공 이순신이 유일하고, 4가지 지폐에도 모두 조선시대 인물이 그

려져 있다. 천원권은 퇴계 이황, 오천원권은 율곡 이이, 만원권은 세종대왕, 오만원권은 신사임당이다. 그러고 보면 박원순 서울시장이 고종이 러시아 공관으로 피신했던 길을 복원하여 '고종의 길'이라고 자랑하는 것도 우연이 아니다. 이러한 현상은 한국인의 심성에 미래 지향적 요소보다 과거 집착적 요소가 더 강하기 때문에 생겨나는 후진적 현상이다. 21세기를 살아가면서 조선시대 사고에서 벗어나지 못하고 조선시대 타성을 버리지 못하면 이는 곧 조선화(朝鮮化)를 의미한다. 어떤 면에서 그러할까?

114년 전 조선은 가난 그 자체였을 만큼 빈곤한 나라였으나 오늘날 한국은 잘 사는 나라가 되었다. 사람 모습도, 건물 규모도, 거리 풍경도, 산천도 몰라볼 만큼 변했으나 그때의 백성과 오늘의 국민이 사상적으로 무지하다는 점에서 달라진 것이 없다. 조선 백성은 사상에 대해 배우거나 가르침을 받을 수 없었기 때문에 무지하여 나라가 왜 망하는지도 모르고 있다가 망국을 당했다면, 지금의 한국 국민은 사상에 대한 가르침과 배움이 없었기 때문에 자유대한민국 체제가 떠받치고 있는 보편가치와 체제운영원리가 어떤 위협을 받고 있으며, 국가가 얼마나 심하게 왼쪽으로 기울여져 가는지 모르고 있다는 점에서 빼닮은 모습이다.

조선시대 사상 부재 현상은 망국의 원인으로 작용했고 한국의 사상 빈곤 현상은 사회 혼란의 주원인으로 작용하면서 발전을 가로막고 있다. 사상이 부재하면 단결은 불가능하고 사상이 빈곤하면 분열은 불가피하다. 조선이 그러했고 한국이 그러하다. 사상이 부재하거나 빈곤한 사회는 도덕적 타락을 피할 수 없다. 도덕적으로 타락한 사회에서 신뢰란 존재하지 않는다. 신뢰가 없는 사회는 거짓이 난무하여 책임지는 사람이 없게 되고 감투와 명예와 이익이라는 미끼가 인간을 쉽게 타락시키고 비열하게 만든다. 이러한 사회에서는 당파심과 이기심이 애국심을 능가하고 개인의 이익이 국가의 이익보다 앞서므로 국가 존립이 위협을 받게 된다. 조선은 그래서 망했고 한국은 현재 그러한 조선을 닮아가고 있다.

조선시대 지배층이자 지식인들이라고 할 수 있는 사대부(士大夫)들의 허위의식과 허세는 오늘날 한국의 지도층 인사들과 지식인들에게도 그대로 드러나고 있다. 조선의 사대부는 노동과 상공(商工)을 천시하면서도 백성들이 피땀 흘려 생산해낸 것들로 호의호식(好衣好食)하면서 백성들을 깔보고 가문과 문벌을 앞세우며 관직을 우상처럼 받들면서 소중화론자로 자임하며 자신들이 인정하는 것 외에는 어떤 것도 인정하지 않으려는 독선적 허세를 부렸다.

산업화 시대에 땀 흘린 적 없는, 소위 민주화 인사들이 산업화 세대가 피와 땀으로 이루어놓은 과실을 자기 것인 양 흥청망청 낭비하면서도 어떠한 고마움도 느끼지 않고 친일과 반일, 친미와 반미라는 잣대로 적대세력을 만들어 적폐세력으로 몰면서 정의를 독차지하려는 허세를 부리고 있다. 옛 총독부 건물을 일제 잔재라 하여 허물어버림으로써 민족정기가 바로 세워지고 일제식민(통치) 역사가 없어지는 것처럼 허세를 부린 인사가 한국의 최고 지도자 중 한 사람이었다. 최근에는 '친일잔재청산'이라는 구실 하에 친일인사가 작곡했다는 이유로 학생들이 수 십 년간 불러오던 교가를 없애는가 하면, '수학여행'이라는 단어가 일제 식민지 시대 용어라면서 다른 말로 고쳐야 한다는 소동을 벌이고 있다.

이들의 주장이 정당하다는 이유로 받아들여진다면 우리가 사용하는 대부분의 법률용어, 행정 관련 용어 모두를 폐기하고 새로운 용어를 만들어내야 한다. 가능하지도 않을 뿐더러 그야말로 어리석은 허세다. 'Democracy'를 '민주주의'로, 'Parliament'를 '의회'로, 'Philosophy'를 '철학'으로, 'Industry'를 '산업'으로, 'Newspaper'

를 '신문'으로 옮긴 사람은 일본의 메이지유신 시대 사상가의 한 사람이었던 후쿠자와 유키치[福澤諭吉]다. 이것들도 모두 다른 우리말로 고쳐야 하는가?

오늘날 영어가 국제사회 공용어처럼 확산되고 있는 것은 영어가 가는 곳마다 그곳의 언어들, 만나는 민족들과 종족들의 언어를 흡수·소화해냈기 때문인 데 비해 세계적으로 자랑스럽다고 내세우고 있는 한글은 이와 대조적으로 한글전용이라는 문화국수주의 틀 안에서 맴돌고 있다. 수 백 년 동안 영국의 지배 아래 있었던 인도는 자체 내 수많은 언어가 있는 국가임에도 불구하고 영어를 버리지 않고 공용어처럼 사용함으로써 국제사회에서 많은 이점을 누리면서 영어권 국가로 변해가고 있다.

과거 식민 지배자들이 남겨두고 간 잔재를 깡그리 없애버린 국가는 우리가 유일하다. 많은 한국의 관광객들이 일본 여행을 통하여 우리 민족이 남긴 유적과 흔적을 둘러보고 오지만 일본 관광객이 한국에서 지난날 일제가 남긴 흔적을 찾는다는 것은 불가능하다. 일본에는 백제시대 왕인 박사가 일본에 한자와 천자문을 소개했다는 비가 서 있다. 지난날 일제의 흔적을 없애버리면 민족정기가 되살아나고 치욕적 역사가 없어진다고 생각한다면 그야말로 위선이며 허세가 아닐 수 없다.

조선의 지배자들, 지식인들이 문존무비 문화와 전통에 젖어 국방을 소홀히 한 결과 왜군이 쳐들어왔을 때 명군(明軍)의 도움을 받고 나서야 가까스로 저들을 물리칠 수 있었고, 숭명배청(崇明排淸)이라는 허울 좋은 대의명분을 고집하다가 청 태종(淸太宗) 앞에 무릎을 꿇어야 했으며, 일본이 맹렬한 기세로 근대화를 추구하고 있었음에도 이에 아랑곳하지 않고 서구 열강의 거센 바람 앞에서 청에 기대어 척왜양(斥倭洋), 쇄국(鎖國)이라는 객기(客氣)를 부리다가 망한 것이 조선왕조다.

북의 위협 아래 있는 국가의 최고 지도자와 그를 둘러싼 측근인사들이 군을 멸시하고 지도층 지식인들과 부유층 자녀들의 병역 의무가 세월을 허송하는 것으로 생각하고 친북세력들이 국방태세를 허물지 못해서 안달하고 있는 국가가 지금의 대한민국이다. 반일반미 민족주의자로 자처하는 친북세력들은 군을 민족자주통일을 방해하는 최대 장애 집단으로 매도하면서 기회가 생길 때마다 군을 능멸하거나 발목을 잡는 데 혈안이 되어 있는가 하면, 김정은 찬양 패거리들이 광화문 광장을 휩쓸고 있다.

군 통수권자는 국가 운명이 북한의 자비에 맡겨진 것처럼 북의 평화선전에 맞장구를 치면서 뒤로는 국방태세를 허물어뜨리고 있다. 큰 잘못이 없는 육군대장을 망신 줘서 옷을 벗기고 정당한 임무를 수행한 죄(?)밖에 없는 육군중장을 죄인으로 만들려고 하는 과정에서 스스로 목숨을 끊게 했을 뿐 아니라 지방 하청업체에서 비정규직 근로자가 사고사 했을 때는 직접 애도를 표하면서도 적에 의한 천안함 폭침으로 희생당한 장병들의 영전에는 결코 고개를 숙인 적 없는 군 통수권자가 군을 통솔하는 국가의 군이 전쟁에서 승리하기를 바랄 수 있을까?

왜군의 침략 앞에서 모함 받은 수군 장수를 감옥으로 보낸 것이 조선의 왕이었던 것처럼 구실만 있으면 모욕을 주고 검찰로 하여금 압수수색을 하고 수갑을 채워 재판장으로 끌고 가게 하는 오늘날의 군 통수권자 간에는 아무런 차이가 없다.

우리가 산업화에 성공했다고 하나 지식산업 시대, 4차 산업 시대에 도전해야 하는 입장이고 민주화에 성공했다고 하나 대의민주주의는 후진국 수준이며 법치는 오히려 퇴행을 거듭하고 있다. 지금 우리는 산업화의 고도화, 민주화의 선진화에 이어 문화선진국으로 발돋움할 수 있어야 함에도 불구하고 조선화의 길을 걷고 있는 것이 아닌가 하는 점에 대해서 진지한 의문을 갖지 않을 수 없다.

세계인들이 성공한 신생 독립국가로 인정하고 있는 자유대한민국(自由大韓民國)은 안으로 서로가 서로를 믿지 못하고 조선시대보다 더 심하게 분열하며 충돌하고, 기업인들을 적대시하고, 도덕적으로 타락하고, 밖으로는 동맹국과 인접 우방국가로부터도 신뢰를 받지 못하면서도 중국에 대해서는 미련을 버리지 못하고, 지도자들은 무엇을 어떻게 해야 하는지도 모르고, 지식인들은 좌절하거나 방황해야 하는 국가다.

정치의 둑이 무너지고 민주주의의 둑이 무너지고 법치가 무너지면 안보와 경제의 둑이 무너지는 것도 시간문제다. 우리는 당해봐야 잘못된 것임을 알고 망해봐야 망하는 줄 아는 국민이다. 경험하고 나서도 모르는 국민이라면 희망이란 있을 수 없다.

YS는 1992년 대통령 취임식에서 신(新)한국병을 고치겠노라고 호언장담했으나 실현되지 않았다. 한국사회에서 신한국병이란 존재하지 않는다. 조선시대 이래 지속되고 있는 불치의 한국병이 있을 뿐이다. 지금 우리는 추락의 끝자락에 접근 중이다. 추락의 밑바닥에서 다시 일어서는 것이 우리의 운명이라 할지라도 운명은 언제나 준비된 자의 편에 섰고 기회는 항상 강자의 편에 섰음을 기억할 필요가 있다.

Ⅲ. 나의 답변

5공 청문회 증언

※언론 문제 진상 규명에 관한 청문회-제144회 국회 문교공보위원회(위원장 정대철 의원)

1988년 11월 23일 심야

○ 출석위원

정대철(鄭大哲) 손주환(孫柱煥) 이병용(李炳勇) 이상회(李相回) 이윤자(李潤子) 이종찬(李鍾贊) 임인규(林仁圭) 함종한(咸鍾漢) 박석무(朴錫武) 손주항(孫周恒) 조세형(趙世衡) 강삼재(姜三載) 김동영(金東英) 박관용(朴寬用) 윤성한(尹星漢) 최각규(崔珏圭) 이 철(李 哲)

[저자 註 : 나와 관련된 청문회는 5공의 언론 통폐합에 관한 청문회였으며 허삼수, 이광표(전 문공부장관), 이수정(청와대 정무비서관)이 증인으로 출석한 가운데 질의응답을 벌였고, 나에 관한 부분만을 국회속기록에서 옮겨 실었다. 당시 5공 청문회는 여소야대 정국에서 YS, DJ, JP를 주축으로 하는 야당의 요구를 노태우 대통령이 수용함으로써 이루어진 것이지만 직선으로 당선된 것을 내세워, 비판을 받고 있던 5공과 단절하려는 노태우 측의 정략적 계산이 깔려 있었다. 청문회장의 분위기는 살벌할 정도로 적대감이 돌고 있었던 기억이 생생하다. 속기록을 옮긴 것이므로 오자(誤字)와 탈자(脫字)를 그대로 두었다.]

-위원장 정대철(鄭大哲) 입법조사관 다음 증인을 입장하시도록 안내하여 주시기 바랍니다. 증인이 입장하실 때까지 위원들께서는 잠시 기다려주시기 바랍니다. 그러면 다음은 간사위원(幹事委員) 간의 합의에 따라 허삼수(許三守), 허화평(許和平), 이광표(李光杓), 이수

정(李秀正) 이상 네 분 증인의 선서와 신문(訊問)을 함께 하도록 하겠습니다.

증인들께서는 당 위원회의 출석일자가 변경되었기 때문에 한 말씀 묻고자 합니다. 허삼수, 허화평, 이광표, 이수정씨 네 분의 증인께서는 오늘 증인으로서 증언하여 주시겠습니까?

– 증인 허삼수(許三守) 예.

– 증인 허화평(許和平) 예.

– 증인 이광표(李光杓) 예.

– 증인 이수정(李秀正) 예.

– 위원장 정대철 허화평 증인, 선서하여 주시기 바랍니다.

– 증인 허화평 (증인 선서)

– 이병용(李炳勇) 위원 민주정의당 이병용 위원입니다. 저는 시간이 아까우니까 전제나 서문은 다 빼겠습니다. 저는 먼저 허화평 증인에 대해서 여쭈어보겠습니다. 허화평 증인! 10.26 당시에 전두환 보안사령관의 비서실장을 하셨지요?

– 증인 허화평 그렇습니다.

– 이병용 위원 그래 가지고 80년 9월 1일에 보안사령관에서 대통령에 취임하면서 청와대 비서관으로 가셨지요?

– 증인 허화평 비서실 보좌관으로 갔지요.

– 이병용 위원 정무비서실입니까?

– 증인 허화평 그것은 그 이후입니다.

– 이병용 위원 그러면 비서실 보좌관으로 갔다가 그 후 정무비서관이 되셨나요?

– 증인 허화평 그렇습니다.

– 이병용 위원 좋습니다. 5월 17일후에 국보위에는 무슨 직책 안 맡으셨습니까?

– 증인 허화평 그런 일 없습니다.

– 이병용 위원 여기 지금 증인으로 많이 나왔던 허문도 씨는 80년 4월에 중앙정보부장 서리의 비서실장이 되고 그 이전부터 증인은 보안사령관 비서실장이라 말입니다. 그랬는데 물론, 그 직책이 따로따로라면 전연 연결이 없을 텐데 전두환 장군이 양쪽 보안사령관, 중앙정보부장 서리 이렇게 되니까 한 분이 하는데 한쪽, 한쪽의 비서실장이니까 적어도 보좌하는 그 점에 있어서는 같은 위치에 있었던 것이지요?

– 증인 허화평 그렇다고 볼 수 있지요.

– 이병용 위원 그렇다고 볼 수 있는 것이 아니라 그렇지요.

– 증인 허화평 예.

– 이병용 위원 그러면 자연히 허문도(許文道) 증인도 나와서 그렇게 말했습니다. 중앙정보부장 비서실장이지만 보안사령관을 겸해 가지고 있어서 보안사령관에 계실 때에 가서 결재를 받는다든지 의논을 한다든지 또는 일상 '스케줄' 같은 것을 알기 위해서는 보안사령부에 증인을 많이 찾아갔다고 하는데 그렇습니까?

– 증인 허화평 저희 사무실에 간혹 들렀지요.

– 이병용 위원 1주일에 한두 번 정도는 되겠지요?

– 증인 허화평 그것은 제가 기억이 안 납니다.

– 이병용 위원 그래도 대략 1주일에 한 번 두 번 정도 이렇게 생각나지 않습니까?

– 증인 허화평 그것은 제가 정확히 기억이 안 납니다.

– 이병용 위원 그러면 그때 허문도씨가 자기는 언론에 대한 어떠한 개혁, 그런 의지를 상당히 가지고 있었는데 그런 데 대한 이야기를 하거나 언급하는 것 그런 일이 없었습니까?

– 증인 허화평 그때는 언론에 관한 논의는 없었지요.

– 이병용 위원 그 분이 언론계 출신이라는 것은 허화평 증인이

알고 있었겠지요?

– 증인 허화평 알고 있었습니다.

– 이병용 위원 그러나 증인은 언론계에 대해서는 전혀 모르는 분이고?

– 증인 허화평 그렇지요.

– 이병용 위원 그러면 그 분이 그러한 의지를 가지고 있었다면, 자주 만나는 사이에 단편적으로라도 언론에 관한 관(觀), 내지는 어떠한 구상(構想) 의지(意志) 이런 것이 비쳐질 법한데 전연 예가 없었습니까?

– 증인 허화평 없었습니다.

– 이병용 위원 언론 통폐합(言論 統廢合) 내지는 언론인 해직(言論人 解職) 이것이 80년 7월, 8월경인데 그 무렵에 언론인 해직이나 통폐합에 관한 것이 얘기가 논의된다고 하는 것을 증인은 몰랐습니까?

– 증인 허화평 제가 청와대를 가기 전에 보안사에서는 언론에 관해 가지고는 전연 관심을 갖지 않았고 또 들은 바가 없습니다.

– 이병용 위원 청와대 간 뒤에는 어느 때 언론 통폐합이나 언론인 해직에 관한 것을 알게 되셨습니까?

– 증인 허화평 언론인 해직은 제가 그때는 몰랐고 허문도, 그 당시 정무비서관이 통폐합에 대한 작업을 하고 있다, 하는 것은 제가 알고 있었지요.

– 이병용 위원 언제부터 알고 계셨습니까?

– 증인 허화평 그것은 기간은 제가 모릅니다.

– 이병용 위원 아니 9월 1일에 가셨으니까 9월 1일에 가서 얼마나 된 뒤에 아셨습니까?

– 증인 허화평 왜냐하면 제 직책이…

– 이병용 위원 아니 제가 물은 것은 왜냐하면은 묻지 않았어요.

언론 통폐합에 관한 작업을 하고 있다는 것을 청와대 간 뒤에 아셨다고 그랬기 때문에 청와대 간 뒤에 얼마나 되었을 때 아셨느냐를 묻습니다.

– 증인 허화평 그것은 제가 기억이 잘 안 나는데요.

– 이병용 위원 아니 적어도 가서 금방인지 한 두어 달 후인지 그것은 아실 것 아닙니까? 전연 몰랐다는 것은 아니니까…

– 증인 허화평 그것은 기억이 안 납니다.

– 이병용 위원 좋습니다. 그러면 청와대 가서 허문도 씨나 또는 여기 증인으로 나온 이광표 증인이나 이런 분들이 언론 통폐합과 관련되어서 대통령에게 건의 또는 결재 받는 과정에서 옆에서 보았거나 또는 들어가고 나오는 때에 이야기 들은 바 없습니까?

– 증인 허화평 그런 일은 없습니다.

– 이병용 위원 그런데 아까 언론 통폐합의 작업을 허문도 씨가 한다는 것을 청와대 간 뒤에 알았는데 어느 때 경에 알았다 하는 것을 자꾸 빼기 때문에 내가 묻습니다.

– 증인 허화평 제가 그것을 빼는 것은 아니지요. 뺄 이유가 없지요.

– 이병용 위원 그러면 언론 통폐합이 실시된 80년 11월 12일 아무리 늦어도 그때는 알았겠지요. 어떻습니까? 9월 1일에 가셨습니다. 9월 1일에 가서 두 달 열이틀이 되었을 텐데 그러니까 9월 1일서부터 11월 12일, 그 중간 언제에 알았을 텐데 아무리 늦었어도 11월 12일에는 알았을 것 아닙니까?

– 증인 허화평 그 일을 제가 직접 관장하거나 감독하는 일이 아니기 때문에…

– 이병용 위원 증인! 내가 관장(管掌) 여부를 묻지 않습니다. 관장이 아니라는 것은 알고 있습니다. 둘째로 미리 내가 이런 말을 안 하려고 했는데 자꾸 증인이 그러니까 말을 합니다. 증인은 당 위원

회의 증인으로 채택된 것은 간사회의에서 채택되었습니다. 그런데 나는 증인으로 채택되었기 때문에 증인을 내가 물을 수밖에 없는데 어떻게 해서 이 분이 관련이 되었을까 의문을 가졌습니다. 그러니까 업무 관장 설명은 저도 알고 있으니까 그것 설명하실 필요 없이 아까 증인이 말을 했습니다. 자기 소관 아니라 보안사 있을 때는 몰랐다, 청와대 간 뒤에 알았다, 그러면 언제 알았느냐, 했더니 기억이 안 납니다, 이거예요. 그래서 내가 물어보는 것입니다. 80년 11월 12일까지도 몰랐느냐 하고 내가 물었습니다. 어떻습니까?

– 증인 허화평 참 제가 답변이 아주 난처한데요. 날짜를 저의 일이 아니라서 기억을 하기는 어렵습니다. 8년 전 일이니까.

– 이병용 위원 글쎄 8년 전이든 적어도 아까 증인이 청와대 간 뒤에는 알았다고 그랬어요. 그러니까 거기에서 후퇴할 수가 없습니다. 좋습니다. 그러면 언론 통폐합이 바로 곧 실시되었습니다. 그 날로 각서를 받고 사주들이 울고 그래서 시행이 되었습니다. 그러면 그것도 몰랐다는 말입니까?

– 증인 허화평 그것은 제가 내용을 모르고…

– 이병용 위원 언론 통폐합이 언론의 보도가 있어서 비로소 알았다는 얘기입니까?

– 증인 허화평 아니지요…

– 이병용 위원 그렇지요. 그러니까 적어도 제가 아무리 늦어도 11월 12일이고 또 아무리 일러도 9월 1일 더 앞에는 갈 수 없는 거예요.

– 증인 허화평 그러니까 제가 여기서 이야기 드리는 것은 그 일시는 중요하지 않습니다. 왜 이 보도와…

– 이병용 위원 중요하고 안 하고 하는 것은 증인이 판단할 것은 아니고 어느 때 경에 알았느냐 하는 것을 묻는데 그렇게 오래 얘기할 필요가 없지요.

– 증인 허화평 그 날짜도 중요하지 않습니다. 한 가지 제가 말씀드린 것은 허문도 비서관이 그 어려운 결재를 받고 상당히 만족을 했던 것은 제가 알고 있습니다. 그런데 날짜는…

– 이병용 위원 그러면 허문도 씨가 어려운 결재를 맡고 말하자면 즐거워하더라, 그러면 결국 11월 12일이예요.

– 증인 허화평 그 날짜는 요즈음 이렇게 말썽이 되어서 제가 안 것이지 그 이전에는 저는 몰랐습니다.

– 이병용 위원 날짜를 기억하는 것은 결재 맡은 것이 11월 12일이라는 것은 분명해졌거든요. 그러니까 11월 12일에 비로소 알았다…

– 증인 허화평 언론에서 확인된 것이지요.

– 이병용 위원 모른다는 것을 내가 자꾸 말씀하시는 것을 신빙성 때문에 묻는 것이니까 언제 알고 하는 것이 중요치 않다, 그런 말은 월권(越權)입니다. 그런 말씀하시는 것 아니에요. 좋습니다. 증인은 고향이 부산이지요.

– 증인 허화평 경북 포항시입니다.

– 이병용 위원 허문도 씨가 자기가 구상했던 것이 결재 맡아서 즐거워한다, 그러면 어떠어떠한 원칙으로 되었소, 하고 질문 안 하셨나요?

– 증인 허화평 그것은 제가 물어봤지요.

– 이병용 위원 어떠어떠한 원칙으로 했다고 하던가요?

– 증인 허화평 그것을 제가 정확히 기억 못하는데 언론 통폐합에 대해서 원칙 3개, 다시 말씀드려서 언론의 공익성 향상, 언론기업 체질의 개선, 언론 부조리(不條理) 제거, 이 세 가지 요점은 소위 개혁 차원에서 제도적 개선을 한다 하는데 원칙으로 제가 들었습니다.

– 이병용 위원 그것은 허문도 씨가 내세우는 목적이고 개혁의 4대 원칙은 아닙니다. 그러면 그 허문도 씨가 그렇게 즐거워하면서

한다면 어떠한 방법으로 시행하게 되는 것이냐 하는 것이 지극히 궁금할 텐데 그것은 안 물어보셨나요?

– 증인 허화평 그것은 저와 관계없는 일입니다.

– 이병용 위원 관계있느냐, 없느냐를 내가 묻지 않아요. 증인은 묻는 데 대해서 그것만 정면으로 답변하면 되는 것이지 증인이 미리 판단해가지고 할 것은 아니에요. 관계가 있을 법하니까 내가 물어보는 것이에요. 그런 일이 있다 없다고만 얘기하시면 돼요.

– 증인 허화평 없습니다.

– 이병용 위원 보안사에서 있던 언론대책반이든 언론 '팀'이든 이상재(李相宰) 씨가 보안사 정보처장 휘하에서 하다가 그 후에는 그것의 결재 때문에 청와대도 더러 출입한 것 같은데 이상재 씨를 아십니까, 모르십니까?

– 증인 허화평 알지요.

– 이병용 위원 어느 때부터 아십니까?

– 증인 허화평 보안사에서 알았지요.

– 이병용 위원 보안사에서 이상재 씨가 언론'팀'의 책임을 맡고 있다는 것은 알고 계셨군요.

– 증인 허화평 그때는 그 점에 대해서 저는 주의를 하지 않았습니다.

– 이병용 위원 보안사 있을 때 이상재 씨가 언론 '팀'의 장을 하고 있다, 하는 것을 어느 때 아셨습니까?

– 증인 허화평 그 점은 전연 그 시점에서는 모르고 있었습니다.

– 이병용 위원 좋습니다. 이것은 혹시 통폐합 결재 맡았을 때 안다고 하시니까 통폐합 결정하기 전에 혹시 청와대에서 고위 논의가 있었던 것도 물론 모르시겠구만…

– 증인 허화평 다시 한 번 질문해주십시오.

– 이병용 위원 통폐합이 결정되기까지는 상당히 결재가 올라갔

다 '빠꾸'가 되고 결재가 올라갔다 '빠꾸'가 되고 그런 일이 있었어요. 그런 내용을 모르시겠구만…

– 증인 허화평 그것은 제가 좀 압니다.

– 이병용 위원 아세요?

– 증인 허화평 그렇지요. 여기에서 제가 한 말씀 드리겠습니다. 현재 소위 말하는 신군부(新軍部)가 정권을 장악하기 위해서 초기에 언론을 장악해야 된다, 그래서 소위 三許氏, 당시의 개혁 주도세력이 뒤에서 그것을 주도했다, 이렇게 듣고 있습니다. 그런데 제가 계속되는 이 청문회를 통해서 허문도, 그 당시 비서관의 증언을 보면 아주 중요한 대목이 있습니다. 언론을 모르는 군 출신에게 자기가 집념을 가지고 계속 설득했다, 그것이 몇 달이 걸리고 청와대에 올라와서 몇 번 시도했어도 잘 안 되었다, 이 말은 무슨 말이냐, 다시 이야기해서 만약에 그와 같은 신군부 세력이 정말 정권을 위해서 언론을 장악할 필요가 있었다면 그런 건의가 없더라도 제가 제깍 받아들였을 것입니다. 그러나 그렇지 않고 계속 거절했다, 그것을 유보(留保)했다, 하는 것은 사실과 전연 다른 그런 결론이지요. 그 다음에 한 가지만 더 말씀드리겠습니다. 이것은 중요한 말입니다.

– 이병용 위원 아니에요. 내가 필요로 하는 것을 묻는 데 대해서 답변해주세요. 그러니까 허문도 씨의 독자적인 견해다, 이 말씀이지요? 그렇지요? 허문도 씨 혼자서 자기가 독자적으로 피력한 것이지 증인이 알고 있는 것과는 별개다, 그 말씀이지요?

– 증인 허화평 예.

– 이병용 위원 그렇다면 그것은 알았습니다. 그러면 통폐합에 관해서 신중파 반대파도 있었다, 하는 말이 있는데 그것도 모르시겠구만…

– 증인 허화평 모릅니다.

– 이병용 위원 그러면 뭐 언론 통폐합에 관해서 증인이 관여한

것 없고 그렇기 때문에 또 거기에 대해서 물을 것이 없고요. 좋습니다. 지금 민주화된 오늘날에 와서 아까 증인이 말한 것처럼 사회에서 볼라치면 三許氏가 실세다, 또 개혁 주도의 말하자면 선두주자다, 이렇기 때문에 그때 당시의 오늘날의 실각해서가 아닌 그 당시 12.12 사태도 직접 겪으셨고 5.17도 직접 권력의 측근에서 겪으셨는데 그때 당시 나름으로 모시고 있는 사람의 나름으로 간단하게 12.12사태를 증인은 어떻게 보셨고 5.17을 어떻게 보셨는지 간단하게만 증인의 견해를 좀 말씀해주세요.

– 증인 허화평 저는 사실 오늘 여기에 출석서에…

– 이병용 위원 주제가 아니니까 말 않겠다면 좋습니다.

– 증인 허화평 간단히 제 입장을 말씀드릴 필요가 있을 것 같습니다. 언론청문회로 왔습니다. 그러나 질문을 하시기 때문에 제가 말씀을 드리겠는데요, 12.12 사건은 오늘날 세 가지 점에서 문제가 돼 있지 않습니까? 하나는 그것은 하극상(下剋上)이다. 그 다음 두 번째는 국가원수의 재가(裁可)를 받지 않은 상태에서 계엄사령을 진행했다. 다음 세 번째는 무력 동원을 했다. 따라서 이것은 탈권(奪權)을 위한 '쿠데타'다. 이렇게 규정되어 있습니다. 그런데 이 12.12는 왜 일어났느냐, 10.26 사건이 일어나지 않았다면 그런 일은 없었을 것이다. 다음 두 번째는 정승화(鄭昇和) 장군이 그 당시에 계엄사령관으로 임명되지 않았다면 이 사건은 나지 않을 것이다. 왜? 정승화 장군은 그 살해사건의 혐의자(嫌疑者)입니다. 일곱 가지의 혐의(嫌疑)가 있습니다.

– 이병용 위원 그 사건은 내가 변호인이기 때문에 증인보다도 내가 더 잘 알고 있으니까 간단간단하게만 결론만 내주세요.

– 증인 허화평 알겠습니다. 박 대통령의 만찬을 준비하라는 지시를 받은 김재규 당시 중앙정보부장이 참모총장을 그 옆에 불러놓았다 하는 것은 지극히 비정상입니다.

– 이병용 위원 바로 옆에 방에 있었어요.

– 증인 허화평 다음 세 번째 사건 현장이 있습니다. 예컨대 이 안에 지금 살인사건이 났을 때 이 안에 있는 우리 모든 사람은 일단 혐의자가 될 것입니다. 따라서 수사(搜査)가 끝날 때까지 위원장을 포함해서 증인을 포함해서…

– 이병용 위원 좋아요. 제가 지금 증인이 말하려고 하는 것은 아무리 참모총장이고 상급자이지만 국가원수의 살해사건의 바로 옆의 자리에 있었던 사람이기 때문에 수사의 필요상 그럴 수밖에 없었다, 그 얘기지요? 알았어요.

– 증인 허화평 제 말씀을 조금만 시간을 주십시오. 이왕 말씀하였으니까…

– 이병용 위원 아냐, 아냐 내가…

– 위원장 정대철 許증인! 위원 신문(訊問)에 대해서 성실하게 간단하게 답변하시도록 하세요.

– 손주항(孫周恒) 위원 제가 허화평 증인한테 한두 가지만 묻겠습니다. 허화평 증인께서는 조금 전에 이병용 위원이 말씀하신 때에 전두환(全斗煥) 씨가 보안사령관으로 계실 적에 비서실장을 하셨다고 들었습니까?

– 증인 허화평 예, 그렇습니다.

– 손주항 위원 사실입니까?

– 증인 허화평 예.

– 손주항 위원 그리고 전두환 씨가 대통령으로 되시고 난 뒤에는 청와대… 마지막에 가서는 정무수석비서관을 하셨습니다. 그렇습니까?

– 증인 허화평 예, 맞습니다.

– 손주항 위원 다른 것은 고하간에 그 두 가지만 제가 물으려고

합니다. 보안사령관 비서실장으로 계실 적에 이 비서실장이라는 직책은 사령관을 보좌하고 사령관을 보필하는 자리인 것으로 알고 있습니다.

– 증인 허화평 예.

– 손주항 위원 80년 8월, 전(全) 언론인의 30%에 해당하는 700여 명이 해직을 당했습니다. 그것이야말로 엄청난, 지금 바로 이 청문도 그것으로 인해서 지금 열리고 있습니다마는 이것은 언론학살(言論虐殺)이라고도 하고 언론도살(言論屠殺)이라고도 말을 하고 있습니다. 심지어 일부 언론인은 삼청교육을 가기도 했습니다. 그리고 바로 그 당시 권력의 핵이었던 보안사에서 사실상 영향력을 행사해 가지고 그 당시 문공부를 통해서 모든 언론인에게 법의 절차를 밟지 않고 일괄 사표(辭表)를 받아가지고 심사의 절차도 합법적으로 밟지 않고 일방적 통고로 그 많은 언론인을 직장에서 쫓아내게 했습니다. 이것은 대단히 그 당시 권력을 송두리째 가지고 있던 보안사령관을 보필해야 할 증인으로서는 대단히 미안하게 생각합니까? 어떻습니까?

– 증인 허화평 사령관을 보좌하는 입장에서는 그와 같은 점에서 항상 같은 책임을 갖고 있다고 봐야지요.

– 손주항 위원 더욱이 80년 8월 19일에는 비록 문공부에서 주관을 했습니다마는 2,597개의 출판사 가운데에 23.8%에 해당하는 617개 회사를 등록을 취소했습니다. 이것도 엄청난 일입니다. 사실은 언론사의 많은 신문기자 분들을 길거리로 내보내게 한 것이나 혹은 언론사 통폐합 못지않게 이와 같은 중소기업을 더군다나 출판, 이 업에 많이 종사하고 있는 많은 사원들을 역시 직장에서 내쫓게 했습니다. 이 사실도 역시 누가 뭐라고 한다 하더라도 당시 보안사 사령관으로 계셨던 전두환 씨가 겸임한 합수부의 소위 언론 '팀'에서 자행을 했습니다. 그 당시 그 보필을 맡아야 할 또 충실히 보

좌를 했어야 할 증인은 이것도 역시 대단히 송구하게 생각합니까? 국민한테 혹은 피해 당사자들한테…

– 증인 허화평 인간적으로 개인적으로 그 피해 당사자들에 대해서는 항상 미안하게 생각합니다.

– 조세형(趙世衡) 위원 허화평 증인에게 묻겠습니다. 보안사의 실세들이… 뭐 실세라고 하면 무슨 말인지 모르면 내가 설명해드릴게요. 누구누구가 실세라는 것…

– 증인 허화평 한 번 설명해주세요.

– 조세형 위원 三許씨, 이학봉(李鶴捧) 씨 이런 것이 실세입니다. 알았습니까? 알았지요?

– 증인 허화평 저는 그것은 잘 이해가 안 되는 소리입니다.

– 조세형 위원 그렇게 알고 계세요. 내가 말하는 실세는 그런 사람들을 두고 하는 얘기입니다. 보안사 실세들이 주도가 되어 가지고 운영을 한 국보위가 설정한 당면과제 중에는 그 6항에 언론에 있어서의 국가 이익을 우선하는 풍토를 확립해야 한다, 이런 것이 있는데 허화평 증인은 그것을 기억하고 있습니까?

– 증인 허화평 기억을 못 하고 있습니다.

– 조세형 위원 못 하고 있겠지요. 대개 그래요. 가해자 측은 기억을 못 합니다. 피해자는 그것이 8년 아니고 18년이라도 잊어버리지를 않아요. 거기서 말하는 국가 이익의 우선이라는 것이 무엇을 기억을 않는다니까… 무엇을 구체적으로 뜻했는지 내가 설명을 드릴게요. 그것이 즉 바로 이 국보위에서의 제6항 그 국가 이익을 우선하도록 그렇게 정책을 편다는 것이 뭐였는고 하니, 언론대학살이었습니다. 다시 말하면 기자들을 700여 명이나 내쫓고 그리고 신문사, 통신사, 방송을 강제적으로 폐합(廢合)하고 빼앗고 하는 데로 연장이 되었어요. 귀하들이 한 일이 바로 그런 것하고 연결이 되어

서 시작이 되었던 것입니다.

– 증인 허화평 그것은 잘못 아시고 계신 것입니다.

– 조세형 위원 가만있어요. 내가 물어보면 대답만 하세요. 증인은 국보위 당면 과제를 수행하기 위해서 국보위 문공분과위원에 임명된 다음 날인 80년 6월 6일 삼청동에 있는 국보위 사무실에서 허삼수(許三守), 이학봉(李鶴捧), 권정달(權正達) 등 소위 보안사 실세 및 오자복(吳滋福), 허문도(許文道), 김행자(金幸子) 등등 이런 사람들과 만난 일이 있지요?

– 증인 허화평 아니 제가 국보위 문공분과위원회에 소속했다고요?

– 조세형 위원 아니 그러니까 이런 사람들하고 전부 만난 그런 사실을 기억하고 있습니까?

– 증인 허화평 아니 그 점에 대해서 제가 방금 전에 들은 것 같은데 제가 국보위 문공분과위원회에 있었나요?

– 조세형 위원 아니요, 그러니까 그런 사실을 기억하고 있느냐 이런 얘기예요.

– 증인 허화평 그것은 제가 확인할 가치도 없는 소리입니다.

– 조세형 위원 이 실세들이 모여 가지고 바로 여기서부터 언론대학살의 모의가 시작이 되었던 것입니다.

– 증인 허화평 그런데 거기에 대해서 제가 한 말씀 드리겠습니다.

– 조세형 위원 가만있어요. 내가 묻는 것만 대답을 하세요.

– 증인 허화평 이것은 아주 불공평한데요. 지금 조 위원님…

– 조세형 위원 그리고 나중에 답변할 수 있는 기회를 주겠어요. 가만있으세요. 내가 질문하고 있는 중이예요.

– 증인 허화평 저에게 답변의 기회를 주시면서 말씀해주십시오.

– 조세형 위원 그 다음에 허화평 증인! 국보위 문공분과위원의 말에 따르면 언론인 숙정(肅正) 및 언론사 통폐합에 대한 구체적인

구상은 이미 증인 등을 중심으로 한 보안사 영관급 이상의 핵심 참모들이 한 것으로 알려지고 있는데 증인은 혹시 이런 사실을 기억하거나 들었거나 알고 있는 사실이 있습니까?

– 증인 허화평 없습니다.

– 조세형 위원 대답만 간단간단히 하세요. 당시의 보안사의 간부로서 언론학살의 보안사가 본거지였었습니다. 그것은 알고 있지요? 지금에 와서는 알고 있지요?

– 증인 허화평 그때는 몰랐습니다.

– 조세형 위원 그때는 몰랐다고 하겠지요. 이상재(李相宰) 씨를 비롯해서 보안사가 사실상 지금 우리 청문회의 문제가 되고 있는 언론대학살의 본산이었다, 이제 거기에 당시의 보안사의 간부로 있었던 허화평 증인으로서는 오늘날 이와 같이 큰 비극적인 결과를 나타낸 신문의 통폐합 그리고 수많은 기자들의 축출 이런 비극적인 사실에 대해서 8년이라는 세월이 흐르기는 했지만 지금 어떻게 생각하십니까?

– 증인 허화평 제가 아까 손 위원께서 질문하셨기 때문에 답변드린 것과 마찬가지로 개인적으로 인간적으로 매우 유감으로 생각하고 미안하게 생각합니다.

– 조세형 위원 개인적으로 허화평 증인의 느낌을 물어보겠는데 신문 보도에 의하면 내일 그러니까 23일 전두환 전 대통령이 민의의 요구에 그 압력에 못 이겨서 결국 연희동 宅을 떠나게 될 것이다, 그런 보도가 있습니다. 그 보도를 보셨지요?

– 증인 허화평 아직까지 제가 여기 오느라고 그 보도는 직접 못 보았습니다.

– 조세형 위원 내일 중요한 성명이 있을 것이다, 그런 것은 보았습니까?

– 증인 허화평 그것은 제가 듣고 있습니다.

– 조세형 위원 이제 역사의 한 고비가 넘어가는 그런 시점이 다가오고 있는 것 같은데 지금으로부터 8년 전 그 분을 도와서 전두환 씨를 중심으로 해서 5.17 '쿠데타'를 일으켜 가지고 그래서 5공화국을 창출시켰던 그 하나의 주역으로서 지금 회상컨대, 전두환 씨를 중심으로 도와서 5공을 출범시킨 사실에 대해서 어떤 심경을 가지고 계십니까?

– 증인 허화평 5공 탄생에 대해서는 저는 그 당시 시대적으로 불가피했던 소산으로 보고 8년 후 지금은 또 다른 상황으로 봅니다.

– 조세형 위원 지금은 어떻게 생각하십니까?

– 증인 허화평 어떤 면에서 말입니까?

– 조세형 위원 지금은 또 다른 상황이다, 그러니까 그것을 어떻게 평가하세요?

– 증인 허화평 저는 출범에 참여했던 한 사람으로서 저 나름대로의 정당성을 항상 갖고 있지요.

– 조세형 위원 지금도 정당했고?

– 증인 허화평 그렇습니다.

– 조세형 위원 조금치도 거기에 대해서 반성하지 않습니까?

– 증인 허화평 저는 정당하게 생각합니다.

– 조세형 위원 '쿠데타'가 정당했다.

– 증인 허화평 '쿠데타'는 아닙니다.

– 조세형 위원 그러면 뭡니까? 뭐라고 생각합니까?

– 증인 허화평 그 논의가 이 청문회 기간 중에 몇 번 있었던 것 같은데 소위 자유민주주의 체제를 부정하지 않았던 면에서 그것은 혁명으로 볼 수 없고, 또 계획된 무력동원이 아니었다는 점에서 '쿠데타'가 될 수 없습니다. 그러나 그 성격으로 보아서…

– 조세형 위원 내가 간단히 하나만 물어볼게요. 얘기가 길어질

수 없습니다. 시간을 남겨가지고 동료 위원에게 양보를 해야 하기 때문에 허화평 증인이 지금 말하려고 하는 요지가 무엇인가를 내가 대강 다 알 수 있습니다. 간단하게 반론을 하나 할게요. 그때 당시 5.17 확대계엄조치가 합법적으로 이루어졌다, 아직도 그렇게 생각하고 있습니까?

– 증인 허화평 글쎄요. 그 처리과정에서 법적인 검토를 할 위치에 있지 않았기 때문에 그 점에 대해서 답변할 입장은 아닙니다. 그러나 제가 그 당시 위기의 중간에 서서 본 시각은 법이 나라를 구하기에는 상당히 어려운 상태가 아니었나, 나라가 잘못되면 그 법 자체는 의미가 없어지니까 하는 시각을 저는 가지고 있었습니다.

– 조세형 위원 그래서 지금 말씀하시는 것은 바로 그것이 혁명이었다는 것을 스스로 자인하고 있는 것입니까?

– 증인 허화평 그러나 그것은 이유가 있지 않겠습니까? 그렇게 판단하게 된 이유, 그것은 우리 조 위원님께서 판단하시는 기준이 있을 것이고 또 저와 같은 사람이 판단하는 기준이 있지 않겠습니까?

– 조세형 위원 오래 이야기하지 않겠습니다. 지금 허화평 증인께서 법으로는 도저히 어떻게 할 수 없는 상황이었다, 그런 말씀을 하셨는데 그것이 바로 여러분들은 혁명이라 부르고 우리는 '쿠데타'라고 부르는 그러한 상황이었다 하는 것을 자인하는 것입니다.

– 증인 허화평 혁명이나 '쿠데타'에 대해서는 동의하지 않습니다.

– 조세형 위원 알겠습니다. 이만 그치겠습니다.

– 강삼재(姜三載) 위원 강삼재 위원입니다. 그런데 본 위원은 오늘 허화평 증인은 처음 뵙습니다. 허삼수 증인은 본 위원이 어저께 처음 만났고 이수정 증인은 처음입니다. 오늘 여러분들께서 증언을 하시면서 하나 유의하셔야 될 일은 이것은 증인 여러분들을 위해서

본 위원이 드리는 말씀이올시다. 여러분들께서 증언하시는 이 광경은 지금 국민을 향해서 공개가 되고 있습니다. 여러분들의 증언은 몇몇 국회의원들한테 대해서 증언하시는 것이 아니고 국민을 향해서 증언하는 것이올시다. 제가 이 신문(訊問)에 들어가기 전에 허화평, 허삼수 증인 두 분에게 진심으로 바라고 싶은 것은 이제는 과거에 두 분들이 가졌던 그와 같은 고압적인 태도는 버려주시기 바랍니다. 본 위원이 이 점은 힘주어서 강조합니다. 왜? 여러분들께서 옹립했던 전두환 씨! 이제 7시간에서 8시간만 있으면 서울을 떠납니다. 여러분이 정권을 창출하는 과정에서 측근에서 상관을 어떻게 보필했기에 이 지경으로 만들었습니까? 여러분들께서 고압적으로 답변하는 이 시간에 오늘 바로 전두환 씨가 서울을 떠난다는 사실을 본 위원은 다시 한 번 상기시키는 바입니다. 아까 허화평 증인께서 본인은 의제 외에 이와 같은 문제를 언급하지 않으려고 했습니다. 자칫 잘못하면 증인들의 어떤 소신만 듣는 자리 내지는 논리의 싸움으로 비약할 수 있기 때문에… 그런데 한 가지 허화평 증인께서 지난 광주민주화운동 청문회에서도 당시 계엄사령관이던 이희성(李熺性) 씨조차도 12.12 사태는 잘못된 것이라고 국민 앞에 증언했습니다. 아까 증인께서도 뭐라고 말씀하셨습니까? 12.12 사태에 대해서…

– 증인 허화평 지금 답변을 요하고 계시는 것입니까?

– 강삼재 위원 답변을 요하고 있습니다.

– 증인 허화평 위원장님! 제가 답변 전에 한 말씀 드려도 되겠습니까?

– 위원장 정대철 강삼재 위원 신문에 직접 답변하시는 형식으로 하세요.

– 증인 허화평 저는 이 자리에 증인이기 이전에 한 사람의 유권자입니다. 또 증인이기 이전에 한 사람의 납세자입니다. 또 저는 진

실을 말씀드리기 위해서 나와 있는 증인입니다. 조금 전에 말씀하시다시피 저에게 물어보시고 제가 답변하는 것은 국민을 향해서 답변하는 것입니다. 따라서 5공화국과 관련해서 피해 당사자 입장에 계시다면 이 청문회가 끝나서 나가서 어떤 폭언을 하더라도 저는 감수합니다. 그러나 이 안에서는 이 청문회의 품위와 목적을 위해서 상호 존중하는 가운데 진실을 밝혔으면 합니다.

– 강삼재 위원 아니 지금 본 위원이 허 증인을 향해서 폭언을 했다고 생각합니까?

– 위원장 정대철 강삼재 위원 잠깐 계세요. 허 증인… 지금 누구 훈시하는 거요?

– 강삼재 위원 본 위원이 지금 허화평 씨한테 폭언을 했습니까?

– 증인 허화평 조금 전에 저는 그렇게 들었는데요.

– 위원장 정대철 허 증인! 경고합니다.

– 강삼재 위원 지금 의석에 앉아 있는 민정당 의원조차도 폭언으로 느끼지 않습니다. (중략) 허화평 증인! 증인께서는 본 위원이 신문하는 내용을 고압적이라고 그렇게 들으셨는데 결코 고압적이 아니다는 사실을 미리 밝혀드립니다. 아까 12.12 사태에 대한 문제를 본 위원이 물은 것은 12.12 사태에 대해서 허 증인께서 언급하셨기 때문에, 또 언급한 내용이 본 위원이 이해할 수가 없기 때문에 다시 한 번 물어보는 것입니다.

– 증인 허화평 그 점에 대해서는 제가 이렇게 생각합니다. 지난번 대통령 선거 전(全) 기간을 통해서 그 문제는 굉장히 뜨거운 논쟁의 초점이었습니다. 또 지금 여기에서 저희들이 구태여 재연할 필요가 있습니까? 저는 답변을 원하신다면 계속하겠습니다.

– 강삼재 위원 아니 재연할 필요가 있는 것이 아니라 아까 먼저 그렇게 답변을 하셨기 때문에 다시 묻는 것입니다.

– 증인 허화평 이병용 위원께서 그에 대한 소감을 물었기 때문

에 제가 답변을 하려고 그랬는데 중간에 제가 제지를 당했지요.

– 강삼재 위원 그러면 12.12 사태에 대한 언급은 없었던 것으로 할까요?

– 증인 허화평 그것은 마음대로 하십시오.

– 강삼재 위원 본 신문에 들어가겠습니다. 증인께서는 보안사령관 비서실장으로 있으면서 중앙정보부장 서리 비서실장 허문도 씨와는 자주 만났겠지요?

– 증인 허화평 자주라고는 할 수 없지만 간혹 사무실에 들러 만났지요.

– 강삼재 위원 주로 증인을 찾았습니까? 허문도 씨가?

– 증인 허화평 제 사무실에 오게 되며는 제 방에 들어오게 되어 있습니다.

– 강삼재 위원 당시의 보안사령관 비서실장의 역할은 무엇이었습니까?

– 증인 허화평 사령관을 개인적으로 보좌하는 개인참모입니다.

– 강삼재 위원 개인참모입니까?

– 증인 허화평 그렇습니다.

– 강삼재 위원 그러면 중앙정보부장 서리 비서실장 직은 무엇하는 것입니까? 왜냐며는 같은 사람의 비서실장은 두 사람 있었거든요. 그렇지요? 그 당시에 허문도 씨의 역할은 무엇이고 증인의 역할은 무엇입니까?

– 증인 허화평 저는 보안사의 비서실장이고 허문도 당시 비서실장은 그 당시 중앙정보부지요. 중앙정보부 비서실장을 했습니다. 완전히 다르지요. 기구가…

– 강삼재 위원 아니 그것은 본 위원이 잘 알고 있습니다. 보안사령관 내지는 중앙정보부장 서리를 모시는 입장은 마찬가지지요?

– 증인 허화평 완전히 다릅니다. 그 의미가… 일단 그 당시 전두

환 장군이 보안사에 위치하게 되면 보안사령관이고 보안사를 떠나서 중정에 가게 되며는 그때는 중앙정보부장 서리가 되지요. 그것 완전히 다릅니다.

– 강삼재 위원 아니 그렇다면 허문도 씨가 중앙정보부에만 있어야 되지 왜 보안사령실에 왜 자꾸 왔어요?

– 증인 허화평 그것은 주로 위치가 보안사령부니까…

– 강삼재 위원 비서실장끼리 업무 협의를 안 합니까? 같은 상관을 모시고 있는데 한 사람이 두 가지 직책을 겸임하고 있었을 때 그 사람을 함께 모시고 있는 비서실장끼리는 모든 문제를 협의해야 되지요?

– 증인 허화평 꼭 그렇지는 않습니다.

– 강삼재 위원 아니 꼭 그런 것이 아니라 제가 상식적으로 묻고 있는 것입니다.

– 증인 허화평 상식적으로 그것은 그렇지 않습니다.

– 강삼재 위원 그렇지 않습니까?

– 증인 허화평 그렇지요.

– 강삼재 위원 전혀 별개입니까?

– 증인 허화평 별개입니다.

– 강삼재 위원 좋습니다. 당시 참모회의를 했지요?

– 증인 허화평 어떤 참모회의입니까?

– 강삼재 위원 보안사령부…

– 증인 허화평 참모회의도 종류는 여러 가지 있습니다.

– 강삼재 위원 증인께서 참석하는 참모회의에는 누구누구가 참석합니까? 보통 허화평 증인 방에서 하는 참모회의를 얘기합니다.

– 증인 허화평 제 방에서는 그런 참모회의를 할 수가 없습니다. 제가 그런 권한이 없고 그런 관례가 없습니다.

– 강삼재 위원 당시 처장급 회의는 있었습니까?

– 증인 허화평 처장급 회의를 할 때는 사령관이나 참모장이 주재합니다.

– 강삼재 위원 참모장이 주재합니까?

– 증인 허화평 그럼요. 참모장이 주재하거나 사령관이 주재하거나 비서실장은 거의 한 참석자가 될 따름이지요.

– 강삼재 위원 그러면 비서실장은 사령관실에 결재가 올라왔을 때 적어도 사령부 내의 돌아가는 모든 사정을 자세하게는 모르지만 그래도 거의 돌아가는 내막을 살필 정도는 되지요? 왜? 사령관이 혹시 실장을 불러서 물어보는 적이 있지요? 돌아가는 상황을… 특히 주요 현안 문제에 대해서…

– 증인 허화평 그것이 꼭 그렇지 않습니다.

– 강삼재 위원 그러면 그 당시 비서실장에게 물어보는 것은 어떤 종류입니까?

– 증인 허화평 비서실장은 아시다시피 개인 보좌관으로서 주로 사령관의 공식 일정을 통제하는 것입니다. 사람 만나는 것, 각종 회합에 참석하는 것, 그 다음에 오는 사람 맞이하는 것, 이것이 기본 임무지요. 그 일 자체에 대해서는 상관은 간섭할 권한도 없고 입장에 있지 않습니다.

– 강삼재 위원 그렇다면 보안사 돌아가는 분위기 적어도 대공처나 정보처에서 이루어지는 사항들을 전혀 모르고 계십니까?

– 증인 허화평 큰 방향은 제가 알지요. 큰 방향은 압니다.

– 강삼재 위원 큰 방향은 어떻게 해서 압니까? 처장하고 협의를 해서 압니까?

– 증인 허화평 꼭 그런 것은 아닌데 우리가 사령관 주재 하에 참모회의를 하지 않습니까? 그러면 여러 가지 의견 교환을 하게 되는 가운데서 그날의 중요한 소위 일과가 뭐다 하는 것을 다 알게 되어 있는 것이지요. 그리고 그 당시의 보안사는 크게 두 가지 임무가

있습니다. 하나는 김재규 수사 사건을 우리 보안사의 합동수사본부 이름하에 진행하고 있었기 때문에 그것이 가장 큰 일의 하나였고, 나머지는 보안사령관이 계엄사령관의 참모로서 거기에 관련되어 있는 처가 주로 계엄사 조언을 하는 이 두 가지 방향에 대해서는 제가 알고 있지요. 그러나 나머지 세세한 것은 제가 간섭하지 않습니다.

– 강삼재 위원 허문도 씨의 증언에 의하면 아까 허문도 씨가 증언을 통해서 한 말입니다. 그 당시에 혁명적인 상황임에도 불구하고 합법 상황을 흉내 냄으로써 일이 꼬이게 됐다, 무슨 뜻인지 알겠습니까? 혁명적인 상황임에도 합법 상황을 흉내 내는 당시의 주도 세력을 못마땅하게 생각했다.

– 증인 허화평 그것은 그 사람 개인 의견이겠지요.

– 강삼재 위원 본 위원이 말씀드리는 뜻을 알겠습니까?

– 증인 허화평 잘 모르겠습니다.

– 강삼재 위원 제가 다시 한 번 짚겠습니다. 그 당시에 12.12 사태가 난 이후입니다. 12.12 사태가 난 이후에 아까 증인께서는 언론 통폐합 문제와 관련해서 언론탄압을 했다면, 언론탄압을 목적으로, 그러니까 신군부가 정권을 장악하기 위해서 언론탄압을 하려 했다면…

– 증인 허화평 '탄압'이 아니고 '언론 장악'이라고 제가 용어를 썼습니다.

– 강삼재 위원 예. 언론 장악을 했다면 허문도 씨가 건의한 언론 통폐합 계획을 받아들이지 왜 늑장을 부렸겠느냐…

– 증인 허화평 아니 그렇게 이야기한 것이 아니라 허문도 비서관이 그런 건의를 하기 전에 벌써 했을 것이지 왜 늦게 했겠느냐 저는 그렇게…

– 강삼재 위원 어떻게 그런 방법으로 벌써 할 수 있습니까?

– 증인 허화평 안 했기 때문에 그런 것이지요. 그 이전에 안 하다가 허문도 비서관이 올라와서 두 번, 세 번, 네 번 설득을 해서 이루어진 것 아닙니까? 제가 이야기할 것은 그 뜻입니다.

– 강삼재 위원 5.16 '쿠데타'는 사전에 계획된 '쿠데타'를 했습니다. 全 정권이 12.12 사태 이후에 전권을 장악하게 되자 정권 욕심이 생겼습니다. '쿠데타'적인 방법에 의해서 정권을 잡아놓고 합법적인 정권 수립을 가장한 것입니다. 본 위원의 논리를 어떻게 생각합니까?

– 증인 허화평 그것은 동의하지 않습니다.

– 강삼재 위원 의견을 한 번 말해 보십시오.

– 증인 허화평 특별한 의견 없습니다. 제가 아까 조세형 위원님께 답변 드리는 가운데 혁명도 아니고 '쿠데타'도 아니다, 하는 답변을 제가 드린 것 같습니다.

– 강삼재 위원 혁명도 아니고 '쿠데타'도 아니면 뭡니까?

– 증인 허화평 그것은 앞으로 정치학자들이 잘 규정을 해야 될 것 같습니다. 다만 그렇게 해서 탄생된 정권의 성격 그것은 제가 보았을 때 위기관리의 성격이 있고 개혁의 성격이 있습니다. 한 가지 문제되는 것은 그 개혁이 위에서 아래로 행해졌기 때문에 많은 물의가 있었다, 저는 그렇게 생각합니다.

– 강삼재 위원 그 당시에 있었던 많은 물의가 있었던 조치에 대해서 또 그 조치로 인해서 고통을 받았던 사람들에게 지금 현재 증인은 어떤 생각을 갖고 있습니까?

– 증인 허화평 항상 미안하게 생각합니다. 개인적으로 인간적으로 그렇게 생각합니다.

– 강삼재 위원 그런데 그 당시의 모든 조치들은 정당했다고 생각합니까?

– 증인 허화평 국가 전체를 관리하는 집단 속에 속했을 때는 그

것이 고통스런 점이 되겠습니다마는 가장 적은 희생 최대의 성과, 이것이 꼭 최선의 기준이 될는지는 모르지만, 그 기준이 그와 같은 결론을 가져오는 것 아니겠습니까?

– 강삼재 위원 여러분들 증인의 증언을 듣고 참으로 심각하다는 생각을 갖게 됩니다. 물론 이 증인께서 생각하시는 것 또 판단하기 나름입니다. 본 위원의 생각이 그렇다 이 말씀이올시다.

– 증인 허화평 알겠습니다.

– 강삼재 위원 증인이 뭐라고 강변하든 간에 정권의 창출 과정이 비합법적이고 또 그 결과가 피해를 가져왔다면 거기에는 반드시 냉엄한 역사의 심판이 따라야 한다는 사실을 지적하고자 합니다. 동의하십니까?

– 증인 허화평 역사의 심판을 지금 저희들이 내릴 수 없는 것 아니겠습니까?

– 손주항 위원 역사의 심판은 끝났지, 무슨…

– 강삼재 위원 그리고 증인께 다시 한 번 말씀드리고 싶은 것은 5공화국 비리나 광주민주화운동, 그리고 또 언론대학살의 책임 소재를 놓고 우리 국민 모두가 분노할 때에 5공화국 시절에 전두환 씨로부터 총애를 받아서 고위직을 지냈던 수백 수천 명 중에 본 위원은 단 열 명이라도 진실을 밝혀서 옛 상전을 감싸주기를 바랐습니다. 스스로 진언해서 결재를 받아서 집행을 해놓고 시대가 바뀌자 모른다고 발뺌을 했기 때문에 전두환 씨의 불행이 그만큼 빨리 닥쳐왔다는 점을 지적하면서 신문을 마칩니다.

– 최각규(崔珏圭) 위원 신민주공화당의 최각규 위원입니다. 먼저 조금 전 강삼재 위원님의 질문 시 강삼재 위원님의 발언에 대해서 허화평 증인께서는 폭언이라고 하시면서 허 증인은 한 사람의 유권자요 한 사람의 납세자로서 이 자리에 와 있다고 말씀하셨습니다.

듣기에 따라서는 허화평 증인의 납세자 또는 유권자로서의 인권을 강조하신 것으로 들렸습니다. 그런데 우리가 오늘 이 자리에서 청문회를 열고 있는 것은 하룻밤 사이에 합수단 또는 보안사라고 표현해야 될는지 모르지만 요원이 준 명단 하나로 자기 생계를 걸고 있던 언론기관에서 쫓겨나고 생존권이 박탈되고 또 엄청난 재산권이 걸려 있는 신문사와 방송국이 보안사의 취조실에 불려가서 항거할 수 없는 강압적인 상태 하에서 자기 재산을 포기하고 주식을 내놓고 방송국과 신문사를 내놓았던 그 문제를 다루기 위한 청문회이고 보니까 모두(冒頭)에 허화평 증인께서 말씀하셨던 그것이 하나의 '아이러니'로 본인에게는 느껴졌습니다. 먼저 허화평 증인과 허삼수 증인은 당시 소위 언론인 해직 및 언론인 통폐합은 먼저 허삼수 증인께서는 말씀이 된 것입니다마는 허문도 증인께서 지난번 국정감사 시 그것은 국보위 사회정화위원회에서 취급했던 일이라고 이렇게 명확히 증언했기 때문에 그래서 나오셨습니다. 그 외에 허화평 증인에 대해서는 당시 국보위 등등에서 그것을 주도하셨던 분들이기 때문에 깊은 합의가 있었던 대상이 아니겠느냐 해서 나오신 것으로 압니다. 그러나 이미 제가 거의 마지막 질문자가 되기 때문에 앞에 여러 위원들이 신문하는 데 이어서 전혀 직접적인 관련이 없다고 말씀을 하셨기 때문에 일응 그림은 진실이 앞으로 밝혀지겠습니다마는 시간이 없기 때문에 그 점을 염두에 두고 몇 가지 물어보겠습니다. 첫째 허화평 증인께서는 80년 11월 12일 허문도 당시 정무비서관이 언론 통폐합에 관한 결재를 대통령으로부터 받았다는 사실을 알고 있느냐 하는 이병용 위원님의 질문에 대해서 알고는 있었고 그러면서 어려운 결재를 맡았다는 표현을 하셨는데, 허화평 증인께서는 그 어려운 결재라는 어렵다는 뜻이 무엇인지 좀 말씀해 주셨으면 고맙겠습니다.

– 증인 허화평 허문도 당시 비서관이 그 작업을 위해서 개인적

으로 상당한 저항에도 부딪히고 노력을 했지요. 그것은 지금까지 청문회를 통해서 확인된 바가 있는 것 같습니다마는 그래서 최종 결재가 났기 때문에 저로서는 그것이 굉장히 어려운, 또 결재를 한 대통령도 큰 정책을 결정한 그 순간이지요.

– 최각규 위원 제가 어렵다는 의미를 물은 것은 그것이 물리적으로 어떤 어렵다 하는 의미인 것인지, 또 그 안을 만들기에 여러 가지 창안해내고 하고 물리적으로 또는 '아이디어'를 내고 하는 데 어려운 '아이디어'를 짜냈다는 얘기인 것인지, 누구 말마따나 이것을 집행하고 등등 하는 데 어려움이 있다고 해서 하는 것인지, 그 어느 쪽이었느냐 하는 질문인데, 좋습니다. 어느 쪽이라도 좋습니다. 그러면 당시 해직은 어제 끝났고 오늘 의제는 통폐합이니까 통폐합에 (대해) 주로 묻겠습니다. 당시 통폐합은 아까 제가 잠깐 듣기에 그 통폐합의 목적을 허 증인께서 제가 잘못 들었는지 모르겠습니다마는 공익성의 제고, 언론기관의 체질 개선, 언론기관의 부조리 제거 등을 위해서는 계엄 차원에서 불가피하였다는…

– 증인 허화평 개혁적 차원에서… 하는 것으로 제가 (말씀)드렸습니다.

– 최각규 위원 개혁적 차원에서 불가피하였다고 증언을 하셨는데 그러면 당시 있었던 중앙일간지 및 방송사, 또 통신사, 그리고 지방에 있어서의 각종 언론통합은 그 조치가 그런 개혁적 차원에서 불가피하였는데 그 절차는 온당했다고 생각을 하시는지?

– 증인 허화평 제가 아까 말씀드린 것은 그 통폐합의 원칙이 그렇다 하는 것을 제가 말씀드린 것입니다. 제가 들은 소위 허문도 비서관의 그 안(案)의 원칙이 그런 세 가지였다, 제가 그것을 확인했습니다.

– 최각규 위원 그러시면 지금 허 증인 말씀은 그 원칙은 타당하다고 생각을 하셨다, 그렇게 말씀하셨다, 그 얘기입니까?

– 증인 허화평 저는 당시에 그것을 공감했습니다.

– 최각규 위원 공감을 했는데, 그러면 좋습니다. 허 증인께서는 그 통합 조치의 집행과정에 직접 관여할 입장에 있지 않았다는 것은 압니다. 그 후 적어도 당시 직책이 청와대 비서실 보좌관인가…

– 증인 허화평 예, 그렇습니다.

– 최각규 위원 그렇게 되니까 적어도 그런 국민적 관심사의 일이 특히 청와대의 비서관의 결재에 의해서 이루어진 일이기 때문에 그 결과가 그것이 어떻게 진행되고 어떤 결과를 가져왔다 하는 것은 아셨겠지요?

– 증인 허화평 저는 그 결재 나고 듣고 그로써 끝입니다. 그것이 이제 진행되는 과정이라든가 그 이후에 대해서는 이제 최근에 와서 이것이 상당한 물의가 일어나고 있구나, 하는 것을 제가 지금 알고 있습니다.

– 최각규 위원 지금 알았지, 그 당시 언론사가 통폐합되고 TBC가 KBS로 통합이 되고 신아일보(新亞日報)가 없어지고 그 엄청난 일이 있는데도 그 점은 전혀 '팔로우 업(follow-up)'하시지 않았다 그 말씀입니까?

– 증인 허화평 그렇습니다.

– 최각규 위원 그 점도 어떻게 보면 이런 말씀을 드리면 안 됐지만 적어도 청와대 차원이었다고 그러면 그 엄청난 일이 벌어지는 것쯤은 아무리 목적이 좋았다 하더라도 했던 그 절차와 수단이 적절했던 건지, 또 적법했던 건지, 또 그 결과가 국민으로부터 제대로 평가받고 있고 또는 입안했던 사람의 개혁 목적이 이루어지고 있는지 쯤은 적어도 파악했어야 되리라고 본 위원은 믿고 있습니다. 그 점은 그렇게 생각하시지 않는지 말씀 좀 해주시기 바랍니다.

– 증인 허화평 예, 이해하겠습니다.

– 이 철(李 哲) 위원 87년도 11월 19일에 '파 이스트 이코노믹 리뷰'라는 잡지가 있나요? 거기에 기고한 글이 있습니까?

– 증인 허화평 있습니다.

– 이 철 위원 그 요지가 무엇인가요? 간단하게… 기억을 하고 계시지 않겠습니까?

– 증인 허화평 그 문제된 잡지는 이것인데요, 영어로 쓰여 있습니다. 여기에는 한국의 소위 자유 시장경제를 바탕으로 한 강화된 사회 발전을 위해서 앞으로 군이 어떤 기여를 할 수 있느냐 하는 문제 제기를 한 글입니다.

– 이 철 위원 문제를 제기하셨고 제5공화국 초기에 성공적 개혁 조치가 행정부에서 민간 기술 관료들이 등장함으로써 후반에 가서 실패하고 말았다 하는 내용도 그 중에 포함되어 있습니까?

– 증인 허화평 있지요.

– 이 철 위원 그 중에 제5공화국 초기의 개혁 조치는 어떤 것이라고 생각을 하십니까?

– 증인 허화평 경제 부분에서는 그 당시 많은 중화학공업의 통폐합이 있었지요. 그 다음에 공무원 숙정(肅正)이 있었지 않습니까. 또 언론 통폐합이 포함되어 있고 제가 크게 머리에 남는 것은 그것입니다. 그러면서 더 중요한 것은 의식적으로 새로운 시대에 어떤 흐름을 만들어보자, 이것이 아마 가장 중요한 핵심일 것입니다.

– 이 철 위원 경제에서 중화학공업의 통폐합 그것 잘 되었다고 생각하십니까? 성공적이라고 생각하십니까?

– 증인 허화평 저는 모릅니다.

– 이 철 위원 모르고 또 뭐라고 그랬지요? 또 공무원 숙정(肅正), 공직자 숙정(肅正) 잘 된 것이라고 생각하십니까?

– 증인 허화평 그것은 지금 저희들이 시비를 하고 있는 것 아닙니까?

– 이 철 위원 그것도 잘 모르시고 쭉 가치중립적인… 그러니까 잘 됐다고 생각하십니까?

– 증인 허화평 그 당시에는 8년 전에는 그 점에 대해서 공감했습니다.

– 이 철 위원 아! 잘 되었다고 생각하시고 현재도 그렇습니까?

– 증인 허화평 현재는 그 문제를 8년 이후에 그때 기준으로 해서 생각할 수 없는 것 아닙니까?

– 이 철 위원 왜요? 그 당시에는 지금 생각해도 그 당시에 한 것은 옳았다…

– 증인 허화평 제가 다시 말씀드리지만 8년 전의 기억이라고 하는 것은 위에서 밑으로, 이제는 거꾸로 하는 것입니다. 밑에서 위로, 이것이 소위 우리가 생각하는 민주적 방식이겠지요. 가장 정상적인 방법, 그러니까 상황에 따라서 기준이 다를 수도…

– 이 철 위원 지금 한 것은 민주적 방법이었고 그 당시에 하던 것은 비민주적인 방식이었다 하는 뜻인가요?

– 증인 허화평 그렇게 말씀하셔도 제가 부인…

– 이 철 위원 통폐합 잘 된 거라고 생각하십니까?

– 증인 허화평 언론 통폐합 말입니까? 저는 대원칙 면에서 의회 발전에 가장 빼놓을 수 없는 하나의 도구, 언론 아닙니까?

– 이 철 위원 종합적으로 생각해서 잘 된 걸까요? 못 된 걸까요?

– 증인 허화평 원칙은 저는 그 당시에 공감했습니다. 잘 되고 안 되고 하는 것은 또 별개의 문제지요.

– 이 철 위원 결과적으로는 잘못 되었습니까? 여기에 성공적 개혁 조치라고 평가하셨는데…

– 증인 허화평 그 원칙에 공감하는 문제하고 그것이 실천과정에서 광범위하게 장소에 따라서 여러 가지 부작용이…

– 이 철 위원 여러 가지가 있는데 여기는 종합적 평가를 하셨어

요. '파 이스트 이코노믹 리뷰'에는 제5공화국 초기의 개혁 조치를 성공적이었다고 표현했습니다. 그런데 이것은 종합적 평가를 하시고 그 중에 일부는 종합적 평가를 못 하신다는 말씀입니까?

– 증인 허화평 통폐합의 원칙은 그 당시에 굉장히 좋았는데 7년 과정을 통해서 보는 제 시각은 원래의 원칙과는 달리 운영하는 사람들에 의해서 남용된 흔적이 너무 많아가지고 저 개인적으로는 굉장히 유감으로 생각하는…

– 이 철 위원 됐습니다. 그 다음 그 당시 기준으로 볼 때 공직자 숙정만을 제외하고는 잘못되었다고 평가를 하셨습니다.

– 증인 허화평 저는 그렇게 잘라서 얘기 안 했습니다.

– 이 철 위원 중화학공업 통폐합 잘못 되었다고 말씀하셨지 않습니까?

– 증인 허화평 아니 저는 잘 모릅니다. 그것은 제가 관장을 안 했고 경제 전문가들이 했으니까요.

– 이 철 위원 그것은 잘 모르고 언론 통폐합 잘못되었다, 남용되었던 흔적이 있다, 그러면 공직자 숙정을 그 당시 기준으로 볼 때 잘 됐다, 그러면 허화평 증인께서 생각하시는 제5공화국 초기의 개혁 조치 중에 성공적이라고 하는 것은 공직자 숙정 이 외에 또 있습니까?

– 증인 허화평 제가 지적했지 않습니까? 원래 그와 같은 개혁 작업이 중간에 제대로 이루지 못했다 하는 평가는 전반적으로 원래 훌륭한 뜻대로 수행하지 않았다, 하는 의미가 있는 거지요.

– 이 철 위원 성공적 개혁조치가…

– 증인 허화평 시작이지요.

– 이 철 위원 그 표현이 잘못되었다?

– 증인 허화평 제가 그것은 다시 확인해봐야 되겠는데요. 시작에서는 저희들은 성공적으로 시작되었다는…

– 이 철 위원 대단히 성공적으로 출발했다. 공직자 해직도 성공적으로 출발했고, 수많은 회사 통폐합 시킨 것도 성공적으로 출발했고, 방금 또 말씀하실 때도 언론사 통폐합조차도 출발 자체는 성공적으로 원칙에는 동감을 했다… 그 허화평 증인의 머릿속의 단면을 그대로 드러내 보여주고 있습니다. 그 당시에 또는 현재도 마찬가지입니다. 거의 대부분의 국민도 허화평 증인과 같이 생각할까요?

– 증인 허화평 다는 아니겠지만 많은 동조하는 국민이 있었다고 생각합니다.

– 이 철 위원 더 다수라고 생각하세요?

– 증인 허화평 그것은 입장에 따라서… 저는 많다고 생각합니다.

– 이 철 위원 다행입니다. 존경합니다. 아까 말씀하실 때 보안사령관의 비서실장을 하실 때 그 당시 김재규 재판을 보안사령부에서 관할하고 있어서 세상일은 간섭하지 않았다 이렇게 답변하셨습니까?

– 증인 허화평 아니지요. 그 당시에 가장 큰 일의 두 가지가 그것이었다, 저는 그렇게 말씀드렸습니다.

– 이 철 위원 두 가지였다? 김재규 재판과 또 뭐지요?

– 증인 허화평 계엄사 업무를 지원하는… 재판이 아니고 김재규 수사입니다.

– 이 철 위원 수사는 그 훨씬 전이지요?

– 증인 허화평 아니지요. 김재규 수사 업무하고 재판은 보안사에서 할 수 없는 것 아닙니까?

– 이 철 위원 그렇죠. 그것을 물어보려고 했던 것입니다. 현대사회연구소 연구원들한테 말씀하시기를 증인이 전두환 씨의 핵심참모로 있을 때 사회 전반의 여론과 의식의 영향이 지대한 언론, 그리고 연구기관에 대해 직접 연구하고 대책을 강구하였다고 말씀하

신 적이 혹시 있습니까?

– 증인 허화평 말을 했느냐고요?

– 이 철 위원 예. 그런 표현을 하신 적이 있습니까?

– 증인 허화평 다시 한 번 질문해주세요.

– 이 철 위원 전두환 씨의 핵심참모로 있을 때 이것은 언제인지 모르겠습니다. 사회 전반에 걸쳐서 여론 형성, 그리고 의식에 영향이 굉장히 큰 언론과 연구기관에 대해서 집중 연구를 하고 대책을 강구했다, 하는 그런 말씀을 하셨다고 현대사회연구소 연구원들은 이야기하고 있습니다.

– 증인 허화평 그런 얘기한 적 없습니다.

– 이 철 위원 현대사회연구소 연구원들이 많은 사람들이 좀 다른 얘기를 하고 있다 하는 말씀이죠. 5공의 핵심인물이라고 해서 상당히 자료를 많이 준비했는데 시간 관계상 다 질문하지는 못할 것 같습니다. 80년 5월 22일, 그러니까 5.17 직후니까 아마 기억을 하실 것입니다. 전두환 사령관이 당시에 보안사령부로 서울 지역 언론사 사장들을 불러다가 언론계 현황에 대해서 대단히 꾸짖고 노기충천(怒氣衝天) 했던 것을 기억하십니까?

– 증인 허화평 기억이 없습니다.

– 이 철 위원 비서실장인데 기억이 없으실까요? 그 당시 비서실장이었었죠?

– 증인 허화평 비서실장 때 그때는 굉장히 많은 일이 안 있었겠습니까? 그래서 정확히 기억 못하죠.

– 이 철 위원 그 당시 많은 일 중에 굉장히 중요한 일이었을 것입니다. 적어도 허화평 증인한테는 사소한 문제일지 모릅니다. 그러나 언론계에서는 엄청난 충격이었습니다. 언론사 사주들은 협박에 가까웠다, 이렇게 증언하고 있습니다. 그렇게 중요한 어떤 사건이었는데도 허화평 증인은 별로 사소한 문제로 넘어갔을지 몰라요.

핵심인물이었으니까… 그 초기에 80년도 전두환 씨가 대통령으로 갓 취임한 이후에 그러니까 9월부터 10월 사이가 됩니다. 그때 청와대의 보좌관이 여러 사람이 있었습니까?

– 증인 허화평 글쎄요. 그것이 아주 막연한 생각이 드는데 하여간 비서실에는…

– 이 철 위원 청와대 보좌관하면 누굴 지칭하나요?

– 증인 허화평 그렇게 막연한 직책은 없습니다.

– 이 철 위원 허화평 증인이 처음에 전두환 당시 대통령에 취임한 직후의 직책이 뭐라고 하셨죠?

– 증인 허화평 비서실 보좌관이었습니다.

– 이 철 위원 비서실 보좌관… 그러면 청와대 비서실은 보좌관이 여러 사람입니까?

– 증인 허화평 한 사람이죠.

– 이 철 위원 혼자죠. 그리고 그 이후에는 12월 달인가 정무수석이 됐습니까? 몇 월 달에 됐죠?

– 증인 허화평 날짜를 정확히 기억 못 하겠는데…

– 이 철 위원 이 허문도 증인은 80년 9월부터 10월 사이에 보안사의 권정달 정보처장이 청와대에서 언론사 통폐합 계획을 '브리핑'하고 토론을 한 적이 있었는데, 그 당시에 증인의 이름은 얘기하지 않았습니다. 청와대 보좌관과 정무수석 등 이런 사람들이 참석을 했다, 이렇게 이 자리에서 증언했습니다.

– 증인 허화평 누가 증언했습니까?

– 이 철 위원 허문도 증인이 그렇게 증언했습니다. 그런데 그때 허화평 증인은 참석한 적이 없다고 아까 답변하셨지요?

– 증인 허화평 예. 하지 않았습니다.

– 이 철 위원 그렇다면 허화평 증인 또는 허문도 증인이 잘못 이야기했다…

– 증인 허화평 허문도 증인이 어떻게 얘기했는지 모르겠는데 저는 참석하지 않았습니다.

– 이 철 위원 마지막으로 묻겠습니다. 아까 이런 답변하셨어요. 5.17의 법적 근거는 따질 수 있는 입장에 있지 않았다, 이런 답변을 하셨지요?

– 증인 허화평 예. 맞습니다.

– 이 철 위원 그리고 그때 당시에는 법이 나라를 구하기에는 어려운 시점이었다, 그리고 그 이후에 또 다른 위원들이 계속 추궁을 하시니까 무리가 있었다, 이렇게 답변을 하셨습니다.

– 증인 허화평 무리가 있었다고 하는 것은 제가 개혁 부분에 가서 무리가 있었다고 이야기했습니다.

– 이 철 위원 이것은 개혁이고… 개혁 부분에서 그러면 이것이 불법이었다는 뜻입니까?

– 증인 허화평 저는 꼭 그렇게 이야기하지 못하겠습니다.

– 이 철 위원 그러면 합법이라는 뜻인가요?

– 증인 허화평 그 점은 시비가 되어 있는 것 아닙니까? 지금…

– 이 철 위원 합법이냐, 불법이냐 허화평 증인이 생각하시기에는 어떻습니까?

– 증인 허화평 저는 지난번 청문회를 보면서 국회 해산의 법적 문제라든가 계엄 발표의 그런 시기 문제라든가 등등이 법적으로 법 절차상 시비가 되는 것을 제가 보았거든요. 그래서 그런 점에 대해서는 제가 사실 지식이 없습니다. 제가 법적으로 그것이 적법했는지 안 했는지는 답변을 할 그럴 입장이 못 되지요.

– 이 철 위원 좋습니다. 전혀 법적으로 이것이 합법인지 불법인지조차 구분하지 못하고 하여튼 공무를 집행했다, 하는 뜻이지요. 그 당시 허화평 증인은 공무원이었습니다. 그렇지요? 국가공무원이었고 군인이었고…

– 증인 허화평 그렇지요.

– 이 철 위원 그러면 그 당시에 자유민주주의적 기본질서가 지켜지고 있었고 지켜져야 된다고 생각을 하셨습니다. 혁명도 아니고 '쿠데타'도 아니니까… 그렇지요. 기본질서가 지켜져야 돼요. 그러면 이 자유민주주의 체제 아래에서 공무집행 또는 국가권력을 행사한다든지 공무원이 공무를 집행한다든가 군인이 공무를 집행할 때는 무엇에 근거를 해서 (집행)해야 됩니까? 국민의 뜻 이런 것 아닐까요? 무엇에 근거를 해야 됩니까? 국가의 존립 근거라든가 공무를 집행을 한다든지 권력을 행사한다든가 이것은 뭡니까?

– 증인 허화평 5.17…

– 이 철 위원 5.17이 아니라 일반적으로 자유민주주의 체제 아래에서 공무원이 공무를 집행하거나 권력을 행사할 때는 무엇을 근거로 해야 됩니까? 아무렇게나 하면 됩니까?

– 증인 허화평 법에 근거를 해야지요.

– 이 철 위원 법에 근거를 해야지요. 그 법에 근거를 하고 공무를 집행해야 된다, 그렇지요?

– 증인 허화평 그렇지요.

– 이 철 위원 그런데 허화평 증인은 적어도 그 당시에는 법을 따지기 이전에 공무를 집행했다 하는 것은 인정하십니까?

– 증인 허화평 법을 따지기 이전에 공무를 집행했다는 것은 너무 적은 뜻이 되고요…

– 이 철 위원 법을 따질 입장이 아니었다고 금방 말씀하셨지요?

– 증인 허화평 제가 그것을 전체 정치적으로 해석을 한 것입니다. 그때 사항을…

– 이 철 위원 정치적으로 해석하는 것하고 법적으로 해석하는 것 하고 나는…

– 증인 허화평 그렇기 때문에 제가 법적인 문제는…

– 이 철 위원 법은 잘 모른다고 그랬지요?

– 증인 허화평 그렇지요.

– 이 철 위원 예. 그러면 증인께서 집행하는 공무 그 자체에 대해서 법적 해석도 잘 못 하세요?

– 증인 허화평 5.17이라고 하는…

– 이 철 위원 거기에 참여하셨지요? 12.12에도 참여를 하셨고 5.17도 참여하셨고 5공 거의 초기 단계에는 다른 사람이 생각할 때는 적어도 핵심적으로 참여한 분이라고 생각을 하고 있습니다.

– 증인 허화평 제가 12.12에는 그날 밤에 사무실에 있어서 참여를 못했고 5.17 문제는 그것은 저하고는 실무적으로 관계가 없는 일이지요.

– 이 철 위원 실무적으로 관계가 없습니까?

– 증인 허화평 그렇지요.

– 이 철 위원 5공에서 있었던 개혁이나 소위 개혁조치 그 이후에도 핵심적으로 참여했다고 다른 사람들은 알고 있습니다. 참여하지 않았습니까?

– 증인 허화평 그 점에 대해서 이렇게 이해해주시면 되겠습니다. 적어도 그와 같은 혼란 시기에 두서너 사람의 성(姓) 같은 사람이 모여가지고 위기를 해결하고 한 정부를 출범시키는 것은 불가능한 일입니다. 거기에는 우리가 세 가지 당시의 상황과 관련된 권력의 소위 중심지라고 할까요. 있었습니다. 첫째는 김재규 수사가 끝날 때까지 보안사, 그 다음에 국보위, 청와대 이 세 가지 사람이 다 다르지요.

– 이 철 위원 사람은 물론 다 다릅니다.

– 증인 허화평 그렇습니다.

– 이 철 위원 허화평 증인은 그 당시 그 중의 일부로 참여를 하고 있었지요?

– 증인 허화평 저는… 그러니까 구체적으로 말씀해주셨으면 좋겠습니다.

– 이 철 위원 5공 초기의 개혁에 허화평 증인이 적어도 일부의 어떤 관여가 있었지요?

– 증인 허화평 세부적인 관여는 없고 개혁이라고 하는 대원칙에 저는 동의한 것이 전부입니다.

– 이 철 위원 동의만 하시고 집행은 전혀 안 하셨다…

– 증인 허화평 그렇지요. 저는 실무적인 업무를 맡고 있지 않았으니까요.

– 이 철 위원 전혀 집행을 안 하셨고 거기에 책임도 없고 따라서… 그렇습니까?

– 증인 허화평 책임이 없다고 하는 것은 실무적인 책임이 없다는 이야기이고 그 개혁, 소위 말하는 주도세력이 개혁을 주도했다면 그 점에 대해서는 저는 책임이 있는 사람이지요. 전체적으로… 그러나 어느 하나하나에 대해서는 내가 맡은 일이 없었기 때문에…

– 이 철 위원 정치적 책임만 있지 법적 책임은 없다…

– 증인 허화평 말하자면 그렇게 해석할 수도 있겠지요.

강창성 의원의 서면질의서

강창성(姜昌成) 의원은 14대 국회에서 나와 같이 활동했던 인사다. 그는 5공 주역들과는 악연이 깊었다. "'12.12 사태'와 '5.17 비상계엄 전국 확대조치'는 육사 출신 하나회가 주축이 되어 일으킨 쿠데타다."라는 가짜 소문을 퍼뜨린 장본인이다. 5.16 군사혁명 당시 주축이었던 육사 8기 출신으로 박정희 대통령의 신임을 받았던 그는 동기생인 윤필용(尹必鏞)과 경쟁 관계였고 유신 계엄 당시 보안사령관으로서 박정희 대통령을 보좌했다. 그가 박 대통령으로부터 윤필용 장군 사건 조사를 지시받았을 때 윤필용 장군을 하나회 대부(代父)로 만들어 하나회 멤버들을 철저히 숙청하려고 했다.

사건 조사 초기에 육사 11기 손영길(孫永吉) 장군, 권익현(權翊鉉) 대령을 비롯한 하나회 회원들을 구속 수사하고 강제 예편시켰을 뿐 아니라 전두환 장군, 노태우 장군에게도 칼끝을 겨누었으며, 당시 서울지구보안부대 대공과장 직에 있던 나 역시 부산에 있는 군 피복창으로 좌천되어 보안사 요원 감시 하에 예편을 기다리고 있었다. 윤필용 장군은 박 대통령의 신임과 총애가 남다를 만큼 컸던 인연으로 인해 박 대통령을 함께 보좌했던 전두환, 노태우 등 하나회 선배 기수들과는 막역한 친분 관계에 있었으나 하나회와는 아무런 관계가 없었다.

나는 윤필용 장군을 한 번도 만나본 적이 없었다.

사건 수사 도중 이 사실을 알게 된 박 대통령이 하나회에 대한 수사 중지를 명함으로써 추가적인 피해는 없었다. 전두환, 노태우, 손영길 등 육사 11기 주축으로 만들어진 '하나회'란 육사 출신 동문으로 이루어진 여러 친목단체 중의 하나로서, 군을 사랑하고 국가에 충성하자는 취지의 모임에 불과했을 뿐 정치와는 무관하였다. 하나회는 윤필용 사건 훨씬 이전에 김재춘(金在春) 중앙정보부장 당시와, 정승화(鄭昇和) 방첩부대장 당시 두 번에 걸쳐 이상한 모임이라는 모함을 받았을 때, 박 대통령이 전두환을 불러 직접 확인한 적이 있었기 때문에 잘 알고 있는 상태였으므로 강창성의 수사를 중지시킨 것이다.

강창성을 비롯한 5공 비토(veto) 인사들이 12.12와 5.17을 하나회가 주도했다고 주장하는 것은 터무니없는 음해에 불과했다. 12.12 그날까지 수도권 일대 배치된 군 주요인사는 박정희 대통령, 차지철(車智澈) 경호실장, 정승화 육군참모총장에 의해 이뤄진 것일 뿐 하나회 리더였던 전두환 장군은 어떤 역할도 하지 못했고 어떠한 영향도 미치지 못했다. 당시 전두환 보안사령관, 허화평 보안사 비서실장, 수경사 장세동(張世東) 30단장, 김진영(金振永) 33단장은 하나회였으나 10.26 이전 정상적으로 이뤄진 인사결과였을 뿐 12.12와 5.17과는 아무런 관련이 없는 인사였다.

하나회를 송두리째 숙청하려고 했던 강창성 보안사령관은 박정희 대통령에 의해 좌절당하고 타부대로 옮겨 갔다가 예편 후 항만청장이 되었으나 이권 개입으로 구속 수감된 바 있었다. 그가 하나회를 숙청하고자 했던 이유는 동기생 중 가장 강력한 라이벌인 윤필용 장군 뒤에는 전두환, 노태우 등 육사 출신 하나회가 도사리고 있다는 가정을 하고 있었기 때문이다.

그는 석방된 후 YS, DJ 진영에 합류하여 국회의원이 되었고 5공 청산 정국을 통하여 적극적인 역할을 했다. YS가 대통령이 되어 육군 내 하나회 장교들을 전원 숙청하게 된 이면에는 그의 역할이 컸다고 알려져 있다.

그는 14대 국회에서 5공문제를 두고 집요한 정치 공세를 취했고 이기택(李基澤) 의원이 대표로 있던 꼬마 민주당 소속으로 국회 내에 설치된 '12.12 쿠데타 진상조사위원회' 간사가 되어 실질적 활동을 주도했다. 나에 대해서 누구보다 잘 알고 있던 그는 내가 마치 5공 창출 주역인 것처럼 10개 항에 달하는, 면담을 위한 서면질의서를 우편으로 보내면서 면담에 응해줄 것을 요구했다.

그러나 그 후 위원회는 나의 출두를 요구하지 않았고 나 역시 서면 답변도 보내지 않았다. 그러나 10개항에 달하는 질문 사항 중에는 그때까지 한 번도 공개적 질의를 받은 적이 없었던 내용이 포함되어 있었다.

民 主 黨
12.12 쿠데타 眞相調査 委員會
(788-2381)

수신 : 許 和 平 (前 보안사령관 비서실장)　　　　1993. 7. 15
(서울특별시 ㅇㅇ구 ㅇㅇ동 ㅇ-ㅇㅇ호)
제목 : 12.12 쿠데타 眞想調査 活動에 대한 協力(書談受諾, 또는 書面答辯) 要請

1. 귀하께서도 잘 알고 계시듯이, 金泳三 政府는 지난 5월 13일의 청와대 대변인 공식발표를 통해, 12.12는 "下剋上에 의한 쿠데타적 사건"이라고 闡明한 바 있으며, 이를 계기로 이 사건의 진상에 대한 국민적 관심이 높아가고 있습니다.

2. 본 위원회는 이러한 국민적 輿望에 부응하여, 1979년도 12월의 「12.12사건」의 정확한 진상규명을 통해 이 사건의 본질적 성격을 규정짓고, 우리 후세들이 이 사건에 대한 올바른 역사적 평가를 내릴 수 있도록 함으로써, 이 땅에서 다시는 쿠데타로 인한 불행이

재발되지 않도록 하기 위한 노력의 일환으로서 당시 保安司令官 비서실장으로서 이 사건 전개 과정에 중요한 역할을 수행한 귀하께 아래와 같이 書談을 요청하는 바, 아래 지정된 장소 및 시간에 출두하여 주실 것을 간곡히 바라며, 만약 여의치 않을 시에는 첨부한 書面質問書에 대한 書面答辯書를 1993년 7월 30일까지 보내주시기를 요망합니다.

가. 면담희망일시 : 1993. 7. 30(금) 16:00 – 17:00 (1시간)
나. 면담희망장소 : 국회의원회관 1층 소회의실
다. 연락처 : 幹事 國會議員 姜昌成 사무실(전화 788-2381, 784-2374)
주 소 : 서울특별시 영등포구 여의도동 1번지 국회의원회관 535호

첨 부 : 서면질문서 1부 끝.

民 主 黨 12.12 쿠데타 眞相調査委員會

委員長 國會議員 權 魯 甲

질문 : "귀하의 親弟인 許和男 씨가 간첩활동을 하다가 체포되어 無期懲役을 선고받고 복역하던 중, 12년 만인 지난 82년 성탄절 특사로 가석방되었고, 그 후 '보호관찰대상자'로 분류되었다가 87년 11월 27일엔 이 처분마저 면제받았다고 최근 알려졌습니다. 간첩죄를 적용받아 無期刑을 선고받은 자가 大統領의 공식 조치에 의해서도 아니고, 正式 法規에 의해서도 아닌 방법으로 가석방된 경위엔 당시 권력의 실세이던 귀하의 영향력이 발휘된 것으로 보이는데

그 사실 여부는 어떻습니까? 또한 제5공화국 憲法이 그 이전의 어떤 헌법도 규정하지 않았던 連坐制 폐지를 규정한 것 역시 친동생의 간첩활동으로 연좌제를 적용받아야만 되었던 귀하가 그 위기를 모면키 위해서 당시 헌법 초안 위원들의 반대에도 불구하고 明文化를 관철시켰다고 하는 바, 이는 국가기본법에 특정 개인의 이해관계를 반영한 특정 조항이 新說되었다는 데서 커다란 문제점이 아닐 수 없는데, 사실입니까?"

내가 청와대를 떠난 것은 1982년 12월 초였으므로 그때까지 나의 친동생 허화남(고문 후유증으로 3년 전 고인이 됨)은 국가보안법 위반으로 무기징역 선고를 받고 대구교도소에서 12년째 복역을 하고 있었다. 나는 청와대를 떠날 때까지 동생 문제를 그 누구에게도 청탁한 적이 없었다. 동생이 가석방이 된 것은 내가 가족과 함께 미국 워싱턴 D.C. 소재 헤리티지 재단(The Heritage Foundation)으로 떠난 후의 일이다. 나의 환경을 잘 알고 있었던 대통령의 조치였으리라는 짐작만 했을 뿐이다.

나는 대위 때 동생 문제로 보안사 서빙고에서 대공수사관으로부터 조사를 받은 바 있으나 전두환, 김복동(金復東) 대령 등 선배들의 도움과 김재규(金載圭) 당시 보안사령관의 선처로 군복을 벗지 않았다. 나의 동생 문제는 전두환 대통령을 비롯한 군내 가까운 선배, 동기, 후배들은 처음부터 다 알고 있었다.

또한 나는 청와대 권력 핵심부에 있었기 때문에 동생으로 인한 연좌제(連坐制) 영향을 받지 않았으므로 나 개인을 보호받기 위해 연좌제를 폐지할 이유는 전혀 없었다.

5공이 취한 연좌제 폐지, 통금 해제, 여행자유화 조치를 주도한 사실로 인해 공안기관 주변 인사들로부터 사상이 의심스럽다는 소리를 들어야 했으나 동기는 순수했을 뿐 어떠한 개인적 이해관계나 정치적 계산 같은 것이 있을 수가 없었다.

'연좌제'의 경우 최소한 조선시대 이래 당시까지 600여 년 동안 백성과 국민들의 삶을 족쇄처럼 옭아매고 있던 악습 중의 악습이자 선진국에서는 상상할 수 없는 야만적 제도였다. 삼족을 멸하고 구족을 멸함으로써 수많은 인재들이 빛을 보지 못한 채 사라져야 했고, 건국 이후 좌우 대결로 인해 계속된 연좌제로 수많은 국민들이 공직 진출과 승진에서 불이익을 당해야 했으며, 여행 자유도 제한을 받아야만 했다. 간첩을 잡기 위한 명분 역시 약했다. 이 제도로 인해 간첩 몇 명을 잡는 가능성보다 불이익을 당한 수많은 국민들로 하여금 반감을 갖게 만들고 상호불신 환경을 조장한 역효과가 훨씬 컸다. 연좌제 금지를 일반법으로 해놓으면 다른 정권이 들어섰을 때 원점으로 환원시킬 가능성이 농후하다는 판단 하에 헌법을 바꾸지 않는 한 변경이 불가능하도록 헌법에 명시하도록 설득했다.

강창성 의원은 연좌제 폐지가 나의 개인적 이유 때문에 결정되었으므로 잘못된 것인 양 질의하고 있으나 그것은 그가 그만큼 과거 폐습에서 벗어나지 못했음을 스스로 고백한 것과 같다고 할 수 있다. 지금 이 시점에서 연좌제를 부활시키고자 한다면 몇 사람이나 찬성할까? 아마 한 사람도 없을 것이다.

강창성 의원이 연좌제 폐지에 대해서는 문제를 제기하면서도 통행금지 해제, 해외여행 자유화 조치에 대해서는 거론하지 않았으나 이 세 가지는 같은 맥락에서 이해되어야 하고 함께 논의되어야만 하는 문제다.

북한에 의한 대남간첩을 색출·검거하고, 해외에서 북한 공작원에 의한 남한 인사들의 포섭·납치를 사전에 방지하며, 외환부족이라는 이유로 연좌제와 더불어 취해진 통행금지, 해외여행 자유 제한은 건국 이래 국민의 정신적 삶과 경제적 삶에 지대한 악영향을 끼친 유형(有形)·무형(無形)의 무거운 굴레였으며, 좀 더 심하게 표현하면 조선조(朝鮮朝) 이래 지속되어 왔던 고통스러운 족쇄(足鎖)였다.

대의 민주주의 체제에서 국민의 대표를 직접 선출하는 일 못지않게 중요한 것이 개인의 이동과 여행의 자유이며 개인의 책임이 강조되는 것이 자유주의 체제 운영을 위한 기본 원리임에도 불구하고 민주화 투쟁에 앞장섰다고 자부하는 인사들 중 그 누구도 이와 관련된 문제를 제기한 적이 없었다는 사실은 놀라운 일이다.

통행금지가 지속되었다는 것은 계엄이 지속되었다는 것을 의미할 수 있고 통금시간에 간첩이 돌아다닌다는 것도 상상하기 어렵다. 더욱 중요한 점은 국민경제 활동시간이 반 토막으로 줄어듦으로써 그 긴 세월동안 계산할 수 없는 경제적 손실을 자초했다는 사실이다.

조선시대 해양 진출은 금지되어 있었고 외국여행은 청과 일본을 공식적으로 내왕하는 조정 관리들 외에 엄격히 금지되어 있었다. 건국 이래 교역으로 먹고 사는 나라이면서도 외환 부족과 공안(公安)을 이유로 일반 국민의 여행을 제한했다는 것은 어리석기 짝이 없는 자해 행위였다. 연좌제, 통행금지, 해외여행 자유 제한은 국민들로 하여금 피해의식과 경직된 사고에 익숙하도록 만들고 사회적 환경을 폐쇄적으로 만듦으로써 국민적 에너지 발산을 억제했다.

5공 비판세력이 한때 주장했던 것처럼 5공 정권이 장기 집권을 위해 억압정책을 강화하려고 했다면 결코 연좌제를 폐지하거나 통행금지를 해제하며 해외여행을 자유화하지 않고 오히려 강화했어야만 논리적으로 타당하게 된다. 그러나 산업화 마무리와 민주화, 세계화라는 앞날을 내다보며 개방과 자율을 바탕으로 하는 시민사회 토대를 구축하고자 긴 세월동안 국민을 옥죄어 왔던 굴레와 족쇄를 주저 없이 잘라내고 풀어버림으로써 우리 사회는 활기찬 개방사회로 변모해갔고, 대북(對北)정책과 대(對)북방정책 면에서도 자신감 있고 적극적인 입장을 취할 수 있게 되었으며, 미소 냉전 기간 중 가장 성공적으로 '88 서울올림픽 대회를 치러냄으로써 민족사 이래 처음으로 세계 속의 한국, 세계 속의 한국인, 그리고 우리도 해낼 수 있고 이길 수 있다는 자신감을 지닐 수 있게 된 것을 그 누구도 부정하기 어렵다.

연좌제 폐지, 통행금지 해제, 해외여행 자유화 조치는 단순히 한 때의 행정적 완화 조치가 아니라 대한민국 국민의 정신적 해방을 의미했고 퇴행적인 과거로부터의 탈출과 폐쇄적인 삶으로부터의 탈출을 의미하였으며 미래를 향한 도약(跳躍)과 장정(長征)의 시작을 의미했다.

그러나 역사는 때때로 역설을 동반하는 것이 아닌가 하는 생각을 금할 수 없다. 그러한 조치로 인해 생겨난 토양의 혜택을 받고 자라난 세대가 권력의 힘으로 그와 같은 토양을 마련해준 주역들을 단죄하고 핍박하면서 마치 역사를 자신들만의 독점물인 양 농단하고 있는 것이 현실이다. 하지만 역사는 결코 그들만의 독점물이 될 수 없을 것이며 정의가 권력의 그늘에서 벗어나는 것은 시간의 문제일 뿐 피할 수 없는 것이 세상사의 순리다.

『월간 조선』 인터뷰

털어놓고 하는 이야기
허화평 前 대통령 정무수석

[저자 주(註)]

나의 경우 5공 주역 중 언론에 노출된 유일한 경우라고 해도 과언이 아니다. 나는 자서전을 남길 생각은 없지만 누가 질문을 해온다면 알고 있는 사실, 생각하고 있는 내용을 진실하게 답해야 할 책임이 있는 입장이다.

나의 답변은 나 개인의 의사와는 관계없이 현대사 부분에서 빼놓을 수 없는 역사의 증언으로 남을 수밖에 없다는 사실과 후대에 가서 투명한 시각을 지닌 역사학도들에 의해 진실 여부가 가려질 수밖에 없을 것이므로 정직한 답변이 되어야 한다는 것을 잊은 적이 없다.

『월간 조선』 김태완 기자의 요청으로 이루어진 인터뷰는 2012년 3월과 4월, 총 8회에 걸쳐 20시간 동안 진행되었다. 지금도 더 이상 가감할 것이 없는 내용으로 정리된 것이기에 『월간 조선』 측의 양해를 받아 이 책에 포함시키기로 하였다. 5공을 둘러싼 시비가 계속되고 있으나 누구도 부정할 수 없고 지워버릴 수 없는 흔적은 남아서 현실이 되어 있다.

제5공화국은 정치, 경제, 사회적으로 한국 현대사의 분수령을 이

룬 정권이다. 정치에 있어서 일인 장기집권을 종식시키고 제도적인 평화적 정권교체 장치를 마련하고 실천함으로써 정상적 민주주의 발전의 토대를 마련했다. 경제에 있어서는 자유 시장경제 체질을 강화하면서 박정희 정권이 시작해놓은 산업화를 마무리했으며, 유사 이래 최초로 '중산층'을 만들어냈다. 사회적으로는 연좌제 폐지, 통금 해제, 여행 자유화로 개방된 사회를 추구함으로써 세계를 향한 무한 진출을 가능하게 했고 공산주의 체제에 대한 심리적 우월감을 갖게 했다.

비판세력의 주장처럼 5공 주역들이 장기독재를 꿈꾸었다면 결코 그와 같은 제도적 개혁을 하지 않고 오히려 강화했어야만 했을 것이다. 박정희 대통령이 국민들로 하여금 "우리도 할 수 있다!"는 자신감을 심어주는 위업을 달성했다면, 5공은 '88 서울올림픽 대회'를 계기로 국민들로 하여금 "우리도 이길 수 있다!"는 자신감을 갖게 했으며, '세계 속의 한국인'이라는 자긍심을 갖게 했다. 이것은 5,000년 민족사를 통하여 처음으로 경험한 장거(壯擧)라고 할 수 있다. 물론 이 모든 것은 국민의 인내와 노력과 땀과 희생이 뒷받침되었기 때문에 가능했다.

그러나 다른 한편으로 10.26 이후 '역사바로세우기'에 이르는 기간은 한국 정치인들과 국민의 정치의식 수준을 스스로 확인할 수 있었던 기간이기도 하였다. 조급성, 비타협성, 이기성, 분열성, 보복성, 그리고 지역성. 지금도 전혀 달라진 것이 없다.

어떤 정권도 국민의 비판을 피해갈 수 없고 어떤 경우에도 역사 검증을 비켜갈 수 없다. 다만 비판과 검증은 '비판과 검증' 그 자체로서 끝나는 것이 아니라 뒤따라오는 세대를 위한 경험적 교훈으로서 생명력을 지닐 수 있을 때 참된 비판이 되고 검증이 될 수 있다. 비판과 검증 과정에서 특정 인물, 또는 집단의 이해관계가 철저히 배제되어야 하는 이유다.

따라서 당대의 권력자, 권력집단이 정치적 목적으로 비판과 검증을 하는 것만큼 나쁘고 해로운 것은 없다. 대중의 판단력을 마비시키고 국민을 분열시키기 때문이다. 수십 년 전 YS, DJ, 노무현 정부를 거치면서 법률적으로, 정치적으로 진실이 규명되고 보상이 이루어지고 명예회복이 이루어졌음에도 현 정부는 광주 시민들의 존엄을 지키고 진실을 규명한다는 구실로 국회에 '5.18 진상규명위원회' 설치를 법으로 결정해두고 있다. 5.18 진상규명을 집요하게 요구하는 자들과 집단의 의도는 두 가지다.

1996년 대법원 판결에서 없었다고 결론 내린 발포 명령과 발포 명령권자를 만들어내고 헬기 사격을 인정함으로써 군(軍)이 무고한 시민을 학살한 살인집단임을 기정사실화하려는 것이다. 이렇게 되면 누구에게 이익이 될까? 친북(親北)세력, 반미(反美)세력, 반(反)대한민국 세력들일 것이다. 물론 그러한 사실이 없었으므로 성공할 수 없을 것이다. 노무현 정부가 KAL기 폭파범을 가짜 북한 공작원으로 둔갑시키기 위해 온갖 시도를 다했으나 결국 실패한 것을 상기할 필요가 있다.

지난 40여 년 간 있어왔던 5공에 대한 비판은 비토(veto)세력, 비판세력에 의한 일방적 비판이었다는 점에서 편파적이라는 반박을 피해가기 어렵다. 5공을 비토하고 비판하는 세력이란 반(反)5공 세력, 반(反)유신세력, 반일반미(反日反美) 세력, 반(反)자본주의 세력, 그리고 친북세력을 통틀어서 하는 말이다. 이들은 5공에 관한 한 사법적 단죄로 모든 것이 마무리 되었다고 주장하고 있으나 1995년~1996년 기간에 있었던 '역사바로세우기' 재판은 한국 현대사에서 일찍이 경험하지 못했던 정치권력에 의한 정치재판이었기 때문에 진실이 왜곡되고 가려지게 되는 것은 불가피했다.

정상적인 법치국가에서 정치재판이란 있을 수 없다. 있다고 하더라도 판결 내용을 믿는 국민은 없다. 만약 정치재판 결과를 두고 진실이라고 믿는다면 이것은 눈을 감고 태양을 보지 못했다고 하는 것과 다를 바 없다. 더욱이 '역사바로세우기' 재판은 헌법에 금지된 소급입법으로 처리된 것이기 때문에 원천적으로 합법성과 정당성을 상실하고 있다. 따라서 세월이 흐르면서 국민의 법치의식과 역사의식과 상식이 살아나면 날수록 시비는 커질 수밖에 없다. 파시스트적 사고를 지닌 정치인들과 일부 언론이 '5.18 특별법'에 의한 재판 결과를 폄훼하거나 부정하는 자들을 감옥으로 보내기 위한 법을 만들자고 하고 있으나, 이는 자유민주주의와 법치를 하지 말자는 주장이다.

민주와 정의를 위한 투쟁 경력으로 밥을 먹고 출세한 지식인들은 자신들이 권력의 주체가 되었을 때, 그들이 대항했던 과거 권력주체 이상으로 비(非)민주적 발상을 상습적으로 하는 현상은 놀랍다. 이들이 그동안 보여 왔던 주장과 행태를 근거로 판단했을 때 이들은 결코 민주와 정의를 위해 투쟁한 것이 아니라 파시스트적 혁명을 위해 투쟁해오지 않았나 하는 생각을 금할 수 없다.

'역사바로세우기' 재판은 5공 주역 몇 사람의 문제가 아니라 한국 민주주의와 법치의 문제이고 오늘날 한국사회의 사상적 갈등과 충돌에 깊이 연관되어 있는 문제이다. 이 재판 결과 이래 이 땅에서는 주사파가 주도권을 장악하게 되었고, 이들을 주축으로 한 좌파 정치권력의 비호를 받는 이익집단들이 법 위에 군림하고 그들의 함성이 정의가 되는 폭민주의(暴民主義, mobocracy)가 대의민주주의를 무력화(無力化)하고 법치를 질식시킴으로써 모든 국민이 피해자가 되고 국가가 표류하는 현상을 초래하고 있음을 부정하기 어렵다.

따라서 5공과 관련된 시비를 마무리하지 않는 한 한국사회 분열 해소와 국가표류 극복은 불가능하다. 지금 이 시각에도 5공과 관련된 가짜 뉴스가 나돌고 가짜 증인들을 내세워 세상을 어지럽히는 일들이 계속되고 있다. 정치재판은 시간문제일 뿐 언젠가는 재판을 다시 하게 되어 있다.

한국 현대사에서 있었던 최초의 정치재판은 1950년대 '진보당(進步黨) 사건'과 관련된 경우다. 진보당 사건이란 이승만 대통령이 정치적 경쟁자로 떠오르던 조봉암(曺奉岩)을 간첩 혐의로 몰아 1959년 처형한 사건이다. 조봉암은 전향한 맑시스트였으며, 초대 농림부장관으로 농지개혁을 주도했고 제2대 국회부의장을 지낸 후 1956년 대선에서 진보당 후보로 출마하여 30%의 득표율을 기록했다. 그는 처형된 지 52년이 지난 2011년, 대법원에서 재심을 통하여 무죄 선고를 받았다.

진보당 사건은 조봉암 개인에 국한된 사건이었으나 '역사바로세우기' 재판은 15년 전에 있었던 일, 10.26으로 인한 국가적 대혼란을 수습하고 7년 동안 국정을 성공적으로 수행했던 주역들을 반란과 내란범으로, 계엄군을 시민학살 집단인 양 단죄한 전대미문(前代未聞)의 재판이었으며, 검찰과 사법부가 한편이 되어 YS 비호를 받으며 큰소리치던 고소·고발자들의 일방적 주장을 받아들여 군사혁명 재판 이상으로 속전속결로 진행한 재판이었다.

'역사바로세우기' 재판을 둘러싼 정치게임이 끝난 이후 한국 법치는 정치 권력자들, 이들과 이익을 함께 하는 집단의 필요에 따라 춤을 추게 되었고, 민주시민으로서의 덕목이 갖추어져 있지 않고 사상이 빈곤한 대중이 이러한 현상을 정상적이고 당연한 것처럼 받아들이고 있으나, 언젠가는 뒤돌아보고 제자리로 돌아와 진실과 마주하게 되리라 믿는다. 5공에 관한 한 진실을 확인하고 정치·사회적 시비를 끝내는 유일한 길은 위헌적 소급입법으로 이루어진 '역사바로세우기' 재판을 다시 하는 것이다.

YS 정부 이래 과거 정부 하에서 국가보안법으로 형사범 처벌을 받고 수감생활을 했던 다수 인사들이 본인들의 재심청구를 받아들인 사법부 판결에 의해 무죄가 되고 있다. 대법원이 무죄로 판결한 이유는 두 가지다. 수사기관이 영장 없이 임의로 연행했기 때문에, 고문에 의한 자백을 강요당했기 때문이라는 이유다.

그렇다면 헌법에 금지된 소급입법을 권력의 힘으로 통과시켜 처벌한 것은 불법 중의 불법이 아닐 수 없다. 주권자인 국민이 이것을 남의 일처럼 묵인하게 되면 똑같은 상황이 반복될 가능성이 농후해지고 국민이 정치권력의 남용을 허용함으로써 민주주의와 법치를 스스로 무너뜨리게 되는 결과를 초래함으로써 국가와 국민 모두가 피해를 입게 된다.

"10 · 26과 12 · 12는 블랙홀이었다"

정리 : 김태완 월간조선 기자

[편집자 주]

'5공(共) 정권의 설계자'로 불리는 허화평이 10.26과 12.12를 고백했다. 격동기의 굵직한 현대사를 몇 차례 언급하긴 했으나 이처럼 통째로 '까놓은' 적은 없었다. 《월간조선》을 통해 박정희 대통령과 전두환 대통령의 인연에서 시작해 5공 출범 비화까지 흥미진진한 체험담을 처음으로 공개한다. 글의 성격상 그의 일방적 주장이 상당히 포함돼 있음을 밝힌다.

내가 보안사령관 비서실장으로 간 것은 1979년 3월이다. 몇 달 뒤 10.26과 12.12, 이듬해 5.18을 거치며 나는 파란 많은 한국 현대사의 영욕(榮辱)을 모두 경험했다. 이후 대통령 정무수석으로 제5 공화국의 기틀을 닦았으나 16년이 지난 뒤 '5.18 특별법'으로 법정에 서야 했다.

한때 권력의 피해자가 가해자가 되고, 당대 군인의 자리에서 임무를 수행했던 나는 부득이 '죄인(罪人)'이 되었다. 바로 '역사바로세우기' 재판을 통해서 말이다. 나는 그 재판을 현대사의 대표적인 '정치재판'이라 생각한다. 12.12는 '군사반란'으로, 5.18은 '내란목적 살인'으로 역사는 뒤집혔다.

5공 주역들은 훈장, 연금을 몰수당했고 온갖 수모와 시련을 견뎌야 했으며 이 과정에서 적지 않은 분들이 세상을 떠났다. 또 반대편에 섰던 정승화(鄭昇和), 장태완(張泰玩) 장군도 떠났다. 나는 생각한다. 비록 '정치재판'을 받았지만 그렇다고 역사적 평가마저 재판의 결과와 같다고는 믿지 않는다. 적어도 훗날 제대로 된 역사적 기술이 이뤄지리라 확신한다.

1970년대와 80년대 국가를 지키고자 했던 군인세력과 민주화를 부르짖었던 정치세력 간의 일대 충돌이 있었다. 뒤돌아보면 그 자체가 의미 있는 일일지 모른다. 이 시점에서 나는 승자와 패자의 개념이 아니라 미래를 위해, 당시 역사를 재조명하고 싶다. 이미 단죄를 받은 나는 원한도 미련도 없다. 다만, 역사적 화해의 실마리를 찾고 싶을 뿐이다.

나는 지금까지 10.26과 12.12, 그리고 5.18에 대해 말을 아껴왔다. 그러고 보니, 5공 사람인 내가 무슨 말을 해도 "탈권(奪權)을 위해, 권력을 잡기 위해 그렇게 했다."고 사람들은 말할지 모른다. 그렇다 해도, 내가 체험하고 느꼈던 현대사를 모른 척 눈감을 수는 없다. 지금은 말할 때라고 느낀다.

옛말에 '당대(當代) 역사는 30년이 지난 후에 서술하라.'는 말이 있다. 벌써 햇수로 33년이 지났다. 그러나 나에게 10.26과 12.12는 여전히 살아 꿈틀거리는 '현장'이다.

全統과 朴統의 오랜 인연

10.26과 12.12를 이해하기 위해서는 1979년 전두환(全斗煥) 장군이 마흔여덟 나이에 국군보안사령관이 된 배경을 먼저 알아야 한다. 또 전 대통령과 박정희(朴正熙) 대통령의 질기고 오래된 인연에 주목해야 한다.

박 대통령과 육사 2기 동기인 이규동(李圭東) 장군이 육군사관학교 참모장을 할 때의 일이다. 육사는 6.25 전쟁으로 잠시 문을 닫았다가 1951년 4년제 정규 사관학교로 경남 진해에서 다시 문을 열었다. 이때 들어온 생도가 육사 11기다.

전두환 생도는 축구부 부장으로 활약했고, 육해공 3군사관학교 체육대회를 꾸려가는 책임자가 이규동 참모장이었다. 이 참모장은 생도들의 운동을 지켜보다가 축구부장인 전두환 생도를 눈여겨봤다고 한다. 그 인연으로 이규동의 사위가 됐다.

전두환 생도가 임관한 뒤 장인의 호출을 받고 서울 영등포에 있던 '6관구 사령부'를 찾았다. 그때 사령관이 박정희 장군이었다. 이규동 장군이 사위를 박 장군에게 인사시키고 싶었던 모양이었다. 전두환 중위를 보자 박 장군이 대뜸 이렇게 말했다.

"자네, 내 전속부관을 하게."

뜻밖의 얘기여서 전 중위는 "저는 전속부관 할 체질이 못 됩니다."라고 말했다고 한다. 박 장군은 고개를 끄덕이며 다른 말은 하

1980년 8월 최규하 대통령이 전두환 장군에게 대장 계급장을 달아주고 있다. 전 장군은 대장으로 예편, 11대 대통령이 되었다.

지 않았다. 이것이 두 사람의 첫 인연이었다.

1961년 5.16 군사혁명이 일어난 뒤 육사 생도들이 혁명 지지 시가행진을 벌였다. 당시 생도들의 시가행진은 군사혁명에 힘을 실어주는 분수령이 됐다. 젊은 예비 장교들의 지지는 무능과 부패에 지친 국민의 시선을 사로잡았다. 그때 전두환 대위는 후배 육사 생도들을 동원하는 데 가장 앞장섰다.

그 인연으로 국가재건최고회의의 민원 비서관이 되었다. 그러나 공교롭게도 얼마 뒤 육군고등군사반(OAC) 입교 명령이 떨어졌다. 보통 대위 이상 장교는 전남 광주에 있는 OAC에서 교육을 받아야 했다. 짐을 꾸린 뒤 박정희 의장을 찾아갔다. 그 자리에서 전두환 대위는 뜻밖의 이야기를 들었다.

"자네, 전역(轉役)부터 하게나."

"네? 각하, 뭐라고 하셨습니까."

"전역해서 공화당에 들어가 정치를 하게."

"네?… 각하, 저는 정치를 모릅니다. 정치를 생각해본 일도 없고, 저와는 안 맞을 것 같습니다."

"다른 사람들은 서로 가려고 하는데 자네는 왜 안 가려고 하나?"

"정치는 어렵고 육군 대위인데 돈도 없고… 조건도 안 맞고… 여러 형편상 제게 안 맞는 것 같습니다."

"도와줄 테니 해보게."

박 의장이 자꾸 권유하자, 전 대위는 변명이 궁해졌다.

"그럼, 가족하고 의논해 보겠습니다."

박 의장이 버럭 화를 냈다.

"자네는 자네 문제를 가족에게 허가를 받아야 하나?"

혼이 나고 쫓겨나다시피 집으로 돌아왔지만 그렇다고 정치 입문 제의를 받아들일 수는 없었다고 한다. 다음 날, 출근했더니 의장 비서실장이 그를 불렀다. 완전히 기가 죽어 의장실에 들어섰다.

"저는 아무래도 군에 남는 게 좋을 것 같습니다."

그러자 뜻밖에 이런 답이 돌아왔다.

"알았네. 가서 열심히 공부하고 군대생활 잘하게나."

이것이 박 대통령과의 두 번째 인연이었다.

전두환, 청와대로

민정 이양 직후인 1963년, 소령으로 진급한 전두환은 육군대학 졸업 직후 박정희 대통령을 찾아갔다. 박 대통령과의 세 번째 만남이었다. 때마침 그 자리에 김재춘(金在春, 육사 5기) 중앙정보부장이 와 있었다. 박 대통령은 김 부장에게 "전 소령을 데려가 일 좀 시키시오."라고 말했다. 그래서 중앙정보부로 가게 됐으나 중정과의 인연은 1년 남짓이었다.

육군 중령으로 진급한 뒤 제1공수특전단 부단장을 거쳐 수경사 30경비대대장 발령이 났다. 30경비대대는 청와대 내곽(內廓)을 경계하는 부대였다. 전임자는 육사 11기 동기였던 손영길 중령. 손 중령은 박 대통령이 사단장으로 있을 때 전속부관을 한 인물이다. 그 후임 자리에 전두환 중령을 앉힌 것이다.

전두환 30대대장이 가장 먼저 한 일은 81mm 박격포를 청와대 뒤쪽 북악산을 향해 배치하는 일이었다. 문제는 포신이 청와대를 향한다는 점이었다. 전 중령의 생각은 이러했다.

"만약 북악산 일대에 간첩이 나타나면 먼저 박격포로 조명탄을 쏘아 주위를 대낮처럼 밝혀야 작전을 펼 수 있다."

보통 보병대대는 3개 소총중대와 1개 화기중대로 편성하는데, 당시 30경비대대는 박격포를 창고에 처박아두고 있는 상태였다.

전두환 대대장은 수경사령관이었던 최우근(崔宇根, 육사 3기) 장군을 찾아가 박격포를 설치하겠다고 보고했다. 최 사령관은 신중한 반응이었다고 한다.

"대통령에게 큰 결례가 될 수 있기 때문"이었다.

전 대대장은 물러서지 않았다.

박종규(朴鐘圭) 청와대 경호실장을 찾아갔다.

"박 대통령이 포병 출신이시니 이해하실 겁니다. 81mm포를 배치해 비상시 조명탄을 쏠 수 있도록 해주십시오."

박 대통령의 허락이 떨어졌다. 그때부터 전 대대장은 매일 30경비대대에 비상을 걸어 박격포 발사훈련을 시켰다. 부대원들로서는 죽을 노릇이었다고 한다.

"상황이 발생하면 자다가도 일어나 조명탄부터 쏴라."

이것이 비몽사몽(非夢似夢) 간에도 지켜야 할 전두환 대대장의 수

1975년 10월 14일 영동—동해고속도로 개통 테이프를 끊은 직후 환영하는 주민들에게 손을 흔들며 답례하는 박정희 대통령. 뒤로 차지철 경호실장과 김재규 건설부장관이 보인다. 숙명적인 적대관계를 유지했던 이들 두 사람이 함께 찍힌 드문 사진이다. 대통령 왼쪽에 박상범 경호관이 보이고 안경 낀 김재규 뒤로는 전두환 대통령의 동생 전경환 경호관이 보인다.

칙이었다.

얼마 뒤, 그러니까 1968년 1월 김신조가 무장공비를 이끌고 침투했다. 당시 전군에 비상이 걸렸고 일주일 동안 수도권 일대를 수색했지만 공비의 흔적을 찾지 못했다. 군 당국은 무장공비들이 퇴각한 것으로 판단, 비상을 해제했다. 수경사령관도 예정했던 해외 출장을 떠났다.

1월 21일 전두환 대대장도 모처럼 일찍 귀가했지만, 이내 매일 영내(營內) 대기하며 고생한 부대원들이 생각나 술과 안주를 챙겨 다시 부대로 갔다고 한다. 대대장실로 부하들을 불러 술잔을 돌리려는데 갑자기 총성이 울렸다. 자하문(紫霞門) 초소 부근에서 벌어진 종로경찰서장 최규식 경무관과 김신조 공비 간의 총격전이었다.

총소리가 나자마자, 81mm 포사수들이 훈련받은 대로 조명탄부터 쏘았다. 북악산 하늘이 훤하게 밝아졌다. 그 조명탄 중 불량탄 하나가 김신조 앞에 떨어졌다. 포탄을 본 공비들이 혼비백산 도망치기 시작했다. 그날 30경비대대는 현장에서 5명을 사살했고 31일까지 군경합동 수색을 펴 28명을 사살하고 김신조를 생포했다.

만약 박격포를 쏘지 않았다면, 불량탄이 김신조 앞에 떨어지지 않았다면 어떻게 됐을까. 무장공비들에 의해 청와대가 쉽게 뚫렸을지 모른다.

박 대통령 입장에서는 정말 고마운 일이었다. 사건 직후 육영수(陸英修) 여사가 직접 전 대대장에게 감사전화를 걸었다. 하지만 박 대통령의 전화는 없었다고 한다.

'1.21 사태'가 잊힐 무렵 박 대통령이 30경비대대를 깜짝 방문했다. 아직 어둠이 깔린 새벽녘, 전 대대장과 부대원들이 웃통을 벗고 연병장을 뛰고 있는 모습을 본 박 대통령이 "자네들 목욕시설 한 번 보자."고 말했다고 한다. 둘러본 뒤 "형편없구먼."이라면서 "목욕시설과 경비대대 건물을 내가 손봐줄게."라고 말했다고 한다.

월남을 거쳐 다시 청와대로

전두환은 이후 서종철(徐鐘喆, 육사 1기) 육군참모총장의 수석부관으로 근무하다 1970년 주(駐)월남 백마부대 29연대장으로 복무했다. 그때 박 대통령이 전두환 대령에게 위문편지를 보냈다. 전 대령이 내게 그 편지를 보여준 일이 있다. 세로로 쓴 편지에는 전 대령에 대한 애정이 듬뿍 담겨 있었다. 그만큼 박 대통령은 그를 스스럼없이 아꼈다.

월남에서 돌아온 전 대령은 1971년 제1공수특전여단장이 됐고 그곳에서 준장으로 진급했다. 그러고 얼마 뒤 청와대 경호실 작전차장보로 발령을 받았다. 차지철(車智澈)이 경호실장을 맡고 있을 무렵이었다. 작전차장보는 경호실장 밑에서 경호임무 작전을 지휘하는 실질적 책임자로 대통령과 가족을 보호하는 자리다. 이 과정에서 박 대통령 가족과 남다른 관계를 형성했을 것이다.

1978년 전두환 소장은 1사단장으로 갔다. 당시 나는 9사단 작전참모를 할 때였는데, 전방에서 북한 땅굴이 발견돼 남북관계가 극도로 경색돼 있었다. 사단마다 땅굴 찾기에 혈안이었고 9사단 역시 마찬가지였다. 전임 1사단장은 땅굴을 찾지 못했지만, 전두환 소장이 부임하자마자 땅굴이 발견됐다.

사실 '땅굴'은 박정희 정권에 엄청난 정치적 의미가 있었다. 한미관계는 미궁 속으로 빠져들고 있었고 자주국방, 핵개발, 인권문제를 두고 박정희 정권은 수세(守勢) 위치에 있었다. 그런 상황에서 땅굴이 발견되었던 것이다. 박 대통령으로선 전두환 사단장이 미덥지 않을 수 없었을 것이다.

40대 전두환의 보안사령관 취임

그러나 국내 상황은 점점 나빠지고 있었다. 1978년 12월 총선에서 공화당이 다수 의석을 차지했지만, 득표율은 야당인 신민당에 못 미쳤다. 그러자 반(反)유신 세력이 서서히 공세를 높였고 경제적으로도 오일쇼크 이후 외채 부담이 가중됐다. 유가폭등에다 부가세 도입으로 중소상인들의 불만이 커져 갔다.

이 와중에 차지철 경호실장과 김재규(金載圭, 육사 2기) 중앙정보부장, 진종채(陳鍾埰, 육사 8기) 보안사령관 등 권력기관은 심각한 갈등 상태에 놓여 있었다. 진종채 장군이 이끄는 보안사는 완전히 김재규의 중정에 눌려 제 기능을 발휘하지 못하고 있었고, 차지철은 박 대통령을 끼고 김재규와 다투고 있었다.

이런 상황에서 진종채 장군이 2군사령관으로 나가면서, 모든 이의 예상을 깨고 전두환 소장이 후임 보안사령관이 된다. 통상 사단장과 군단장을 마친 고참들이 가는 자리에 새파란 40대 소장이 부임한 것이다.

이 인사에는 당시 노재현(盧載鉉, 육사 3기) 국방장관의 노력이 보태졌다고 한다. 노재현 장관과 전두환 장군은 이미 이런저런 인연이 두터운 사이다. 그러니까 1969년 서종철 장군이 육군참모총장을 할 무렵 전두환 대령은 총장실 수석부관이었다. 참모차장이 바로 노 장관. 총장실과 차장실이 붙어 있어 매일 만나는 사이였다. 당시 군 인맥으로 따지자면, 서종철-노재현-박희동(朴熙東, 육사 3기)-전두환으로 이어지는 흐름이 끈끈하게 이어졌다고 할까.

군[軍] 인맥을 따지면 서종철-노재현-박희동-전두환으로 이어지는 끈끈한 인간 관계

여기서 잠깐, 박정희 대통령의 군 인사 스타일을 들여다볼 필요가 있다. 박 대통령은 혁명 후 정치인의 군 인사개입을 철저히 차단했고 심지어 미국의 입김도 막았다. 군 통수권자(대통령)의 고유 인사 권한을 침해하지 못하도록 한 것이다. 특히 총장이나 주요 지휘관, 보안사령관 자리는 누가 박 대통령에게 인사를 건의하면, 될 인사도 안 됐다.

그러나 노재현 장관이 '전례를 깨고' 보안사령관 자리에 전두환 장군을 천거했고 박 대통령은 '이례적으로' 받아들였다고 한다.

10.26 반년쯤 앞두고 보안사 근무 시작

노재현 장관은 나아가 육군참모총장 자리에 박희동 3군사령관을

전두환 대통령과 박정희 대통령은 질기고 오랜 인연을 가지고 있다. 1984년 6월 2일 전 대통령과 이순자 여사가 국립묘지를 찾아 이승만·박정희 대통령 묘소를 참배하고 있다.

천거했다. 노 장관과 박 사령관은 포병과 보병으로 병과는 다르지만 같은 육사 3기에다 소위 '절친'이었다. 김계원(金桂元) 비서실장과 박 대통령은 포병 출신이다.

노 장관은 박 대통령에게 "육사 2기인 이세호(李世鎬) 총장 후임에 육사 3기가 가는 게 맞습니다." 하고 설득했다. 내심 박희동 사령관을 민 것이다.

그러자 김재규 중정부장이 반대하고 나섰다. 김재규 부장은 박 대통령에게 이렇게 말했다고 한다.

"각하. 육사 2기 후임에 3기가 가는 게 틀린 것은 아니지만 이미 3기 출신인 노재현 장관이 참모총장을 하지 않았습니까. 세대교체가 필요합니다."

김재규는 내심 정승화를 밀고 있었지만 그를 꼭 집어 얘기하지 않았다고 한다. 그래서 총장 자리가 육사 5기로 넘어갔다. 4기는 1948년 여수·순천 반란 사건 후 숙군의 영향으로 힘을 못 쓰는 상황이었다.

육사 5기인 정승화 장군은 당시 1군사령관이었다. 경북 금릉(김천) 출신의 정승화는 육사 교장 시절, 생도였던 박지만(朴志晩)을 통해 청와대와 자주 접촉할 수 있었다. 게다가 박 대통령 고향(구미)과 가까웠고, 능력 면에서도 '작전통'으로 인정받던 사람이었다. 어쨌든 정승화 장군이 총장이 된 배경에는 김재규 부장이 자리 잡고 있었다.

박대통령, '파격 인사'로 40대 전두환을 보안사령관에 임명한 것이 5공의 주춧돌

1979년 전두환 장군이 보안사령관이 된 뒤 나는 보안사령관 비서실장으로 자리를 옮기게 됐다. 나는 육군 중위 때, 그러니까 전두환 대통령이 소령이던 시절부터 알고 지냈다. 그분은 나를 좋아했고 격려도 많이 받았다. 우리는 군대를 사랑했으니까.

그러나 직접 그분 밑에서 복무한 적은 없었다. 육사 14기 이종구(李鍾九), 16기 장세동(張世東), 내 동기인 17기 안현태(安賢泰)·김진영(金振永) 장군은 전두환 장군 밑에서 근무한 일이 있으나 나는 그때까지 그런 인연이 없었다.

이희성(李熺性, 육사 8기) 장군이 1군단장으로 있을 때 나는 9사단 작전참모였다. 그러다 이 장군이 '특명검열단장'으로 가면서 "향후 참모장이나 연대장으로 나가기 전에 같이 근무를 하자."고 해 특검단으로 갔다. 수도권 방위에 대한 전력태세를 연구하는 일이 특검

단으로 갔다. 수도권 방위에 대한 전력태세를 연구하는 일이 특검단에서의 내 업무과제였다.

어느 날 전두환 사령관이 내게 "같이 일할 수 없겠느냐?"고 물어왔다. 1979년 3월로 기억한다. 나는 그 자리가 중요한 자리고, 과거 보안사 근무 경험도 있어서 동의했다. 거기서 내 운명과 한국현대사의 운명을 뒤바꾼 10.26과 12.12를 맞았다.

정승화 참모총장은 김재규의 인질처럼 행동해

10.26 당시 보안사 합동수사본부가 파악한, 그리고 내가 온 몸으로 진실이라 믿는 상황은 이렇다.

10.26은 전형적인 궁정(宮廷) 쿠데타다. 권력 핵심부에서 소수 사람이 담합해 절대 권력자를 무너뜨리려 한 사건이다.

그런 음모는 소수가 참여할수록 좋다. 청와대 1인자인 비서실장(김계원)과 정보 최고책임자(김재규), 육군 최고지휘자(정승화)를 포함한 3인방이 배짱만 갈고, 뜻만 같으면 쿠데타가 가능하다. 이게 우연의 일치일까. 세 사람은 특별한 인간관계를 쌓았고 고향도 비슷했다. 모두 대통령의 총애를 받던 사람이란 공통점도 있었다.

역사는 김재규만 처벌했지만 정승화와 김계원에 대한 나의 의심은 33년이 지난 지금도 계속되고 있다. 역사적 승패의 개념을 떠나 실체적 진실을 찾고 싶은 마음, 간절하다.

먼저 정승화 당시 육군참모총장에 대한 의심으로 이야기를 시작한다. 그는 어떤 식으로든 빠져나갈 수 없는 공범 혐의자다. 김재규는 주범이었고, 또한 정승화의 배후인물이었다.

정승화 총장은 그날 궁정동의 정보부장 집무실 내의 식당에서 김

김계원(왼쪽)과 김재규(오른쪽). 두 사람은 평소 형제처럼 친했다. 김계원은 김재규가 교통사고를 당했을 때 중태에 빠진 그를 업고 병원으로 달려가 살린 적도 있다. 그는 김재규에 대해서 "의협심과 추진력이 있으나 수습을 하지 못하는 인물"이라고 평했다. 사진은 10.26사건 현장검증 모습.

정섭 중정 차장보와 식사를 하다가 총성을 들었다. 김재규가 박정희 대통령을 시해하는 총성이었다. 모두 40여 발이 울렸다. 곧이어 정승화는 맨발의 김재규와 함께 김재규의 경호원이 모는 승용차를 타고 육군본부 벙커로 향했다.

당시 정승화는 육군 최고 지휘관으로 대통령 유고(有故) 시 계엄사령관이자 군(軍) 최고책임자였다. 그런 그가 시해현장 확인도 없이 이탈했고, 자신의 차량을 버린 채 김재규 차를 타고, 김재규가 요구하는 대로 행동했다. 김재규가 체포될 때까지, 자기 행적은 누구에게도 얘기하지 않았다. 극단적으로 얘기하면 정승화는 김재규의 '인질'처럼 육본으로 간 것이다.

10.26은 김재규-정승화-김계원에 의한 전형적인 궁정(宮庭) 쿠데타

그런데도 정승화는 나중에 이렇게 말했다.

"자하문 외곽 지역에서 5발 정도의 단연발 총소리를 들었다. 대수롭지 않게 여겼다."

"만찬장소가 궁정동 안가가 아니라 청와대 본관인 줄 알았다."

당시 청와대 주변은 쥐죽은 듯 고요했다. 채 50m도 안 되는 안가에서 40여 발의 총성이 울렸고, 박 대통령과의 만찬 도중 김재규가 잠시 다녀갔는데도 안가가 아니라 본관에 있는 줄 알았다고 했다.

이 글을 읽는 독자에게 묻고 싶다. 김재규가 박 대통령 옆에서 식사한 사실도 알고 있었던 사람이 시해 후 피가 낭자한 와이셔츠, 넥타이마저 풀어헤친 상태에서 헐레벌떡 찾아온 김재규를 따라간 행동이 과연 옳은가?

최소한 "웬 피냐?"고, "현장에 가보자."고 말했어야 옳다. 일절 그런 행동 없이 현장을 벗어나 육본으로 향했다. 정승화는 김재규의 차 안에서, 김재규가 엄지손가락을 치켜세운 후 가위표를 하자 그제야 유고 사실을 알았다고 했다.

육본에 도착해서도 이재전(李在田, 육사 8기) 경호실 차장에게 전화해 "이상이 없나?" 하고 물은 뒤 "병력을 움직이지 말라."고 지시했다. 또 전성각(全成珏, 육사 8기) 수도경비사령관이 육본 벙커에 도착하자 이렇게 말했다고 한다.

"자네 부대는 이상이 없나?"

그런 뒤 수경사 병력으로 청와대를 포위하라고 명령했다.

하지만 어떤 경우에도, 비상상황에서도 수경사는 대통령 경호실이 통제해야 한다. 다시 말해 차지철이 없다면 김계원 비서실장이 이재전 경호실 차장을 통해 수경사령관에게 지시해야 옳다. 이것은 정승화의 월권이다.

대통령이 돌아가시면 경호실이 총출동해 범인을 잡고, 대통령 시신을 확보해야 한다. 그런데도 "너희, 꼼짝하지 말라."고 이야기한 셈이다.

정승화의 월권

10.26 당일 김재규와 정승화는 육본에 도착해 군 수뇌부를 불러 계엄선포와 병력동원을 준비했다. 이 역시 결정적 월권이다. 정상적이라면 육군참모총장이 노재현 국방장관에게 보고하고, 장관이 군 수뇌부를 불러야 한다. 그런데 총장이 불렀다. 그리고 노 장관도 육본으로 오라고 했다. 말도 안 되는 명령이다.

그러면서 20사단을 육사에 배치하고, 9공수여단을 육본으로 오도록 지시를 했다. 수경사를 향해 "내 말 듣고 출동 준비하라."고 명령한 것도 정승화다. 또 이건영 3군사령관에게 전화를 걸어 "부엉이 둘(2)을 발령하고, 제20, 30, 33사단은 출동준비를 시켜두라."고 명령했다. '부엉이 둘'은 정규전에 대비한 2급 비상사태를 대비하는 조치다. 다시 말해 김재규가 필요한 부대 출동 준비를 지시한 것이다.

정승화는 또 김재규에게 "병력이 출동하면 어디를 경비해야 하느냐?"고 물었다. 곁에 있던 김정섭 정보부 2차장보가 "방송국, 발전소 등에 부대를 배치해야 한다."고 답했다. 그런데 이 말을 재판 과정에서 부인했다. 합수부 수사에서는 얘기했지만 '5.18 특별법'으로 재판을 할 때는 "그런 일이 없다."고 부인했다. 그러나 김재규의 진술이 있었고, 김정섭 차장보의 진술도 일치한다. 정승화 본인이 번복한다고 진실이 바뀌지는 않는다.

"김재규를 정중하게 잘 모셔라"

박정희 대통령이 시해된 사실은 당시 국무위원들이 알 수 없었다. "다쳤는지, 병이 났는지?" 의심스러웠지만 김재규는 입을 굳게 다물었다. 신현확(申鉉碻) 당시 부총리와 김성진(金聖鎭) 문공부장관이 따로 김계원 비서실장을 불러 추궁한 뒤에야 "각하께서 운명하셨다."는 답을 들었다.

김계원이 노재현 장관에게 "김재규가 범인."이라고 말하자, 노 장관은 정승화와 전두환을 급히 불렀다. 노 장관은 전두환 사령관에게 "정 총장의 도움을 받아서 김재규를 연행하라."고 지시했다. 그런데 정승화가 전두환 사령관에게 뭐라고 지시했느냐가 중요하다. 정승화는 이렇게 말했다.

"김재규를 보안사 안가로 데려가 정중하게 잘 모셔라."

나중에 정승화는 "내가 김재규 체포를 지시했고, 그런 말(잘 모셔라)을 한 적이 없다."고 거짓말을 했다.

하지만 내가 증인이다. 당시 전두환 사령관이 비서실장인 내게 "김재규를 정동 안가에 잘 모셔라."고 지시했다. "잘 모셔라."는 정승화의 지시를 전두환 사령관이 그대로 내게 말한 것이었다. 그 안가는 보안사령관 비서실장이 관리하는 곳으로 사령관이 민간인을 주로 접견하는 장소다. 그래서 내가 에스코트해 김재규를 안가로 데려갔다.

수사관이 김재규를 데리고 안가 2층으로 올라갔다. 언뜻 보니 김재규의 얼굴이 붉었고 쳐다보는 것이 겁이 날 정도였다. 그런데 잠시 후 신동기 수사관이 2층에서 내려와 하는 말이 이랬다.

"비서실장님. 김재규가 범인인 것 같습니다."

"왜?"

"말하는 것을 보니 횡설수설합니다. 자고 나면 세상이 바뀐다는

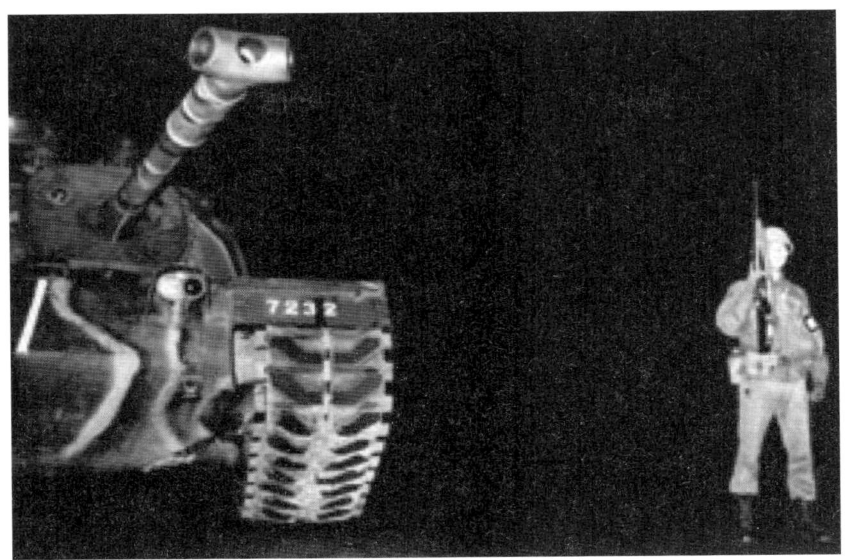

1979년 12월 12일 밤 박 대통령 시해사건을 수사 중인 합동수사본부 측이 정승화 육참총장을 연행하는 과정에서 총격전이 발생, 전방의 군부대가 서울로 출동했다.

겁니다."

김재규의 정신 상태는 정상적이지 않았다. 극도의 긴장상태였기 때문일 것이다. 김재규의 언동을 통해 그가 범인일 것이란 심증을 갖게 됐고 나는 곧바로 전두환 사령관에게 전화를 걸었다.

"김재규는 모셔야 될 분이 아니라, 서빙고 분실로 이동해야 될 것 같습니다."

듣고 있던 전두환 사령관이 "바로 옮겨라." 하고 지시했다.

그래서 서빙고 분실로 김재규를 데려간 것이다. 수사과정에서 감춰졌던 정승화와 김재규의 행적이 구체적으로 드러나기 시작했다.

정승화는 반성은커녕 자기 사람인 장태완 장군을 수경사령관에 임명했다. 전례가 없는 비상 인사였다. 수경사령관 인사는 법적으로 경호실장의 건의를 받아 대통령이 임명하는 자리다. 그런데 최규하 대통령 대행에게 보고도 하지 않았다. 장태완 장군은 대전에 있는 육군본부 교육사령부에서 군 생활을 끝낼 시점이었다. 나중 장태완은 자기 책에 "나 같은 촌놈을 출세시켜준 정승화 총장에게 충성한다."고 말했다고 한다. 수경사령관 자리는 대통령에게 충성하는 자리지 총장을 위한 자리가 아니다.

東警사령관 좌천설의 진상

12.12 사태와 관련, 정승화 쪽은 "정승화가 전두환 사령관을 강원도 '동해경비사령관'으로 좌천(左遷)시키려는 것을 눈치 채고, 선수를 쳐 정승화를 납치했다."고 주장했다. 그런데 당시 국내 모든 정보를 다루는 보안사조차 그런 얘기를 들은 적이 없다.

비상계엄 하의 보안사 합수부는 정승화를 24시간 감시했다. 그의 일거수일투족을 보고 있었기 때문에 언행을 꿰뚫고 있었다. 그 사실은 세월이 흘러 '역사바로세우기' 재판정에서 알게 되었다.

우리 쪽 변호인이 노재현 장관에게 "전두환 사령관을 동해경비사령관으로 좌천시키려 한 사실을 알았는가?"를 물었다. 뜻밖에도 그는 "언젠가 골프장에서 정승화가 내게 전두환의 보직을 바꿨으면 좋겠다고 얘기했다."고 말했다.

그런데 "수사 중인데… 지금은 때가 아니다."라는 이유로 묵살했다고 증언했다. 왜 그랬을까. 혹시나 '전두환 장군은 박 대통령의 골수 추종자이기 때문에 정승화를 절대 용서하지 않을 것'이란 사실을 알고 있었기 때문이 아닐까. 만약 그때 보안사가 그 사실을 알았다면 문제가 복잡했을 것이다. 그런데 우리가 그 사실을 알고 선수를 쳐서, (자신을) 잡아간 것이라고 거짓 이야기를 만들었다.

1979년 11월 24일 계엄선포 후 첫 '민관(民官) 계엄확대회의'가 열

보안사 합동수사본부에 연행된 정승화 계엄사령관이 1980년
1월 19일 조사를 받기 위해 호송을 받으며 걸어 나오고 있다.

렸다. 그 자리에서 계엄사령관인 정승화는 이런 말을 했다. 김재규의 시해 결행 의도와 매우 유사한 발언이었다.

"개인적으로 박정희 대통령이 돌아가신 것은 애석하나 국가와 국민 전체의 불행은 아닙니다. 박 대통령 체제는 잘못됐으므로 시정돼야 합니다."

그 말에 군 장성들이 웅성거리기 시작했다. 그 자리엔 진종채 2군사령관과 백석주(白石柱, 육사 8기) 육사 교장, 황영시(黃永時, 육사 10기) 장군이 있었다. 이분들이 "박 대통령이 서거한 지 며칠도 안 됐는데 지금 그런 말을 할 때인가. 박정희 체제가 잘못됐다면 군 지휘관도 책임지고 물러나야 하지 않느냐?"고 따졌다.
'민관 계엄확대회의'는 흐지부지 끝나고 말았다. 정승화는 이후 언론 간부들과의 모임에서 '3K(金大中·金泳三·金鍾泌) 불가론'을 강력하게 주장한 일도 있었다.
계엄사령관은 국가방위에 대해 책임을 지기만 하면 되는 자리다. 그런데도 중대한 정치적 발언을 했던 것이다.

김계원의 거짓말

김계원 비서실장이《월간조선》2006년 2월호에서 이렇게 말했다.
"쿠데타를 할 군 병력을 차지철이 보유하고 있었다. 전두환 장군은 차지철의 심복이었고, 차지철이 하나회다 뭐다 뒷돈을 대주었다. 김재규는 쿠데타를 할 능력이 없었다."
새빨간 거짓말이 아닐 수 없다. 그렇다면 전두환과 차지철의 관계를 들여다보자. 1960년대 전두환 소령과 차지철 대위가 함께 미국 특수전 훈련부대에 위탁교육을 받으러 간 적이 있다. 육사 13기 육완식 대위도 동행했다. 당시 전두환 소령이 한국 장교 가운데 선임이었다고 한다. 그전까지 차지철의 존재를 전두환 소령은 몰랐다.
어느 날, 늪지를 횡단하는 훈련을 했다. 개인장비와 기관총 같은 공용화기(公用火器)를 들고 밤새 행군하는데, 죽을 지경이었다고 한다. 무거운 공용화기는 대원들이 몇 분 간격으로 교대해 짊어졌다. 차지철 대위가 공용화기를 짊어질 차례가 됐다. 키가 작은 그가 기관총을 들고 늪지를 헤쳐 걷는데, 미군 누구도 교대를 해주지 않았다. 가다가 늪에 빠져 물을 먹고 낑낑대다가 거의 도착지점에 이르러서야 미군 장교가 바꿔주겠다고 말했다. 화가 난 차지철이 그 미군을 흠씬 두들겨 결국 징계위에 회부됐다.

전두환 소령이 한국군 선임 장교로 징계위에 불려가 이렇게 말했다고 한다.

"미군 사병이 한국군 장교를 감독하는 것도 자존심 상하는데, 키 작은 사람에게 무거운 공용화기를 짊어지게 하고 교대도 안 해줬다. 한국에선 있을 수 없다. 그래서 불상사가 생겼다."

퇴교하면 바로 본국에 송환돼 군복을 벗어야 할 상황이었지만, 전두환 소령의 설득으로 벌점을 받는 선에서 송환을 면하게 됐다. 나중 차지철 대위가 전두환 소령에게 "형님으로 모시겠다. 사실은 육사 12기 시험에서 떨어져 보병학교로 가 임관했다."고 털어놨다고 한다.

이후 차지철은 전두환에게 팍 고개를 숙였다.

1976년 전두환 준장이 청와대 경호실 작전차장보로 가게 됐다. 차지철이 경호실장으로 있었다. 박 대통령 신임을 받고 있던 전두환 장군이 경호실장 자리를 차지할까 봐 차지철은 안절부절 못하며 움츠려 있었다고 한다.

또 차지철이 쿠데타 병력을 보유하고 있다고 했는데, 그것도 거짓말이다. 수경사는 경호실장 관할이었지만 당시 수경사령관은 육사 8기 전성각 장군이다. 그는 차지철 사람이 아니라, 박 대통령 사람이다. 차지철은 매주 토요일마다 경복궁 내 30경비단에 육군참모총장과 장성들을 불러 사열을 받도록 했다. 게다가 3성의 이재전 장군을 경호실 차장 자리에 앉혀놓고 군을 장악한 듯 과시했지만 누구도 차지철을 존경하는 사람이 없었다. 당시 군인이라면 누구나 아는 이야기다.

반면 김재규는 당시 군내 추종세력이 존재했다. 대표적인 이가 정승화 총장이고 이건영(李建榮, 육사 7기) 3군사령관이다. 김재규가 정승화를 총장 자리에 앉혔고 이건영은 1977년 1월부터 이듬해 10월까지 중앙정보부 차장으로 데리고 있었다. 그리고 주변 중요 부대를 정승화를 통해 장악하려 했다.

그날 10.26 사건 현장에서 박정희 대통령 사람은 다 죽게 돼 있었다. 청와대 경호원이 죽어야 김재규가 살 수 있기 때문이다. 상식적인 얘기다. 궁정동 안가 현장, 김재규 옆 자리에 김계원이 있었다. 김재규가 총을 들었을 때, 총을 붙잡거나 저지했어야 했다. 그리고 안가 밖에는 누가 있었나? 바로 김재규 경호원이 포진하고 있었다. 그들이 청와대 경호원을 모두 죽였다. 그런데 김계원은 살았다. 왜 살았을까. 박정희 사람이 아니었기에 살았다. 시해 후 김계원은 대통령 시신을 수도통합병원 분원에 안치한 뒤 김재규 경호원을 이용, 누구도 접근하지 못하게 만들었다.

'살기 위해' 병력을

12.12에 대해 김영삼 대통령이 '하극상에 의한 쿠데타'라고 정의했다. 정치적 공세의 표현이라 생각한다. 하극상은 상관의 명령에 불복한 것을 말한다. 소장이 대장을 잡아가서 하극상(下剋上)이란 얘기다.

정승화 계엄사령관이 정상 임무를 전두환 합수본부장에게 줬으나 본부장이 그것을 거역하고 정승화를 잡아갔으면 하극상이다. 그러나 그게 아니었다. 죄가 있다고 생각하는 상대를 계급, 직책에 상관없이 연행한 케이스다.

쿠데타는 사전 계획에 의해 권력을 탈취하는 것을 말한다. 그런데 최규하 대통령에게 보고하고 재가를 기다렸다. 다시 말해, 권력 탈취는 없었다. 탈취의 어떤 시도도 없었고, 최 대통령이 건재하고 있었다. 계획적으로 병력을 동원한 것이 아니라 장태완 장군이 우리를 공격하기 위해 병력을 동원하자 우리는 '살기 위해', 임무수행 차원에서 동원한 것이다.

좀 더 들여다보기 위해 1979년 12월 12일 현장으로 돌아가 보자.

'12.12 사전 계획설'은 전두환 합수본부장이 장태완 수경사령관, 정병주(鄭柄宙, 육사 9기) 특전사령관, 김진기(金晋基) 헌병감을 연희동 한정식 집으로 불러냈다는 점을 들고 있다. 전 본부장은 한정식 집에 보안사 참모장을 대신 보내고, 자신은 최규하 대통령을 만나러 총리공관에 갔다. 정승화 연행을 보고하기 위해서였다. 장태완 측은 이 회식 자리에 자신과 정병주·김진기 장군을 불러내 대응할 수 있는 발을 묶었다고 주장한다. 그리고 바로 그 시각, 합수부 허삼수(許三守, 육사 17기)·우경윤 대령이 정승화 총장을 연행했다는 것이다.

12.12 병력 출동은 장태완 장군의 공격에 맞서기 위한 자구책

회식 자리 때문에 대응할 수 없었다는 주장을 살펴보자. 장태완의 말대로 그 사람들을 빼돌릴 생각을 했다면 연희동 한정식 집이 아니라, 서울 외곽이나 강남 깊숙한 요정에서 회식을 했을 것이다. 그러나 한정식 집은 시내 가까운 곳에 있었고 당시 장군들 역시 다들 바빠서 멀리 갈 수도 없는 형편이었다.

또 지휘관은 통신장비를 갖춘 지휘차량이 있고, 수행원도 있다. 군대를 무력화시키려는 계획이었다면 무전기나 통신장비부터 빼앗았을 것이다. 지휘차량과 부관, 운전사를 꼼짝하지 못하게 만들었다면 사전 모의라는 말을 들을 수 있다.

정승화 연행의 불법성 시비

(왼쪽부터)윤성민, 노재현, 이건영, 정승화, 장태완 씨 등이 1996년 6월 27일 오전 서울지법에서 열린 12.12와 5.18공판에 증인으로 출석하기 위해 출두하고 있다.

그 자리는 헌병단 조홍(趙洪, 육사 13기) 대령의 준장 진급을 축하하는 자리였다. 조 대령의 부탁으로 전두환 사령관이 참석하기로 한 것이고 12.12 이전에 약속이 돼 있었다. 조 대령은 정병주, 장태완 장군과 원래 친하고 전두환 장군과도 막역한 사이였다. 그러니까 자연히 범위를 그 정도로 해서 자리를 같이한 것이다.

왜 하필 그 시각에 정승화 계엄사령관을 연행했느냐 하는 의문을 가질 수 있다. 당시 합수부 입장에서는 해를 넘겨서 정승화 수사를 끌 수 없었다. 1980년이 되면 정치 일정상 개헌과 대선을 치러야 하는데, 그러려면 시해사건을 서둘러 매듭지어야 했다. 또 계엄사에서 합수부 측에 빨리 조사하라는 압력을 넣었다. 그래서 수사계획상 12

월을 절대 넘겨선 안 된다는 원칙에 따라 결정한 날이 12월 12일이었다.

정승화 연행 시각이 왜 하필 그날 저녁이었느냐고 할 수도 있다. 당시 육군 최고 책임자를 연행하기 위해선 극도의 보안이 필요했다. 그래서 일과시간이 지나 공관을 찾아간 것이다.

정승화 연행에 대한 전두환 사령관의 대통령 보고 시점을 그날로 정한 것은 보고 상 하나의 요령이었다. 대통령 일과시간이 지난 뒤 사무실이 아닌 공관으로 찾아가 보고하면 순조롭게 처리될 것으로 생각했다.

일각에서는 최규하 대통령의 재가 없이 정승화를 연행한 것이 불법이라고 주장한다. 그러나 수사기관장은 대통령의 허가가 없어도 자체 판단에 따라 상대를 연행 수사할 수 있다. 대통령의 재가를 받아서 수사를 하고 말 사항이 아니었다. 거듭 말하지만, 정승화 연행 자체는 불법이 아니었다. 불법이 아니기에 대법원 판결에서도 그 부분은 문제시되지 않았다.

"고문 사실, 부인하지 않겠다"

《박정희의 마지막 하루》와 《제5공화국》을 쓴 조갑제(趙甲濟) 기자는 정승화 전 계엄사령관을 인터뷰하면서 12.12 사건을 파헤쳤다. 그리고 정 장군이 녹음테이프에 구술해둔 회고록을 정리해 《12.12 정승화는 말한다》는 책까지 냈다.

그와 인터뷰하며 조 기자가 가장 분노했던 것은 12.12 당일 밤 보안사에 끌려간 현직 계엄사령관이 수사관들로부터 물고문을 당하는 장면이었다고 한다. 선비같이 강직한 정 장군은 "내가 6.25 때 왜 죽지 않고 살아남아 이런 치욕을 당하는가?"라고 생각했다는 것이다.

이에 대해 허화평 당시 보안사령관 비서실장은 이렇게 말했다.

"고문 과정을 직접 보진 않았지만 부인은 안 하겠다. 그런 사건은 고분고분하게 넘어가지 않았을 것이다. 수사관들이 조사를 빨리 끝내기 위해 고통을 가해야 했을지 모른다. 일제시대부터 내려온 관행이었고 정치 후진국의 악습이라고 봐야 한다. 당시 수사를 책임졌던 중요한 사람들이 그것(고문)을 제대로 인식하지 못하고 가볍게 생각한 것은 잘못이다."

우리가 받은 단죄는

문제가 된 것은 군사반란을 이유로 병력을 동원한 부분이었다. 다시 말해, 군 통수권자의 허가 없이 임의로 병력을 동원했다는 것이고, 그것이 12.12와 관련해 우리가 받은 단죄다.

이미 12.12 이전에 정승화에 대한 수사 필요성을 여러 차례 건의했지만 최 대통령은 기다려보자는 입장만 노재현 국방장관을 통해 밝혔다. 수사를 지시할 낌새가 전혀 없었다.

전두환 합수본부장으로선 무한정 기다릴 수 없는 노릇이었다. 수사 마무리를 위해선 정승화에 대한 문제 해결이 반드시 필요했다. 그런데도 대통령의 지시가 없었다. 보안사 합수부 사람들은 점점 "왜 대통령의 지시가 없을까?" 의문을 가지기 시작했다. "빨리 잡아야 하는데… 정승화의 언동이 좋지도 않고… 혹시 이분들이 겁을 먹은 것은 아닐까?" 생각했다.

당시 정승화는 계엄사령관으로 이미 절대 권력을 쥐고 있었고, 자신을 단단히 보호하려 했다. 전두환 본부장은 수사 책임자로 대통령의 부담을 덜어주는 것이 좋겠다고 판단했다. 그래서 연행 결심을 했던 것이다. 돌이켜보면, 정승화 연행을 사후 보고만 했어도 장태완의

1967년 8월 15일 1군 사령관실에서 사령관이던 서종철 대장(왼쪽)과 악수를 하는 허화평 대위.

수경사와 합수부 간 병력충돌은 없었을지 모른다. 물론, 그랬다면 최 대통령이 섭섭하게 생각할 수는 있다. '그 중요한 것을 왜 나한테 말하지도 않고 했느냐?'고 말이다. 그러나 법적으론 보고를 안 해도 되는 것이었다.

12월 12일 그날 오후 6시 반쯤 최 대통령에게 보고하고 7시쯤 정승화를 연행하도록 돼 있었다. 그런데 최 대통령이 국방장관을 배석시켜야 한다고 했다. 그렇다고 정승화를 연행하지 말라는 지시는 없었다. 그게 중요하다. 이미 그 이전에 정승화에 대한 처리가 불가피하다는 것을 공유하고 있었으니까.

이 과정에서 합수부 수사관들로부터 정승화를 연행했다는 보고가 전두환 합수본부장에게 들어갔다. 곧이어 전두환 본부장이 이 사실을 최 대통령에게 구두로 보고했다. 대통령은 "연행하지 말라. (정승화를) 원상 복귀시켜라."는 말씀이 없었다. 최 대통령은 "국방장관이 와야 한다."는 말만 거듭했다. 그래서 보안사가 총동원돼 노재현 장관을 수소문하기 시작했다.

노재현 장관은 그날 밤 10시가 지나서 전두환 본부장에게 전화를 걸어왔다. 정승화 연행에 대한 자초지종(自初至終)을 간단히 보고했고, 나중 최 대통령하고도 통화했다. 13일 새벽 3~4시쯤 노 장관이 대통령이 머무르던 총리 공관으로 향했다.

공관에 가려면, 보안사령부 합수본부를 지나칠 수밖에 없다. 지금도 그렇지만 삼청동으로 가기 위해선 여러 검문소를 반드시 거쳐야 한다. 노 장관은 합수부에 들러 전두환 본부장을 만난 뒤 최 대통령에게 갔다. 한쪽에서는 '너희가 합수부에서 노 장관 강제로 연행해 겁줘서 대통령에게 데려갔다.'고 하지만 사실이 아니다.

"너희 함부로 움직이면 복잡해진다"

12.12는 엄격히 말해 장태완 장군의 병력동원 사건이자 반란 사건이다. 노재현 국방장관이 그에게 병력동원을 지시한 적이 없다. 정승화 총장에 대한 충성심에 자기 독단으로 공격명령을 내렸고 온 사방으로 병력동원을 요청했다. 그와 친한 26사단 배정도 장군과 수도기계화보병사단장, 특전사 일부 병력에 출동명령을 내렸다. 심지어 수경사 예하 부대에 합수부와 30경비단에 대한 공격 명령을 시달했다.

나중에 알았는데, 장태완 장군이 경기도 김포에 있는 포병부대에는 포격 명령을 내렸다고 한다. 그것도 합수부와 30경비단에 포를 쏘라는 것이었다. 포는 원래 정밀 타격이 어렵다. 만약 명령에 따랐다면 어떻게 됐을까. 청와대 인근이 불바다가 됐을 것이다.

육사 17기 허화평 생도.

합수부는 병력을 동원할 때 황영시 장군이 9사단의 가용한 병력을 빼라고 명령했다. 국방장관이 없어 김용휴 국방차관에게 보고했다. 그래서 9사단 1개 예비연대, 30사단의 1개 연대, 기갑여단의 1개 전차대대, 그리고 2개 공수여단을 동원했다.

무력충돌이 우려되자 노태우(盧泰愚, 육사 11기)·유학성(俞學聖, 육사 1기)·차규헌(車圭憲, 육사 8기)·박준병(朴俊炳, 육사 12기)·황영시 장군 등이 총리 공관을 찾아가 최 대통령에게 수습을 부탁했다. 그러나 최 대통령은 양측 병력 동원에 대해 아무런 언급도 없었다.

겁이 없었다면 거짓말

나는 죽기 아니면 살기였다. 입이 바짝 타들어갔다. 겁이 없었다고 하면 거짓말이다. 앉지도 못하고 서서 전화통에 매달렸다. 가까운 연대장이나 참모들에게 전화를 걸어 "사단장이 그러더라도 상황이 그러니 너희 함부로 움직이면 복잡해진다."고 밤새 설득했다. 누구한테 전화 걸었는지 기억나지 않을 정도다. 순간순간의 긴장이 파도처럼 몰려왔다.

당시 보안사령관실에서는 유학성·황영시·차규헌·노태우·박준병 장군이 전두환 사령관과 밤을 새웠다. 30경비단에 있던 장군 대부분이 사령관실로 모였다. 마치 사령관실이 비상상황실처럼 돼 버렸다. 그분들이 달라붙어 각 부대에 전화를 걸어 "함부로 움직이지 말라."고 했다. 노재현 장관과 유학성 장군, 이건영 3군사령관은 직접 장태완 수경사령관에게 전화를 걸어 병력동원을 하지 못하도록 설득했다.

장성 중 한 분은 끝내 전화를 걸지 않았다. 내가 "전화 좀 거세요." 라고 말해도 주저했다. 사태가 일단락난 뒤 "우리 부대는 아무 일이 없나?"라고 했다. 왜 그랬을까. 그도 인간이어서 겁이 났던 것이라 생각한다.

장태완 장군은 솔직담백한 군인이다. 정치적으로 앞뒤를 재는 사람이 아니다. 정승화에 대한 개인적 충성심, 군인다운 의리를 드러냈지만, 그런 충성심이 모든 판단을 흐리게 한 결정적 원인이 아닌가 생각한다. 그의 가족사를 생각하면 지금도 가슴이 아프다.

우리가 전방을 지키던 9사단 병력 일부를 뺀 것을 두고 미8군이 불만을 토로했다. 9사단 1연대는 미8군의 통제를 받고 있었기 때문이다. 하지만 당시 상황은 죽기 아니면 살기인데, 가능하고 말고가 없었다. 일종의 블랙홀 상황이었다. 정상적 지휘계통이 무너진 상태이고, 장태완 쪽이 먼저 공격을 시도했다.

미8군 위컴 사령관이 화를 많이 냈다.

모르몬교도인 위컴은 깐깐한 원칙주의자였다. 이후 대화가 잘 안 될 정도로 갈등이 깊었다. 12.12 이후 장성들이 용산에 있는 미군 골프장에 골프를 치러 갔는데 위컴이 못 치도록 했다. 그런 식으로 불만을 토로한 것이다. 10.26과 12.12를 거치며 미군 측은 정말 당황스러웠을 것이다. 우리는 사전에 어떤 협조도 하지 않았고 미군의 간섭도 없었다.

'To be or not to be…'

10.26 직후 한국 현대사에 블랙홀 현상이 3~4번 왔다. 블랙홀 상황에서는 물리법칙이 적용되지 않는다. 빛까지 흡수해 버리고 공식도 법칙도 통하지 않는다. 기존 질서와 게임 룰은 전혀 맥을 못 춘다. 그런 위기가 1979년 몰아쳤고 우연이 역사를 지배했다.

엄청난 사건을 겪으면서 우리 사회도 군도 많은 교훈을 얻었다. 군이 정치권력에 함부로 휘둘릴 가능성은 적을 것도 같지만, 그러나 유감스럽게도 군이 정치권의 눈치를 보게 된 것은 불행한 일이다.

여기서 고전적 의문이 여전히 남는다. '명령의 정당성!' 말이다. 명령을 받았지만, 그 명령이 정당하지 않으면 어떻게 해야 할까.

그때그때의 상황에 따라 답변이 달라질 수 있다. 하나의 답변만이 존재할 수 없다. 나는 정당한 임무라고 수행했는데, 상대는 정당하지 못한 일을 했다고 주장한다. 어떻게 해야 하나. 그런 현상은 정치적 상황이 그렇게 만든 것이다. 임무가 정당했느냐, 안 했느냐는 것은… 'To be, or not to be : that is the question.(사느냐, 죽느냐 그것이 문제로다)'이 아닐까.

1980년 현대사 기술은 아직 끝나지 않았다

정리 : 김태완 월간조선 기자

5공 집권 7년 동안 박정희 측과 불필요한 갈등이 있었나? 내가 알기로 하나도 없었다. 5공이 박정희의 산업화를 마무리 지었기에 지금의 박근혜가 존재한다. 측근들이 5공 때문에 피해를 봤다고 말한다면, 그것은 터무니없는 주장이다. 박정희가 국민 가슴 속에 살아나야 측근들도 존재 이유가 있다.

고대 희랍의 델포이(Delphi) 신전에 새겨진 첫 번째 경구는 '너 자신을 알라.'이다. 이처럼 인간 삶에서 간단한 명제는 없다.

사실, 어떠한 역사도 그냥 비켜가는 법이 없다. 당면한 역사를 놓치지 않은 지도자는 성공했고 번영했다. 역사를 놓치지 않는다는 것은 역사의 숨결을 놓치지 않는다는 말과 같다.

1980년 '서울의 봄'과 5.17 조치, 그리고 '광주 5.18'은 우리에게 어떤 역사의 숨결로 남아 있을까. 역사의 숨결을 놓치지 않은 자는 결단과 선택을 통해 역사의 주인공이 되었으나 그러지 못했던 자는 역사의 희생자가 되었다. 이것은 역사가 비켜가지 않기 때문에 전개되는 필연적 현상이었다.

나는 군인으로 일생을 살아가려 했지만 역사는 내 운명을 바꿔놓았다. 상황의 소산이었다. 그 상황에 이르면 선택을 해야 하고 때론 맞서야 한다. 나는 그것을 받아들였고 공과(功過)를 모두 책임져야 했다. 그 책임은 지금도 유효하다.

나의 이야기는 다시 1980년대 초로 돌아간다.

그 뜨겁고 낯선, 그리고 아직도 아물지 않은 시간 속으로.

최규하(崔圭夏) 대통령은 1980년 1월 18일 기자회견에서 정부가 이미 법제처에 헌법 연구반을 구성, 작업을 진행하고 있음을 처음 공개하면서 3월 중순까지 대통령 직속 하에 헌법개정심의위원회를 설치하겠다고 밝혔다.

최 대통령은 10.26으로 불거진 박정희(朴正熙) 시해사건을 매듭짓고, 유신체제를 대체할 정치일정을 결정하는 데 동분서주했다. 그러나 사회가 복잡하게 돌아가기 시작했다.

12.12로 인해 권부(權府) 내에서 블랙홀 현상이 일어났다면, 1980년 5월 김대중(金大中)을 중심으로 한 재야의 '최후통첩'이 두 번째 블랙홀을 낳았다. 그 '최후통첩'이 무엇인지는 다시 언급하겠다.

동원탄좌 사북탄광 소속 광부들의 시위 현장. 1980년 4월 24일 광부 대표가 수습대책회의에서 돌아와 합의 사항을 동료들에게 전달하고 있다.

사회갈등이 1980년 4월 뜻밖에도 강원도 사북에서 시작

1980년 4월 21일, 어수선한 분위기 속에서 뜻밖에도 강원도 사북에서 일이 터졌다. 강원도 정선군 사북읍 동원탄좌는 당시 국내 최대 민영탄광이었다. 계엄사령부의 집회 불허를 거부하고 광부들이 시위를 벌였고 이 과정에서 경찰관이 사망하고 160여 명의 광부들이 다치는 끔찍한 사고가 일어났다.

저임(低賃)과 막장의 열악한 노동조건이 원인이었지만 정부는 심각하게 받아들였다. 사북사태의 불길이 다른 노동현장으로 번지지 않을지 초조하게 예의주시했다. 게다가 북한에서 사북사태를 두고 대남 선전선동이 요란했다. 마치 사북 현장을 카메라로 생중계하듯 생생히 전하며 연일 혼란을 부추겼다.

5공과 박근혜

국내 정치상황도 점점 미묘하게 바뀌기 시작했다. 김재규를 반(反)유신의 의사(義士)인 것처럼 동정하는 여론이 번져났다. 박정희 정적(政敵)들이 도처에 도사리고 있어 어떤 식으로든 박정희 유족을 보호하는 것이 급선무였다. 박정희 추도식을 국립묘지에서 갖지 못했던 것도 그런 까닭이다.

18년 동안 철권통치를 하던 박정희가 별안간 사라진 이상, 반(反)유신 세력은 이 기회를 어떤 식으로든 최대한 활용하려 덤벼들었다. 만약 박정희 인사들이 공개 모임을 갖고, 외부 추도식을 가졌다면 어떻게 됐을까. 시비가 붙고 말썽이 생겼을 것이다.

그런 차원에서 전두환 대통령의 지시로 내가 직접 박근혜(朴槿惠)를 찾아간 일이 있다. 신당동 자택으로 찾아가 그가 이끌던 '새마음봉사단(옛 구국여성봉사단)'을 해산하는 것이 좋겠다고 간곡하게 말했다.

박근혜 찾아가 '새마음봉사단'을 해산하는 것이 좋겠다고 말해

정부 재정으로 운영되지 않는 봉사사업은 결국 돈 가진 사람의 도움으로 유지될 수밖에 없다. 반(反))유신 바람이 거센 마당에 재야투쟁의 빌미가 될 수 있겠다 싶었다.

물론 박근혜는 아쉬워하는 낯빛이 역력했다. 요청을 받아들이겠다는 말도, 거부하겠다는 말도 하지 않았다. 그럴 수밖에. 육영수(陸英修) 여사가 돌아가신 뒤 국민운동 차원에서 새마음봉사단을 이끌었을 것이다.

이를 두고 박정희 정권 시절 측근들이 5공을 삐딱하게 여긴다. 속이 좁은 것이다. 5공 집권 7년 동안 박정희 측과 불필요한 갈등이 있었나? 내가 알기로 하나도 없었다. 5공이 박정희의 산업화를 마무리 지었기에 지금의 박근혜가 존재한다. 측근들이 5공 때문에 피해를 봤다고 말한다면, 그것은 터무니없는 주장이다. 박정희가 국민 가슴 속에 살아나야 측근들도 존재 이유가 있다. 5공 때 박정희에 대한 부정여론을 그냥 내버려뒀다면 어떻게 됐을까.

DJ의 최후통첩

다시 1980년 5월로 돌아가자.

사북사태 이후 반(反)유신 세력들이 발 빠르게 움직였다. 이 과정에서 그해 5월 12일 서울역 앞에서 30여 개 대학 소속 학생들이 격렬한 시위를 벌였다. 전경버스가 불타고 많은 학생이 연행됐다. 최규하 정부와 군은 재야가 탈권투쟁을 본격화하려는 기미로 판단했고, 관련 정보가 계속 들어왔다. 여기서 재야란 김대중을 중심으로 한 정치세력을 말한다.

그래서 시국수습 방안이 검토되기 시작했다. 향후 정치적 혼란이 어떻게 전개될지 예측불허였다. 그해 3월 DJ는 복권이 이뤄졌으나 YS의 신민당과는 거리를 두었다. DJ는 재야 민중운동을 통해 권력을 장악하려는 구상을 세웠다. 거기에 추종하는 세력들, 학생과 반(反)유신 투쟁자들이 모여 급진 노선을 추구하기 시작했다.

12일 서울역 시위에 앞서 11일 전북 정읍에서 동학제가 있었다. 정읍은 동학운동의 시발지다. 여기서 DJ는 "동학란은 민주주의 혁명"이라 규정하며 "제2의 동학란이 일어나야 한다."고 선동했다. 이튿날 서울역에서 격렬한 시위가 일어나자 DJ는 동교동 사저에서 소위 '민

1980년 5월 '서울의 봄' 당시 대학생들이 "비상계엄 해제"를 요구하며 시위를 벌이고 있다.

주화 촉진 국민대회 선언문' 초안을 작성한 뒤 16일 '민주주의 민족통일을 위한 국민연합'이란 명의로 언론기관과 각 대학에 선언문을 배포했다.

DJ, "5월 19일 오전 10시까지 납득할 만한 조치가 없으면, 22일부터 투쟁하겠다."고 최후 통첩

선언문에는 비상계엄 해제, 신현확(申鉉碻) 총리 퇴진, 정부 개헌심의위 해체를 요구하는 내용이 담겨 있었다. DJ는 "5월 19일 오전 10시까지 납득할 만한 조치가 없으면, 22일부터 국민과 더불어 요구관철 때까지 투쟁하겠다."는 최후통첩을 했다.

이 최후통첩이 5.18 광주사태와 연결돼 복잡해지는데, 만약 최후통첩이 없었다면 5.17 계엄확대조치를 단행할 명분이 없었을 것이다. 그런 까닭에 5.17 조치는 선택의 여지가 없는 결정이었다. 그날 아침에도 재야 지도자들이 모여 "민주화촉진국민운동본부를 출범시키자.", "최규하 정부가 흐리멍덩하게 나오면 전 국민적 궐기를 결행하자."고 의견을 모았다.

보안사 정보처는 재야의 움직임을 예의주시하고 있었다. 손쓰지 않으면 정상적 국가질서 유지가 불가능하다고 보았다. 그래서 비상계엄확대 조치가 나온 것이다.

권정달의 1996년 검찰 진술은 거짓말

권정달(權正達) 당시 보안사 정보처장이 1996년 1월 역사바로세우기 검찰조사에서 "전두환 장군의 지시를 받아 비상계엄의 전국 확대, 국회 해산, 국가보위비상기구 설치 등을 골자로 한 시국수습방안을 작성했다."고 진술했다.

또 "허화평, 허삼수(許三守), 정도영(鄭棹永), 이학봉(李鶴捧) 등과 함께 시국수습방안을 논의했다."고 주장하며 "허화평 비서실장실 옆에 있는 조그만 회의실에서 주로 만나 논의했다."고 했다.

그의 주장은 새빨간 거짓말이다.

참모들이 모여 그런 시국수습책을 세울 필요도, 이유도 없었다. 비상계엄과 국회 해산, 국보위 설치 문제는 모두 정보처 소관사항이다.

수사를 맡은 대공처와 군 업무를 담당하는 보안처의 업무와는 성격이 다르다. 정보·대공·보안처가 서로 머리를 맞댔다고 의심할 순 있지만, 권력기관의 속성상 고유 업무 외의 일을 간섭하지 않는 것이 불문율이다.

그 방안이란 것도 정부 기능이 붕괴될 때를 대비해 세워둔 여러 시나리오 중 하나였을 것이다. 그런 시나리오는 정보처와 계엄사, 청와대가 관련된 내용이다. 보안사 비서실장 옆 회의실에서 수습방안을 논의했다고 하는데, 내가 일하던 회의실이란 게 변변한 회의 탁자조차 없는 좁은 공간이었다. 항상 사람들로 북적였던 그곳에서 어떻게 심각한 회의를 할 수 있었겠나?

재판정에서 내가 부인하자 권정달은 그제야 진술을 번복했다. 보안사 비서실장 회의실이 아닌, 박 대통령이 시해된 궁정동 안기부 안가에서 회의를 가졌다는 것이다.

왜 권정달은 거짓 진술을 했을까.

그는 민정당 창당 주역이자 초대 민정당 사무총장을 맡은 인물이다. 계엄 도중에 보안사·계엄사·청와대의 협력을 이끌던 이가 정보처장이다. 제일 먼저 구속돼야 할 사람이지만 위증을 해 혼자 처벌을 면했다. 1996년 당시 안기부장이 육사 동기인 권영해다. 같은 권 씨이기도 하다. 추측건대 권영해가 정부의 지시를 받고 모종의 '작용'을 한 것이 아닌가 하는 것이 5공 주역들의 공통된 견해이다.

중요한 것은 비상계엄 전국 확대를 담은 5.17 조치가 불가피했느냐는 것이다. 나는 지금도 '그렇다'고 생각한다. DJ가 이끄는 '국민연합'의 '5.16 선언'이 없었다면, 재야의 성급한 급진노선이 없었다면, 5.17이 없었을지 모른다.

광주 5.18의 비극

지금 나의 고백이 5.18 광주시민의 희생을 건드리거나 원점에서 시비할 생각은 없다. 광주 5.18은 군인의 광주시민을 향한 발포가 불가피했다고 해도 비극이었고 지금 와서 이를 새삼 평가할 일은 아니라고 본다. 마찬가지로 시민들의 계엄해제 요구가 정당했다고 해도 무기고까지 탈취할 만한 일은 아니었다. 광주시민도, 군인도 희생자였다. 쌍방 간 어떤 타협점도 찾을 여지가 처음부터 없었다는 것이 또 다른 비극이었다.

광주 5.18은 당대 정치상황이 직접 원인으로 작용한 결과였다. 그러나 더 근본을 캐고 들여다보면 분단과 이념, 정치사회적 갈등이 촘촘히 연결돼 있다. 그것을 떠나 본질을 얘기할 수 없다. 5.18은 결국 최규하 정부 퇴진의 직접적인 원인으로 작용했고, 정국이 더 이상 추스를 수 없는 긴박한 상태로 가게 만들었으며, 그 과정에서 5공이 탄생되는 전환점이 됐다.

광주 5.18은 학생들이 휴교령이 내려진 전남대 도서관에 가는 것을 공수부대 군인들이 쫓아낸 것이 시발이었다. 등교 거부를 당한 학생들이 시내로 몰려가 시민들과 합류하게 되고 계엄군과 충돌, 추격전이 벌어졌다. 그 무렵, 광주 시내에 유언비어가 전파되기 시작했다. '계엄군이 젖가슴을 도려냈다.'거나 '임신부의 배를 군인들이 갈랐다.', '경상도 군인이 전라도 사람 죽이러 왔다.'는 식이었다. 이 유언비어가 광주시민의 증오심을 극대화시킨 도화선이 됐다. 소문을 듣고 시민들이 흥분하면서 일이 복잡해졌다.

5월 19일과 20일, 시위군중은 공수부대와 경찰을 향해 돌과 화염병을 던지며 격렬하게 시위를 벌였다. 시위군중은 점점 늘어났고 희생자 수도 급격히 늘어났다.

사람들은 왜 광주에 공수부대를 투입했느냐고 묻는다. 공수부대는

광주 5·18 당시 시민과 학생들이 도청 앞 광장에서 계엄군과 대치하고 있다.

소수 간부요원으로 편성된다. 절대적으로 숫자가 적다. 적지 깊숙이 들어가 게릴라 부대를 조직해 저항하는 것을 기본으로 삼는 부대다. 이 부대가 광주에 파견된 것은 계엄사의 우발사태에 대비한 사전계획에 따른 조치였다.

권정달은 "광주사태의 근본원인이 공수여단이란 과격한 부대를 시위현장에 투입해 강경 진압한 때문이고, 이와 같은 계획을 입안하고 실행에 옮겼던 전두환·황영시(黃永時)·정호용(鄭鎬溶) 등 신군부 핵심세력들에 전적으로 책임이 있다."고 주장했다.

그의 주장은 역사바로세우기 재판부와 검찰이 듣고 싶어 한 이야기이자, YS 정부가 듣고자 했던 주장이었다. 권정달은 철저히 5공 주역을 구렁텅이에 몰아넣는 발언을 계속했다. 정말 광주를 진압할 생각이 있었다면 공수부대가 가면 안 된다. 보병여단이나 사단이 갔어야 했다. 오히려 공수부대 숫자가 적다 보니 초동진압에 실패, 문제가 복잡하게 됐다. 시민군은 공수부대 수를 보고 만만하게 본 것이 불행을 키웠다고 생각한다.

아직도 신원 확인이 안 된 12구의 시신

5월 21일 13시경 시위대가 장갑차, 대형트럭을 앞세우고 도청 앞으로 돌진을 시도했다. 도청 앞은 공수부대가 지키고 있었다. 몰려오니까, 그땐 이미 자위권 발동 명령이 있었을 때다. 자위권은 위협을 받았을 때 자신을 보호하기 위해 총기를 사용하는 것인데, 그 경우 '발 밑으로 쏘라'는 지침이 계엄사에서 내려갔다.

그런데 위협사격을 아스팔트에서 하니 파편이 튀고 그 유탄에 사람이 맞게 된 것이다. 시민들은 경찰과 예비군의 무기고를 습격해 무장하고 공수부대와 시가전을 벌이게 된다.

무기고 탈취와 교도소 습격은 아무리 생각해도 '정부 퇴진'이나 '계엄 해제' 요구와 비교해 지나친 것이다. 평범한 시민의 요구는 아닐 것이다. 목적의식을 갖고 있는, 시민군 속에 숨어 있던 소수세력에 의해 선동된 것으로 군은 판단했다. 교도소는 5월 21일 6차례에 걸쳐 공격 시도가 있었다고 한다. 제일 많은 사상자가 발생했으며, 결국 성공하지도 못했다. 당시 교도소에는 2,700여 명이 수감돼 있었고, 그들 중 170여 명이 좌익 정치사범이었다.

교도소 습격은 보통 일이 아니다. 혁명군이 자기 동지를 구출하기 위해 습격하는 법이다. 한 번도 아니고, 집요하게 교도소 점령을 시도했다? 상식적으로 납득이 가지 않는다.

무기고 탈취가 당시 44개 지역에서 일시에 일어났다. 아시아자동차 공장에 가서 장갑차를 탈취했다. 600명이 무장을 했다는데, 그 넓은 지역에서 무기고의 위치를 어떻게 알았을까? 누군가의 지휘통제를 받지 않고서는, 일거에 무기 탈취는 불가능했을 것이다.

만약 북한이 남한을 집어삼킨다면, 우리가 전혀 몰랐던 5.18의 숨은 영웅이 나올지 모를 일

시위대가 도청에 돌진한 것이 5월 21일 13시경인데, 무기고 탈취는 21일 낮부터 이뤄졌다. 44개 무기고를 낮 12시부터 오후 4시 사이에 탈취한 것으로 파악되고 있다.

5.18 당시 총에 맞아 숨진 사람이 116명인데, 전부 군 통합병원에서 검시했다. 그런데 총상 사망자 116명 가운데 적지 않은 수가 카빈총에 의해 숨진 것으로 확인됐다. 이것은 시민군 안에서 누군가가 시민을 향해 쐈다는 증거일 수밖에 없다. 계엄군은 M16을 사용했다. 총상을 조사하니까, 뒤에서 맞은 시위 군중이 많았다.

무기고 탈취방법이나 교도소 습격, 총상 사망자 형태로 보면 이상하다는 느낌을 지울 수 없다. 이는 광주시민 다수는 알 수 없는 일이다. 12구 시신의 신원이 확인되지 않은 것도 미스터리다. 누구일까.

북한 탈북자들이 "광주 5.18을 다시 보자."고 주장한다. 그들이 왜 광주에 주목할까. 자기네들이 북한에서 들은 얘기가 있기 때문이다.

보이지 않는 손

나는 5.18에 '보이지 않는 손'이 작용했을 것이라는 의혹을 지울 수 없다. 과거 경험상, 남한의 정치사회적 격동이 있을 때마다 평양이 들썩였다. 대남 적화노선이 유지되는 한, 북한은 남한 정세에 최대한 영향을 미치려 한다. 제주 4.3사건, 여수·순천 반란사건, 대구 10.1 폭동 때도 마찬가지였다.

김일성 어록에 "1960년 4.19 때 효과적으로 대처하지 못한 것을 통탄했다."는 말이 있다. 박정희 대통령이 시해된 직후 대남 파트는 전력투구해 정보를 수집했을 테고, 자기네들이 할 수 있는 공작을 최대한 감행했을 것이다.

1980년 5월 북한의 대남방송이 봇물 터지듯 쏟아졌다. "파쇼 도당을 까부셔라."는 말이 계속 나왔다. 정보당국의 감청에서 풀 수 없는 암호지령이 급증했다. 공공기관을 습격하고 좌익 수가 많은 교도소를 집요하게 공격하거나 무기고·방산업체를 일시에 덮친 것은 모종의 '컨트롤 타워'가 없이는 불가능하다는 것이 나의 판단이다.

게다가 북한은 광주 5.18을 남한보다 더 거창하게 기념한다. 〈님을 위한 교향시〉라는 5.18 영화를 제작하고, 5.18을 북한이 이룩한 최고의 대남공작사례로 소개한다. 또 탄도탄 제조에 쓰이는 1만t급 프레스를 '5.18 청년호'라고 부르고, 천리마 운동을 '5.18 무사고 정시 견인 초과운동'이라 칭한다.

그런 일이 일어나선 안 되지만, 만약 북한이 남한을 집어삼킨다면, 우리가 전혀 몰랐던 5.18의 숨은 영웅이 나올지 모를 일이다.

'광주의 진실규명을 위한 요구가 결과적으로 전투적 반정부 단체를 형성시켰고, 북한과 손을 잡고서라도 군사독재를 종식시켜야 한다는 좌파세력을 등장시켰다. 그 결과, 종북좌파 세력이 한국사회의 거대 흐름을 형성시켰다.'는 주장에 나는 공감한다.

당시의 비극적 상황에 '보이지 않는 손'의 작용이 있었다면, 그리고 소위 정치권력에 의한 사법부가 5공 인사를 단죄했는데, 그것이 정치적 게임이지 역사의 진실일 수 없다고 한다면, 실체적 진실을 재조명해야 한다고 생각한다. 그래서 그것을 토대로 화해하고, 역사의 교훈으로 가져가야 한다.

5.18은 한국사회에서 전투적인 반미(反美)-종북(從北)-좌파(左派) 세력이 등장하는 계기가 돼

5.18은 한국사회에서 전투적인 반미(反美)·종북(從北)·좌파(左派)세력이 등장하는 계기가 됐다. 그 전부터 그런 세력이 있었지만, 역사바로세우기 재판을 통해 5공 세력이 단죄받자 그 투쟁이 정당화됐으며 결국 반(反)우파체제 투쟁의 고리가 됐다.

우리 사회를 이끌었던 정부, 이승만(李承晩)·박정희·전두환·노태우(盧泰愚) 정권을 '신식민지 반봉건사회'로 규정하며 반민족·친일·친미파쇼정권으로 몰아세웠다. 광주 5.18에 대한 YS정부의 정치적 단죄는 대한민국 현대사 전체를 정면으로 부정하는 나름의 정당성을 확보했다고 할까. 이것을 투쟁의 고리로 삼고 지금까지 이어져 왔다.

그 결과, 대한민국 군대를 광주시민을 학살한 범죄 집단으로 몰아 군에 대한 거부감을 만드는 데 성공했다. 젊은이들에게 군에 가면 청춘을 허송세월하는 거라 생각하게 만들었고, 군 시설을 혐오시설로, 군 기지 건설과 기지 이전도 반대하게 만들었다. 반미 역시 마찬가지다. 왜 한·칠레 FTA, 한·EU FTA는 놔두고 한·미 FTA만 결사적으로 반대할까. 반미는 5.18을 경험한 386세대 정치인의 기본인식이다.

유감스럽게도 아직까지 증오의 씨앗이 자라고 있다. 5.18은 광주시민들이 원하든 원치 않든 반(反)우파체제 투쟁의 영양소로 작용하고 있다. 이 상태가 계속 방치되면 지역 갈등, 이념 갈등이 계속 심화될 것이다. 시시비비를 넘어 냉정하게 정리를 해야 한다. 증오의 씨앗도 씻어내고 더 이상 광주의 그늘을 남겨둬선 안 된다고 생각한다.

YS와 DJ의 든든한 배경은 미국

1980년 9월 1일 통일주체국민회의의 간선으로 전두환은 제11대 대통령에 당선됐고 10월 27일 새로운 헌법을 만든 다음, 이듬해 2월 25일 실시된 선거인단에 의한 대선에서 임기 7년의 12대 대통령이

1981년 1월 15일 민정당 총재에 취임한 전두환 대통령. 왼쪽부터 최규하 전 대통령, 두 사람 건너 민관식 국회의장 직무대리, 김용휴 총무처장관.

되었다.

연임보다 단임이 심플하고 임기 4년은 너무 짧고 8년은 중임의 의미가 있어 밀고 당기기를 거듭하다 단임 7년으로 결정했다. 박정희 정권의 18년 절대 통치가 남긴 갈등이 당시로선 너무 컸다. 그러나 박정희 정권이 완성하지 못한 산업화를 마무리 짓고, 정당정치를 착근하려면 7년은 돼야 한다고 생각했다.

육군 준장으로 예편한 나는 대통령비서실 보좌관과 정무수석으로 5공에 참여했다. 5공 인사들의 의식 속에는 '1인 장기집권 체제'는 영원히 불가능하다는 대전제가 있었다. 그러니까 공화당과 신민당, 자유당과 민주당 같은 양당제가 아니라 '다당제'라는 정상적 자유민주주의 체제의 정치구조로 가야 한다는 대원칙을 처음부터 가졌다.

1981년 1월 15일 창당한 민정당은, 내가 창당에 관여하진 않았으나, 불행히도 '공화당'의 재판이었다. 왜냐하면 민정당 창당 작업을 맡은 이들의 지식수준이 과거에 머물러 있었기 때문이다. 당 총재 중심의 강력한 중앙집권 통치라는 한계에서 벗어나지 못했다.

일종의 관료주의 행태 정당이었다. 정당조직은 관료적 멘털리티에서 벗어나야 하지만 또 다른 형태의 정부조직에 불과했다. 당시만 해도 해외 정당정치나 구조를 연구한 이가 드물었다는 변명도 해본다.

민정당 창당 이후 야당인 민한당과 국민당이 창당됐다. 야당이 민정당의 관제정당일 수는 없지만 DJ나 YS 같은 거물 정치인의 발을 묶었으니 5공과 협력하는 고분고분한 사람들이 중심이 될 수밖에 없었다.

3김(金) 퇴진은 5공으로선 불가피한 조치였다. 구정치인 3김이 한국정치를 3분(分)했기 때문이다. YS와 DJ는 평생 반(反)유신 선상에서 정치투쟁을 한 인물이다.

그러니 최규하 정부가 받아들일 수 없었고, JP는 박통 이후 반(反)유신에 의한 시대적 희생자였다. 본인으로서는 억울할 수 있겠지만 반(反)유신의 여러 분위기가 작용했다고 볼 수 있다.

1980년 3월 복권된 DJ는 광주 5.18의 내란음모자로 사형 언도를 받았으나, 미국정부의 구명으로 1982년 12월 미국으로 출국했다. YS는 1980년 8월 신민당 총재직에서 물러나 정계를 은퇴해야 했다.

미국정부는 유신시절부터 DJ와 YS에 깊은 관심을 가졌다. 한국의 좌파들은 "미국이 늘 남한우파 체제의 수호자 역할을 해왔다."고 늘상 몰아붙인다. 사실은 그 반대다. 박정희의 5.16 혁명 당시 미국정부가 심하게 불만을 토로했고, 박 대통령이 미국을 순방할 때도 보통 괄시를 받은 것이 아니다.

박정희의 정적들을 항상 미국이 보호했다면 틀린 말이 아니다. 미 고위인사들이 서울에 오면, YS와 DJ 같은 야당 지도자들을 만났다. 미국은 지금이나 그때나 군사정권을 옹호하지 않는다. 어쩔 수 없이 인정했을 따름이지, 군사정부를 처음부터 지지한 적은 없었다.

미국이 아니었다면 DJ는 죽었을 수도 있었을 것이다. YS도 급하면 주한 미 대사를 만나 "군사정부 지지하지 말라. 민주세력을 늘 지지해야 한다."고 공개적으로 말하곤 했다. 반(反)유신 세력의 버팀목이 워싱턴이자 미국 언론이었다. 박정희는 그런 면에서 수세(守勢)에 있었다. 미 정부는 언제나 반(反)유신 체제 지도자들을 백업(Back up)했고, 성원했다.

1982년 12월 23일 결국 DJ가 미국으로 떠났다. 미국의 강력한 요구가 있어서 형 면제를 받았다. 그것은 미국의 전폭적 지지를 의미한다. 그리고 훗날 다시 돌아와 야당 지도자가 됐고 이념세력들의 지지를 받아 대통령이 됐다. 그런 배경에는 미 정부의 지원이 있었다.

그러나 미국 정치인 중에는 "우리가 지지해 줬는데 DJ는 왜 우리를 섭섭하게 대했나? 친미 우호세력인 줄 알았더니 반미에 가까운 민족주의 세력이었다."고 생각하는 인사도 있는 것이 사실이다.

언론 통폐합, 잘못된 것이었다

5공 출범과 함께 공무원과 언론인 숙정(肅正), 언론사 통폐합(統廢合), 권력형 부정축재자 수사, 삼청교육대 등 일련의 개혁 작업이 동시에 진행됐다.

언론 통폐합에 직접 관여하지는 않았으나 당시 원칙에는 동의했다. 지금 생각하면 잘못된 것이었다. 안 되는 것을 된다고 생각한 게 잘못이다. 당시 전두환 대통령도 굉장히 고민을 많이 했다. 자신이 별로 없었던 것 같다. 군 출신의 사고에서 그런 방안이 나온 게 아니었다. 역대 정부를 봐도, 군이 언론과 원수진 일이 없었다.

다만 언론도 정화의 대상임에는 틀림없었다. 전국적으로 우후죽순처럼 생기는 언론이 온갖 부조리를 일으키고 있었다. 정리해서 건전

대통령비서실 정무수석 시절의 허화평(좌측 두 번째).

내려갈 일이 있었다. 후배에게 '삼청교육대에 잡혀갈 뻔했다.'는 이야기를 들었다.

엉뚱한 사람, 전혀 갈 사람이 아닌 이까지 데려갈 수 있겠다는 생각을 그때 처음 했다. 교육 대상자는 각 지역 경찰과 보안부대, 안기부가 공동으로 선정했다. 윗선에서 결정하는 게 아니라 지역별로 하니, 개인감정이 포함될 수 있겠다는 생각이 들었다.

공무원 숙정과 삼청교육대는 고도의 정치적 행위다. 불가피했다기보다 권력을 쥔 집단이 정치적 이유로 그런 조치를 취했다고 보면 된다. 그런 현상들은 흔히 정치 후진국에서 볼 수 있는 현상이다. 양쪽의 입장에 따라 시각이 다를 수밖에 없다. 숙정 대상자 입장에선 있을 수 없는 일이었을 테고, 반대편 입장의 사람들은 정국을 안정시키고 개혁시키기 위해 필요했다고 말할 수 있다.

연좌제를 폐지한 사연

나는 일찌감치 군복을 벗을 뻔한 사연이 있다. 보안사 대위였던 1968년 8월 동생(허화남)이 남파간첩으로 붙잡힌 것이다. 동생은 1967년 2월 일본으로 밀항했다가, 8월에 북한으로 잠입했다. 그곳에서 밀봉교육을 받은 뒤 1967년 11월 경북 영일군 장자면으로 남파됐다 붙잡혀 무기징역을 선고받았다. 연좌제 탓에 나 역시 예편할 수밖에 없었다.

그런데 당시 김재규 보안사령관과 전두환·노태우·권익현(權翊鉉)·김복동(金復東) 장군 등 군 선배들이 막아줬다. "사상적으로 문제될 게 없고 열심히 복무했다."고 변호해 주었다. 사실 연좌제는 야만적인 굴레이자, 분단이 만들어낸 민족의 비극이다. 조선시대 때는 연좌제로 3족을, 심할 때는 9족을 멸했다. 일제 때는 반일(反日)인사들을 철저히 탄압, 감시했다. 이들은 아무리 재능이 빼어나도 꽃을 못 피우고 시들어갔다.

광복이 돼도 마찬가지였다. 좌우익이 서로를 얽어맸다. 제주도 출신 공직자 중에 성공한 경우가 많지 않은데 제주 4.3사건 때문이다. 내가 '빨갱이'가 아닌데, 진급도 승진도 채용도 안 된다. 소외된 세력은 결국 반정부 감정을 갖게 된다. 긴 안목에서 보면, 반정부 세력을 연좌제가 계속 키운 셈이 된다.

그런 사회는 안정될 수 없다. 희랍이나 로마시대엔 연좌제라는 게 없었다. 내 아버지가 잘못해 자식의 재산이 빼앗긴 적이 없었다. 선진국 헌법에서는 소급입법, 연좌제, 법에 의한 인신구금을 철저히 금지한다.

나는 연좌제 폐지를 5공화국 헌법에 규정할 것을 강력히 주장했다. 연좌제는 야만의 법이자 악법이기 때문이다.

통행금지 해제와 해외여행 자율화

1980년 8월 16일 최규하 대통령의 하야 뉴스가 실린 《조선일보》 호외를 읽고 있는 시민들.

통행금지 해제와 해외여행 자율화도 그 연장선상에서 나온 것이다. 사람들은 통행금지에 익숙해져 없애야 한다는 생각을 하지 못했다. 계엄해제를 주장하던 야당 정치인도 통행금지에 대해서는 얘기하지 않았다. 습관이 의식을 재단해 버린 것이다.

통행금지 해제는 5공이 북한 체제에 대한 열등감이나 콤플렉스가 없다는 상징이었다. 북한 위협을 인식하면서도 그로 인해 스스로의 발목을 묶을 필요가 없다고 판단했다. 또 어느 간첩이 자정을 넘겨서까지 돌아다니겠는가.

술꾼들이 한 잔 마시다가도 통행금지 전에 서둘러 헤어진다. 상인들 역시 통행금지 전 막차를 타려고 일찍 셔터를 내릴 수밖에 없고, 공장 역시 24시간 돌리는 것이 불가능했다. 통행금지가 국민경제 생활의 절반을 묶고 있었다.

통행금지 해제는 무지하게 중요한 정치사회적 의미를 지닌다. 북한에 대한 수세적 자세에서 벗어나 국민의 경제활동 폭을 정상화시켜 주었고, 의식 속에 잠재된 냉전(冷戰) 사고를 벗겨내는 계기가 됐다고 자부한다.

박정희 정권 시절, 해외여행을 대폭 제한했다. 북한의 대남공작에 연루될 수 있다는 점과 외화 유출을 막기 위한 고육책이었다. 당시 해외여행은 아무나 갈 수 없었다. 특히 연좌제에 걸린 사람들은 더더욱 해외로 나갈 수 없었다.

민주공화국에서 여행의 자유가 허용되지 않는다는 것은 심각한 문제다. 여행 가서 북한에 포섭되는 사람이 과연 몇이나 될까. 그렇게 포섭돼 북한에 가면 그만이라고 간단하게 생각했다.

당시 재무부 관계자가 "외화가 절대 부족해 안 된다."고 고집했다. 나는 이런 말로 설득했다.

"돈이 없는 것은 맞다. 그런데 나가는 돈은 파악되지만, 들어오는 돈은 파악이 안 된다. 미국 가서 채소 장사하고 세탁일 하며 자리 잡아 고국에 있는 형제와 가족들을 미국으로 불러들인다. 그리고 열심히 돈 벌어 고향에 송금한다. 국가나 개인이 돈이 없어 유학 가기 어려운 시절, 해외동포들이 맨주먹으로 고생해 성공하는 것을 돈으로 계산할 수 있나?"

당시 해외이민을 갈 때 자기 재산을 못 가져가게 막았다. 나는 생각이 달랐다. 할 수 있다면, 돈을 많이 가지고 가야 한다고 생각했다. 일본은 이민 가도 동포끼리 도와주는 제도가 잘 마련돼 있었지만, 우리는 맨주먹으로 이민 가니 신용대출을 받기가 불가능했다. 뼈 빠지게 10년, 20년 고생해야 됐었다.

국내 재산을 가져갈 수 있다면 10년 고생할 것, 5년만 하면 된다. 그렇게 고생해 성공하면 다시 고국으로 돌려주니 일석이조(一石二鳥)

가 아닌가. 정부가 보조금을 주진 못하더라도 자기 재산 가지고 가서 정착하는 것까지 막을 순 없지 않은가.

지금 생각하면 촌스런 생각이지만, 당시는 달러 문제만 얘기하면 벌벌 떨 때였다. 그렇게 해서 규제를 풀고 여행자유화를 했더니 미국이 이민을 쿼터로 묶어버렸다. 마음대로 나가도 좋다고 하니 문을 좁혀버린 것이다. 어쨌든 달러·북한·간첩만 생각했다면 통행금지와 여행자유화를 해제하지 못했을 것이다. 이 3가지 조치가 5공 정부의 '열린 마음'을 상징한다.

대통령 결재까지 받은 금융실명제 도입을 반대하다

당시 강경식(姜慶植) 재무장관과 김재익(金在益) 대통령 경제수석 두 사람은 1982년 이철희·장영자 사건 이후 금융실명제를 추진한다. 강경식·김재익은 실명제가 당시 사회정의 실현의 가장 확실한 제도라고 주장했다.

한국경제의 산업화 초기, 경제개발을 주로 차관(借款)에 의존했다. 차관은 자고 나면 이자가 불어났다. 그나마 불리한 나라 사정에 돈을 빌려 쓰는 입장이니 조건이 나쁜 외채라도 빌려야만 했다.

실명제를 경제적 측면에서 보면 교과서적 방책이다. 굳이 반대할 이유가 없다. 미국과 일본 같은 선진국은 실명제라는 말을 쓰지 않는다. 돈을 숨기기 어려운 구조이기 때문이다. 당시 우리나라는 선진국도 아니고 완벽한 시장경제 구조도 아닌 데다, 정치권력의 영향이 큰 나라였다. 이런 상황에서 실명제를 도입하면 중소영세업자들만 죽게 된다. 왜 그런가?

당시 일반은행의 큰돈은 대기업이 썼다. 담보가 없는 중소업자들은 돈을 못 빌렸다. 은행 문턱이 워낙 높았기 때문이다. 사채에 의존하

이철희·장영자 부부의 거액 어음사기 사건이 세상을 놀라게 했다. 두 부부가 1982년 7월 7일 법정으로 향하고 있다.

고 심지어 형님 돈과 삼촌, 이모 돈까지 빌려서 구멍가게를 차렸다. 사채나 친인척, 친구와의 금전거래는 신고하지 않는다. 돈을 신고하면 반드시 세금을 내야 하기 때문이다. 법대로 세금 내면 아무 장사도 못한다.

영세업자들이 비싼 사채를 얻어 공장을 돌리는데 그 돈을 실명화하면, 돈 얻어다 쓰기가 더 어려워질 게 뻔했다. 사채는 없어지지 않고 사채이자만 더 높아지고 더 음성화될 것이라 판단했다. 결국 중소기업은 망할 수밖에 없다. 실명제를 할 수 없는 게 아니라, 할 수 없는 경우라면 못하는 것이 당연하다. 교과서적 아이디어로서 실명제는 틀린 게 아니지만 당시 정치사회 상황을 간과한 것이다.

또 다른 이철희·장영자 사건을 막으려면 실명제가 필요했다. 또 지하경제를 노출시키면, 세원을 확보할 수 있고 선진국 형 경제운영도 가능했다. 그런데 고비용 저효율의 정치모순을 방치해 놓고, 기업 모순부터 해결하라고 요구해서 되겠는가? 순서가 잘못된 것이다. 정치적 모순을 우선 해결하면서 기업의 모순을 고쳐가야 한다.

금융실명제는 나도 반대했지만 민정당의 반대도 컸다. 결국 대통령도 생각을 바꾸었다. 처음에 도입을 찬성했다가 반대가 심각하게 나오고, 특히 정치자금에 대한 실명제 도입이 어렵다는 것이 영향을 미쳤을 것이다.

대통령이 찬성해 서명까지 한 것을 되돌린 케이스는 5공의 금융실명제가 한국 현대사에 유일무이(唯一無二)하다.

"그래, 구속해야지"

건국 후 최대의 어음사기 사건인 이철희·장영자 사건이 1982년 5월 불거졌다. 당시 사채시장의 큰손으로 불리던 장영자는 전두환 대통령의 처삼촌인 이규광 광업진흥공사 사장의 처제였다.

이들 부부는 자금난을 겪는 건설업체에 유리한 조건으로 자금을 제공하고 대여액의 2~9배에 달하는 어음을 받아 사채시장에 유통시키고 뒷돈을 챙겼다. 어음을 발행한 기업이 부도로 무너지면서 엄청난 파장을 몰고 왔다.

사람은 당장 눈앞의 것만 응시하는 이가 있고, 이면(裏面)까지 보는 이가 있다. 또 당대만 생각하는 이가 있는가 하면, 다음 세대를 생각하는 사람도 있다. 전두환 정권은 7년 후면 끝이 난다. 정권이 바뀔 때마다 정권 심판이 이뤄진 것을 역사가 보여주지 않았던가. 5공에서 저질러진, 최고 권력자와 관련된 부분이 제대로 정리가 안 되고 넘어가면 반드시 재론될 수밖에 없는 것이 한국의 정치문화다.

최고 권력자가 권력을 쥐고 있을 때 깨끗이 처리하는 게 나중 후환을 없애는 길이다. 그 점에서 대통령 참모들이 중요하다.

모시다가 때가 되면 그만이고, 책임은 대통령만 지면 그만이라고 생각하면 곤란하다.

이 말을 하는 지금도, 그때와 마찬가지로 곤혹스럽다. 내 소신이 대통령의 생각과 충돌하지 않았다고 말할 수 없다. 내 의견이 받아들여진 경우도, 안 받아들여진 경우도 있었다. 의견은 늘 상충될 수밖에 없다.

물론 이철희·장영자 사건 당시엔 대통령과 충돌이나 상충은 없었다. 나중 후폭풍이 복잡해서 그렇지, 처리과정에서 문제는 없었다. "구속이 불가피합니다." 하고 보고를 하니, "그래, 구속해야지." 그러셨다. "처삼촌인데 고려해야지." 하는 얘기는 그때 없었다.

그런 일이 재발되지 않도록 (사건 처리를) 세게 밀기는 밀었다. 대통령을 위해서도 필요하다고 생각했다. 나중에 세월이 흘러 이야기를 들어보니 집안에서 불편해 했다고 한다. 어찌 보면 인간사회의 자연스런 현상이다. 섭섭하게 생각할 수 있겠지만 한 번도 직접 표현한 적이 없었다.

5共을 떠나다

1982년 12월 나는 대통령비서실 정무수석에서 물러나 미국으로 떠났다. 꼭 이철희·장영자 사건 때문에 떠났다기보다, 물론 그 사건이 영향을 안 준 것은 아니나, 나는 떠날 수밖에 없었다. 아니, 잘 떠났다는 게 내 입장이다.

나는 대통령의 영향에서 벗어날 수 없는, 그야말로 대통령 직계가 아닌가. 내가 어디로 가든 그 영향권에서 벗어날 수 없고, 내 의도와 관계없이 언행이란 것이 연결이 안 될 수 없다.

실은 떠나야겠다는 생각을 진작부터 가졌다. 11대 총선이 끝난 직

국회의원 시절 허화평 의원. 역사바로세우기 재판으로 서울지검에 출두하고 있다.

후 마음속으로 정리했다. 왜냐하면 5공이 어느 정도 궤도에 안착했고 국회도 정상화되었다. 내가 남아서 특별히 도움이 될 것이 없다는 생각이 들었다.

대통령이란 자리는 육군 대령 급 인재가 아니라 대한민국 최고 인재들을 데려다 쓸 수 있는 자리이다. 정권의 핵심인사가 권력자 곁에 오래 머무르면 나중에 불편해진다.

국가는 한 사람의 힘으로 좌지우지되지 않는다. 내가 5공이 끝날 때까지 있다고 해서 5공 말엽의 모순들이 없었을 것이라고 생각하지 않는다. 나도 한패가 돼 맞장구쳤을 수도 있고, 침묵했을 수도 있다. 사람은 변하게 마련이니까.

나는 미련 없이 한국을 떠났다.

그리고 5년 동안, 그리고 5공이 끝날 때까지 돌아오지 않았다. 처음엔 가족들을 데려갈 생각이 없었는데 주위에서 같이 가야 한다고 성화였다. 막내가 초등학교 2학년, 큰 애가 중학교에 입학할 나이였다. 영어 알파벳조차 모르던 아이들을 미국학교에 입학시켰다. 아이들이 큰 쇼크를 받았다.

우리 가족은 고립된 생활을 할 수밖에 없었다. 교민들과 접촉도 없었고 여행도 많이 다니지 않았다. 헤리티지 재단에 출근하면 내 사무실이 있고 비서가 있었다. 아시아 문제를 연구하는 좌장 역할을 했는데 다양한 미팅에 참여하고, 보고서를 쓰고 읽었다.

원 없이 공부했다. 당시 미 의회는 이란·콘트라 사건에 대한 청문회와 아프가니스탄, 캄보디아 사건 등으로 시끄러웠다. 자주 의회를 찾아 청문과정을 지켜보았다. 내가 흥미를 가졌던 부분은 3권 분립 하에서 국가를 이루는 메커니즘이었다. 입법·사법·행정부라는 3개의 톱니바퀴가 어떻게 맞물려 초강대국을 이끄는지 지켜보았다.

모르는 것을 물어보고, 어떻게 정책을 수립하는지, 언론과 이익집단, 학계라는 거대한 외부세력에 어떤 영향을 미쳐 정책을 발굴하고 결정하는지 견자(見者)의 눈으로 익혔다.

나는 '5분의 3 타협'이라는 미국 헌법에 쇼크를 받았다. 미국의 헌법은 1787년 필라델피아에서 55명의 대표로 구성된 제헌의회가 처음 개최되면서 본격화됐다.

이 의회는 국민주권의 원리와 양원제 국회, 3권 분립을 구현하는 전문과 7개 조문으로 미국 헌법의 초안을 마련했다. 그런데 인구 비례로 하원의원을 뽑는데 노예경제 체제였던 남부는 흑인에게 참정권을 주지도 않으면서 흑인까지 수를 셌다. 그래서 흑인 한 사람을 5분의 3으로 계산해 남북 의석수를 비슷하게 만들었다.

그럼에도 미국 국민과 지도자들은 이 건국의 조상들이 만든 모순된 헌법을 결코 폐기하지 않았다. 마치 모세가 시나이 산에서 받은 십계명처럼 존중했다. 나는 미국의 3권 체제를 공부하며 민주주의의 바탕이 무엇인지 공부했다.

그리고 5년 뒤 1988년 귀국했다.

마음속으로 5공이 끝나면 한국으로 돌아가겠다고, 그리고 누구의 도움도 없이 정치를 하겠다고 결심했다. 귀국해 민정당에 입당, 출마하겠다고 하니 공천을 안 주면서 무소속 출마조차 하지 못하게 했다. 내가 (5공과) 싸우자는 것도 아니고 혼자 힘으로 의회정치에 투신하겠다는 생각이었는데 받아들여지지 않았다.

결국 또 5년을 기다려야 했고, 1992년 5월 무소속으로 고향인 포항에서 출마해 당선됐다. 선거를 치르며 충격을 받았다. 5공 주역인 내가 거대한 관권선거의 벽에 부딪혔던 것이다. 선거풍토가 1950년대와 별반 차이가 없었다.

무소속으로 국회에 들어갔으나 YS의 권고도 있고 해서 민자당(1995년 12월 신한국당으로 당명이 바뀌었다)에 입당했다. 그러나 역사바로세우기 재판을 통해 '12.12 반란 가담 및 중요 임무 종사 혐의'로 징역형을 선고받았다. 명예회복을 위해 1996년 4.11 총선에 다시 무소속으로 옥중 출마해 당선됐다.

사실 당선이 목표가 아니었다. "정치재판을 한 YS, 당신이 틀렸다."는 사실을 알리고 싶었다. 당선되면 세상이 알아주지 않을지 모르나 5공이 정당하다는 의미는 된다고 생각했다. 그러나 당선되고 기뻤다기보다 착잡한 마음이 앞섰다. 대법원 최종판결이 나면 당선되는 것으로 끝이 나니까 말이다.

YS에게 하고픈 말

YS는 1992년 민자당 후보로 대통령이 됐다. 3당 통합은 민주투쟁 세력과 산업화 세력 간 통합이었다. 정말 하느님이 계셨다면, 하느님의 역사가 아닐 수 없다. YS는 한때의 적에게 도움을 받아 대통령 자리에 올라간 것이다. 민자당을 진정한 자기의 당으로, 민주정당으로 만들었다면 지금의 한국정치가 달라졌을 것이다.

그리고 1979년 10.26 이후 상황을 긴 역사적 안목에서 제대로 정리했다면 한국사회는 완전히 다른 사회가 됐을 것이다.

비록 그가 나를 구속시켰지만, 언젠가 만난다면 "정치적 재판이 아니라, 역사적 진실을 재조명해 국민이 화합하고 민족통일을 이룰 수 있는 방안을 마련해야 한다."고 말하고 싶다. YS가 무슨 권한이 있기 때문이 아니다. 5.18을 내란으로 규정해 역사를 뒤엉키게 만든 과오를 인정하라는 의미다.

정치가 아름다운 것은 각자 입장에서 국가와 민족 앞에 충실하기 때문이다. 정치적 적대관계에 있는 사람은 나름 이유가 있다. "계엄을 해제하라.", "최규하 정권, 물러가라."는 주장을 이해하지 못할 바는 아니다. 그 사람들에게는 그것이 정당하다. 그러나 입장 차이 때문에 서로 충돌한다. 다만 대전제가 있다. 대한민국을 위해 고민하며 싸운다는 것이다. 그 위에는 대한민국이 있고 국민이 있고 그 너머에 북한 동포가 있다.

2012년 현재 한국사회에서 벌어지는 노선이나 이념 갈등의 뿌리는 10.26에서 촉발된 광주 5.18과 직결된 것이다. 1980년의 현대사는 아직도 끝나지 않았다.

[취재후기]

그는 아직도 군인이었다.

—공수부대가 강경 진압한 것은 사실 아닌가요.

"뭘 기준으로 강경 진압이라고 하나요?"

—피해자가 있고 증언이 있잖아요.

"과잉 데모는 과잉 진압과 같이 갑니다. 언제나 그랬어요. 충돌이 돼 당기고 미는 과정에서 일어난 일을 과잉이다, 아니다 하는 것은 무의미한 질문입니다."

—권정달(전 보안사 정보처장)이 이런 말을 했어요. "'과감히 타격하라. 끝까지 추적 검거하라. 분할 점령하라'는 공수부대의 시위진압 지침이 실행됐다."고요.

"저한테 질문하면서 권정달 씨 기록 말고 다른 공부는 안 했나요?

—(다른 자료도) 봤습니다.

"봤겠죠. 그러니까 권정달은 광주사태를 모릅니다. 진압을 어떻게 해라, 출동하라 말라는 것은 자기 업무가 아닙니다. 모르고 하는 이야기입니다."

—그래도 강경진압과 관련한 일련의 결과가 있지 않습니까.

"대한민국 군인은 언제나 국민 편에 섰습니다. 건국 당시 좌우투쟁부터 한국전쟁까지 군인은 나라와 국민을 위해 목숨을 던졌습니다. 10.26 이후 군이 국민 편에 안 섰다고 하지만… 군은 국가로부터 부여받은 임무수행에 매진했습니다. 어떤 두려움도 없이… 설사 발포 명령이 떨어져도… 군인들은 그렇게 안 합니다. 전두환의 군대가 아니라, 정호용의 군대가 아니라, 국민의 군대였으니까요. '경상도 군대가 전라도 사람 죽이러 왔다.'고 유언비어가 퍼졌지만 호남·광주 출신 군인도 많았습니다. 국민의 군대가 이유 없이 국민을 발로 찼다는 것은 있을 수 없는 일입니다. 그 사실을 여러분은 기본적으로 받아들여야 합니다."

허화평 씨와 기자와의 대화는 녹록하지 않았다. 증언을 듣기 위해 많은 질문을 준비해야 했다. 지적이고 섬세해 보이는 그였지만 때론 화가 나 언성을 높이기도 했고 탁자를 손으로 탕, 탕 치기도 했다. 그는 아직도 군인이었다. 기자에게 "당신도 역사바로세우기 재판 세뇌를 받았다. 질문 자료가 치우쳐 있다."고 말했다. 그러면서 "새로운 시각과 관점을 가져야 한다. 잘못 재단한 역사적 기록을 사실로 믿어버려선 곤란하다. 기자는 모든 일에 끊임없이 의심하고 회의하며 진실을 밝혀야 한다."고 충고까지 했다.

허화평 씨는 자신의 입장에서, 그리고 5공의 입장에서, 끊임없이 의심하고 회의하는 사람이라는 생각이 들었다. 어쩌면 그에게 5공의 입장에서 벗어나야 한다고 말하는 것은 불가능할지 모른다.

그를 8차례 만나 20시간 이상 대화를 나눴다. 그는 지금도 책을 읽고 글을 쓰며 역사를 공부한다. 스스로 사상가라고 말할 정도로 치열한 논리를 닦고 있었다.

그에게 있어 10.26에서 시작돼 5.18로 이어진 현대사는 아직 정리되지 않았다. 가해자와 피해자의 시각에서 벗어나, 감정의 아픈 응어리에서 벗어나, 5.18 내란·반란 수괴·불법 진퇴·상관 살해라는 역사 바로세우기 재판 결과에서 벗어나, 새로운 관점에서 역사 서술이 필요하다는 것이 그의 생각이다.

사실, 광주의 상흔과 아픔은 아직도 한국사회의 정치적·이념적 제반 현상을 칭칭 동여매고 있다. "2012년 현재 한국사회에서 벌어지는 노선이나 이념갈등의 뿌리는 10.26에서 촉발된 광주 5.18과 직결돼 있다."는 그의 생각에 동의한다.

감사의 글

어려운 여건에서도 기꺼이 출판을 맡아준 이재욱 사장과 사진을 골라준 박주현 사장에게 깊은 감사를 드립니다. 집필할 때마다 자료를 찾아내고 원고를 정리하느라 수고가 많았던 민가람 연구원에게도 감사하고 출판사 '새로운사람들' 가족 여러분에게도 감사를 드립니다.